상위권을 위한 **완벽한** 교재

최고수준

수학

중학
수학 **2·2**

최고수준 수학은 상위권 학생들을 위한 심화학습 교재입니다.
중등수학의 최고수준 문제를 체계적으로 다루어 교과서 심화
문제를 해결할 수 있도록 하였습니다. 또한 창의적인 문제를
다양하게 실어 창의적이고 유연한 수학적 사고력을 키울 수
있도록 하였습니다. 본 교재를 통하여 다양한 문제 해결력을
기르고 수학의 최고수준에 이르기를 희망합니다.

상위권을 위한 교재

최고수준

수학

중학
수학 **2·2**

1 필수 개념 학습과 적중도 높은 문제 해결을 목표로 하는 상위권 학생들에게 효과적인 교재입니다.

2 최신 기출 문제를 철저히 분석하여 필수 문제, 자주 틀리는 문제, 까다로운 문제를 개념별, 유형별로 정리한 후 우수 문제를 선별하여 구성하였습니다.

3 서술형 문제, 창의력 문제, 융합형 문제들을 수록하여 서술형 문제에 대비하고 창의 사고력과 문제 해결력을 키울 수 있도록 하였습니다.

◆ **이 교재의 난이도** (학교 시험 기출 문제 기준)

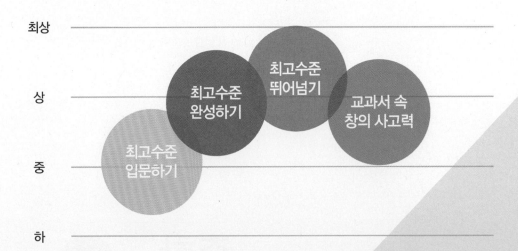

중단원별로 핵심 개념을 체계적으로 정리하여
깊이 있는 내용까지도 이해하는데 도움을 주
도록 하였습니다.

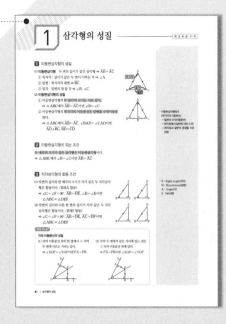

| 최고수준 입문하기 |

학교 시험 기출 문제 또는 예상 문제 중에서 적중도가 높은 중요한
문제, 자주 틀리는 문제, 까다로운 문제들을 분석하여 유형별로 담
았습니다.

| 최고수준 완성하기 |

내신 만점을 목표로 하는 상위권 학생들이 어려워하는 문제를 다
양하게 제시하여 응용력을 키울 수 있도록 하였습니다.

| 최고수준 뛰어넘기 |

수학적 사고력과 문제 해결력을 요구하는 최상위 문제를 담아 최
고난도 유형에 대한 적응력을 향상시켜 최상위 실력을 완성할 수
있도록 하였습니다.

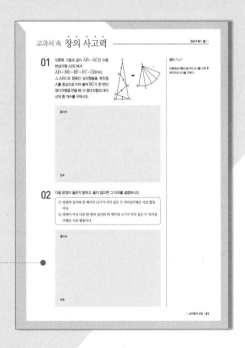

| 교과서 속 창의 사고력 |

교과서 속 창의력 중심의 새로운 유형의 문제
를 구성하여 수학적 창의 사고력을 키울 수 있
도록 하였습니다.

Contents
차례

I

삼각형의 성질

1 삼각형의 성질

1 이등변삼각형의 성질

(1) **이등변삼각형** 두 변의 길이가 같은 삼각형 ➡ $\overline{AB}=\overline{AC}$

　① 꼭지각 : 길이가 같은 두 변이 이루는 각 ➡ ∠A

　② 밑변 : 꼭지각의 대변 ➡ $\overline{BC}$

　③ 밑각 : 밑변의 양 끝 각 ➡ ∠B, ∠C

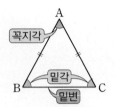

(2) **이등변삼각형의 성질**

　① 이등변삼각형의 **두 밑각의 크기는 서로 같다.**

　　➡ △ABC에서 $\overline{AB}=\overline{AC}$이면 ∠B=∠C

　② 이등변삼각형의 **꼭지각의 이등분선은 밑변을 수직이등분**

　　한다.

　　➡ △ABC에서 $\overline{AB}=\overline{AC}$, ∠BAD=∠CAD이면
　　$\overline{AD}\perp\overline{BC}$, $\overline{BD}=\overline{CD}$

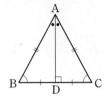

- 이등변삼각형에서
  (꼭지각의 이등분선)
  =(밑변의 수직이등분선)
  =(꼭짓점에서 밑변에 내린 수선)
  =(꼭짓점과 밑변의 중점을 이은
   선분)

2 이등변삼각형이 되는 조건

두 내각의 크기가 같은 삼각형은 이등변삼각형이다.

➡ △ABC에서 ∠B=∠C이면 $\overline{AB}=\overline{AC}$

3 직각삼각형의 합동 조건

(1) 빗변의 길이와 한 예각의 크기가 각각 같은 두 직각삼각
　형은 합동이다. (RHA 합동)

　➡ ∠C=∠F=90°, $\overline{AB}=\overline{DE}$, ∠B=∠E이면

　　△ABC≡△DEF

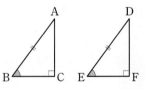

(2) 빗변의 길이와 다른 한 변의 길이가 각각 같은 두 직각
　삼각형은 합동이다. (RHS 합동)

　➡ ∠C=∠F=90°, $\overline{AB}=\overline{DE}$, $\overline{AC}=\overline{DF}$이면

　　△ABC≡△DEF

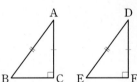

- R : Right angle(직각)
  H : Hypotenuse(빗변)
  A : Angle(각)
  S : Side(변)

개념 Plus⁺

각의 이등분선의 성질

(1) 각의 이등분선 위의 한 점에서 그 각의
　두 변에 이르는 거리는 같다.

　➡ ∠XOP=∠YOP이면 $\overline{PA}=\overline{PB}$

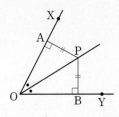

(2) 각의 두 변에서 같은 거리에 있는 점은
　그 각의 이등분선 위에 있다.

　➡ $\overline{PA}=\overline{PB}$이면 ∠XOP=∠YOP

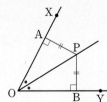

최고 수준 입문하기

1 이등변삼각형의 성질

필수 ✔

01 오른쪽 그림과 같이 $\overline{AB}=\overline{AC}$인 이등변삼각형 ABC에서 ∠BAD=∠CAD 일 때, 다음 중 옳은 것을 모두 고르면? (정답 2개)

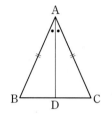

① $\overline{BD}=\overline{CD}$ 　② $\overline{AD}=\overline{BC}$
③ $\overline{AB}=\overline{AD}$ 　④ $\overline{AD}\perp\overline{BC}$
⑤ ∠A=∠B=∠C

02 오른쪽 그림과 같이 $\overline{AB}=\overline{AC}$ 인 이등변삼각형 ABC에서 $\overline{BC}=\overline{BD}$이고 ∠C=68°일 때, ∠$x$의 크기를 구하시오.

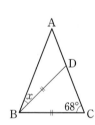

03 오른쪽 그림과 같이 $\overline{AB}=\overline{AC}$ 인 이등변삼각형 ABC에서 ∠A의 이등분선과 $\overline{BC}$의 교점 을 D라 하자. $\overline{AD}$ 위의 점 P에 대하여 ∠BAP=20°, ∠PBD=40°일 때, ∠x, ∠y의 크기를 각각 구하시오.

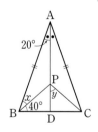

필수 ✔

04 오른쪽 그림에서 $\overline{AB}=\overline{AC}=\overline{CD}$이고 ∠DCE=108°일 때, ∠B의 크기를 구하시오.

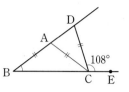

서술형 ✎

05 오른쪽 그림과 같이 $\overline{AB}=\overline{AC}$인 이등변삼각 형 ABC에서 ∠B의 이 등분선과 ∠C의 외각의 이등분선의 교점을 D라 하자. ∠A=40°일 때, ∠x의 크기를 구하시오.

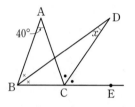

06 오른쪽 그림은 $\overline{AB}=\overline{AC}$인 이등변삼각형 모양의 종이 ABC를 $\overline{DE}$를 접는 선으로 하 여 꼭짓점 A가 꼭짓점 B에 오 도록 접은 것이다. ∠EBC=24°일 때, ∠x, ∠y의 크기를 각각 구하시오.

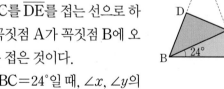

2 이등변삼각형이 되는 조건

07 오른쪽 그림과 같이 $\overline{AB}=\overline{AC}$인 이등변삼각형 ABC에서 ∠B의 이등분선이 $\overline{AC}$와 만나는 점을 D 라 하자. ∠A=36°일 때, 다음 중 옳지 <u>않은</u> 것은?

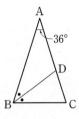

① ∠ABD=36°
② ∠BDC=72°
③ $\overline{AD}=\overline{BD}=\overline{CD}$
④ △BCD는 이등변삼각형이다.
⑤ △DAB는 이등변삼각형이다.

필수 ✔

08 오른쪽 그림과 같이 직사 각형 모양의 종이를 $\overline{EF}$ 를 접는 선으로 하여 접 었다. $\overline{GE}=3\,cm$일 때, $\overline{GF}$의 길이를 구하시오.

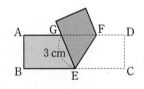

3 직각삼각형의 합동 조건

09 다음 중 오른쪽 그림과 같이 ∠C=∠F=90°인 두 직각삼각형이 합동이 되는 경우가 <u>아닌</u> 것은?

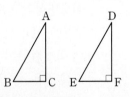

① $\overline{AB}=\overline{DE}=6\,cm$, ∠A=∠D=25°
② $\overline{AC}=\overline{DF}=5\,cm$, ∠A=∠D=40°
③ $\overline{AB}=\overline{DE}=7\,cm$, $\overline{BC}=\overline{EF}=2\,cm$
④ $\overline{AB}=\overline{DE}=8\,cm$, ∠B=∠E=55°
⑤ ∠A=∠D=35°, ∠B=∠E=55°

10 오른쪽 그림과 같이 직각 이등변삼각형 ABC의 두 꼭짓점 A, C에서 점 B를 지나는 직선에 내린 수선 의 발을 각각 D, E라 하자. $\overline{AD}=6$, $\overline{CE}=8$일 때, 다음 물음에 답하시오.

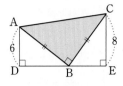

(1) $\overline{DE}$의 길이를 구하시오.
(2) △ABC의 넓이를 구하시오.

11 오른쪽 그림과 같이 ∠A=66°인 △ABC에서 점 M은 $\overline{BC}$의 중점이고, 점 M에서 두 변 AB, AC에 내 린 수선의 발을 각각 D, E라 하자. $\overline{MD}=\overline{ME}$일 때, ∠B의 크기를 구하시오.

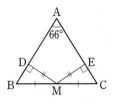

서술형 ✏

12 오른쪽 그림과 같이 ∠B=90°인 직각삼각형 ABC에서 ∠A의 이등분 선과 $\overline{BC}$의 교점을 D라 하 고, 점 D에서 $\overline{AC}$에 내린 수선의 발을 E라 하자. $\overline{AB}=6\,cm$, $\overline{BC}=8\,cm$, $\overline{CA}=10\,cm$일 때, △EDC의 둘레의 길이를 구 하시오.

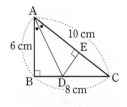

01 오른쪽 그림과 같이 $\overline{AB}=\overline{AC}$인 이등변삼각형 ABC
에서 $\overline{AD}$, $\overline{AE}$는 ∠A의 삼등분선이다.
∠BAC=102°일 때, ∠ADE의 크기를 구하시오.

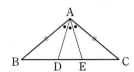

해결 Plus⁺

02 오른쪽 그림에서 $\overline{AB}=\overline{AD}$, $\overline{CB}=\overline{CE}$이고
∠ABC=120°일 때, ∠EBD의 크기를 구하시오.

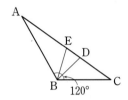

∠ABD=∠a, ∠CBE=∠b로 놓
고 문제를 해결한다.

서술형 ✎

03 오른쪽 그림과 같은 △ABC에서 세 점 D, E, F는 각각
$\overline{AB}$, $\overline{BC}$, $\overline{CA}$ 위의 점이고 $\overline{BD}=\overline{BE}$, $\overline{CE}=\overline{CF}$이다.
∠A=60°일 때, ∠DEF의 크기를 구하시오.

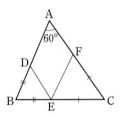

∠BED=∠a, ∠CEF=∠b로 놓
고 문제를 해결한다.

04 오른쪽 그림과 같이 $\overline{AB}=\overline{AC}$인 이등변삼각형 ABC에
서 $\overline{BE}=\overline{CD}$, $\overline{BD}=\overline{CF}$가 되도록 세 점 D, E, F를 잡았
다. ∠EDF=64°일 때, ∠x, ∠y의 크기를 각각 구하시
오.

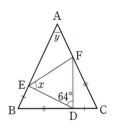

05 오른쪽 그림과 같이 $\overline{AB}=\overline{AC}$인 이등변삼각형 ABC에서 $\overline{CA}$의 연장선 위의 점 D에서 $\overline{BC}$에 내린 수선의 발을 E, $\overline{AB}$와 $\overline{DE}$의 교점을 F라 하자. $\overline{BF}=5$ cm, $\overline{CD}=11$ cm 일 때, $\overline{AD}$의 길이를 구하시오.

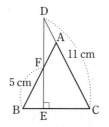

06 오른쪽 그림과 같이 $\overline{AB}=\overline{AC}$인 이등변삼각형 ABC에서 ∠A의 이등분선과 $\overline{BC}$의 교점을 D라 하자. $\overline{AB}$ 위의 점 E에 대하여 $\overline{AE}=\dfrac{1}{3}\overline{AC}$이고 $\overline{AE}+\overline{BC}=17$, $\overline{BD}+\overline{AC}=21$일 때, $\overline{BE}$의 길이를 구하시오.

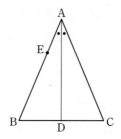

해결 Plus⁺

$\overline{AE}=a$, $\overline{BD}=b$로 놓고 문제를 해결한다.

07 오른쪽 그림과 같은 정사각형 ABCD에서 점 P는 $\overline{AB}$ 위의 점이고, 점 Q는 $\overline{BC}$의 연장선 위의 점이다. $\overline{DP}=\overline{DQ}$이고 ∠ADP=20°일 때, ∠PQB의 크기를 구하시오.

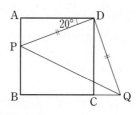

△APD≡△CQD(RHS 합동)임을 이용한다.

08 오른쪽 그림과 같이 ∠C=90°인 직각삼각형 ABC에서 $\overline{AE}$는 ∠A의 이등분선이고, 점 E에서 $\overline{AB}$에 내린 수선의 발을 D라 하자. $\overline{AB}=10$ cm, $\overline{BC}=8$ cm, $\overline{AC}=6$ cm일 때, △BED의 넓이를 구하시오.

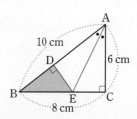

△ADE≡△ACE(RHA 합동)임을 이용한다.

01 오른쪽 그림과 같이 △ABC의 한 꼭짓점 C에서 ∠A의 이등분선의 연장선에 내린 수선의 발을 H라 하자. $\overline{AB}=\overline{AD}=4$, $\overline{AC}=6$일 때, $\overline{DH}$의 길이를 구하시오.

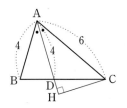

02 〔창의력⚡〕
오른쪽 그림에서 △ADE는 △ABC를 점 A를 중심으로 하여 $\overline{AB}$와 $\overline{DE}$가 평행이 될 때까지 회전시킨 것이다. $\overline{BC}$가 $\overline{AD}$, $\overline{DE}$와 만나는 점을 각각 F, G라 하고 $\overline{AB}=10$ cm, $\overline{BC}=13$ cm일 때, $\overline{CG}$의 길이를 구하시오.

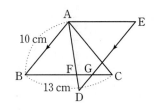

03 오른쪽 그림과 같은 △ABC에서 ∠A의 이등분선이 $\overline{BC}$와 만나는 점을 D라 하자. $\overline{AB}=5$, $\overline{AC}=8$이고 △ABD의 넓이가 10일 때, △ADC의 넓이를 구하시오.

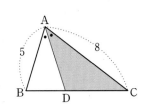

04

오른쪽 그림에서 △ABC는 ∠B=90°인 직각이등변삼각형이고, 사각형 DEFG는 정사각형이다. $\overline{BD}+\overline{BE}=8$ cm이고 $\overline{BC}=14$ cm일 때, △DBE의 넓이를 구하시오.

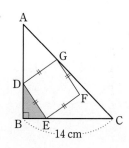

05

오른쪽 그림은 ∠ABC=90°인 직각삼각형 ABC에서 $\overline{AB}$, $\overline{AC}$를 각각 한 변으로 하는 정사각형 AEDB, ACFG를 그린 것이다. $\overline{AB}=6$, $\overline{BC}=8$일 때, △AGE의 넓이를 구하시오.

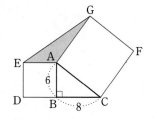

06

STEP UP✈

오른쪽 그림은 직사각형 모양의 종이를 $\overline{DE}$를 접는 선으로 하여 점 C가 $\overline{AB}$ 위의 점 F에 오도록 접은 것이다. $\overline{DE}$가 $\overline{CF}$와 만나는 점을 G라 하고 ∠DEF=72° 일 때, ∠BAG의 크기를 구하시오.

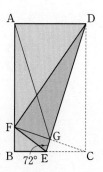

2 삼각형의 외심과 내심

최·고·수·준·수·학

I

삼각형의 성질

1 삼각형의 외심

(1) **삼각형의 외심** 삼각형의 외접원의 중심

(2) **삼각형의 외심의 성질**

① 삼각형의 세 변의 수직이등분선은 한 점(외심)에서 만난다.

② 외심에서 삼각형의 세 꼭짓점에 이르는 거리는 같다.

➡ $\overline{OA}=\overline{OB}=\overline{OC}=$(외접원의 반지름의 길이)

참고 $\triangle OAD \equiv \triangle OBD$, $\triangle OBE \equiv \triangle OCE$, $\triangle OCF \equiv \triangle OAF$

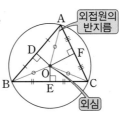

2 삼각형의 외심의 활용

점 O가 $\triangle ABC$의 외심일 때, 다음이 성립한다.

(1) $\angle x + \angle y + \angle z = 90°$

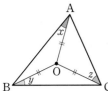

(2) $\angle BOC = 2\angle A$

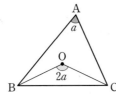

3 삼각형의 내심

(1) **삼각형의 내심** 삼각형의 내접원의 중심

(2) **삼각형의 내심의 성질**

① 삼각형의 세 내각의 이등분선은 한 점(내심)에서 만난다.

② 내심에서 삼각형의 세 변에 이르는 거리는 같다.

➡ $\overline{ID}=\overline{IE}=\overline{IF}=$(내접원의 반지름의 길이)

참고 $\triangle IAD \equiv \triangle IAF$, $\triangle IBD \equiv \triangle IBE$, $\triangle ICE \equiv \triangle ICF$

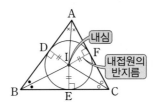

4 삼각형의 내심의 활용

점 I가 $\triangle ABC$의 내심일 때, 다음이 성립한다.

(1) $\angle x + \angle y + \angle z = 90°$

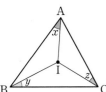

(2) $\angle BIC = 90° + \dfrac{1}{2}\angle A$

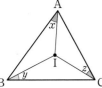

(3) $\overline{AD}=\overline{AF}$, $\overline{BD}=\overline{BE}$, $\overline{CE}=\overline{CF}$

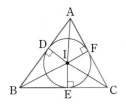

(4) $\triangle ABC = \dfrac{1}{2}r(a+b+c)$

$\begin{aligned} \triangle ABC &= \triangle IAB + \triangle IBC + \triangle ICA \\ &= \frac{1}{2}cr + \frac{1}{2}ar + \frac{1}{2}br \\ &= \frac{1}{2}r(a+b+c) \end{aligned}$

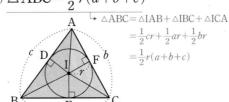

• 삼각형의 외접원 : 삼각형의 세 꼭짓점을 지나는 원

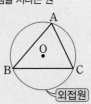

• 삼각형의 외심의 위치
① 예각삼각형 : 삼각형의 내부
② 직각삼각형 : 빗변의 중점
③ 둔각삼각형 : 삼각형의 외부

• 삼각형의 내접원 : 삼각형의 세 변에 접하는 원

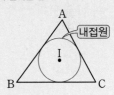

• 접선과 접점
① 접선 : 원과 한 점에서 만나는 직선
② 접점 : 원과 접선이 만나는 점

• 삼각형의 내심의 위치
① 삼각형의 내심은 모두 삼각형의 내부에 있다.
② 정삼각형의 내심과 외심은 일치한다.
③ 이등변삼각형의 내심과 외심은 꼭지각의 이등분선 위에 있다.

1 삼각형의 외심

필수 ✔

01 오른쪽 그림에서 점 O는 △ABC의 외심이다. 다음 중 옳지 <u>않은</u> 것은?

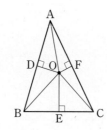

① $\overline{OA}=\overline{OB}=\overline{OC}$
② $\overline{CF}=\overline{AF}$
③ $\overline{OD}=\overline{OF}$
④ $\angle OBC=\angle OCB$
⑤ $\triangle OAD\equiv\triangle OBD$

02 오른쪽 그림과 같이 $\angle A=90°$인 직각삼각형 ABC에서 외심을 O, 점 A에서 $\overline{BC}$에 내린 수선의 발을 H라 하자. $\angle C=38°$일 때, $\angle OAH$의 크기를 구하시오.

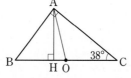

2 삼각형의 외심의 활용

필수 ✔

03 오른쪽 그림에서 점 O는 △ABC의 외심이다. $\angle OAB=34°$, $\angle OBC=28°$일 때, $\angle AOC$의 크기를 구하시오.

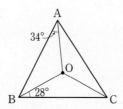

04 오른쪽 그림에서 점 O는 △ABC의 외심이고, 점 O′은 △OBC의 외심이다. $\angle A=36°$일 때, $\angle O'BC$의 크기를 구하시오.

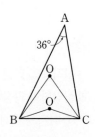

05 오른쪽 그림에서 점 O는 △ABC의 외심이다. $\angle AOB:\angle BOC:\angle COA$ $=3:4:5$일 때, $\angle BAC$의 크기를 구하시오.

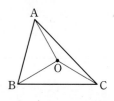

서술형 ✎

06 오른쪽 그림에서 점 O는 △ABC의 외심이다. $\angle ACO=18°$, $\angle BOC=110°$일 때, $\angle OBA$의 크기를 구하시오.

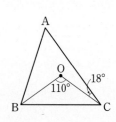

3 삼각형의 내심

[필수 ✔]

07 오른쪽 그림에서 점 I는 △ABC의 내심이다. 다음 중 옳지 않은 것은?

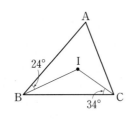

① $\overline{ID}=\overline{IE}=\overline{IF}$
② $\overline{AD}=\overline{AF}$
③ $\overline{BE}=\overline{CE}$
④ $\angle ICE = \angle ICF$
⑤ $\triangle IAD \equiv \triangle IAF$

08 오른쪽 그림에서 점 I는 △ABC의 내심이다. $\angle IBA=24°$, $\angle ICB=34°$ 일 때, $\angle BAC$의 크기를 구하시오.

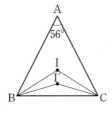

4 삼각형의 내심의 활용

09 오른쪽 그림에서 점 I는 △ABC의 내심이고, 점 I′ 은 △IBC의 내심이다. $\angle A=56°$ 일 때, $\angle BIC + \angle BI′C$의 크기를 구하시오.

[필수 ✔]

10 오른쪽 그림에서 점 I는 △ABC의 내심이고 $\overline{DE}/\!/\overline{BC}$이다. △ADE의 둘레의 길이가 17 cm이고 $\overline{BC}=11$ cm일 때, △ABC의 둘레의 길이를 구하시오.

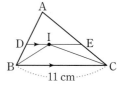

11 다음 그림에서 점 I는 $\angle C=90°$인 직각삼각형 ABC의 내심이고 세 점 D, E, F는 접점이다. $\overline{AB}=26$ cm, $\overline{AC}=10$ cm, $\overline{IE}=4$ cm일 때, $\overline{BC}$ 의 길이를 구하시오.

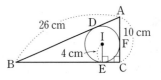

[서술형 ✏]

12 오른쪽 그림과 같이 $\angle A=90°$인 직각삼각형 ABC에서 점 I는 내심 이고, 점 O는 외심이다. $\overline{AB}=6$ cm, $\overline{BC}=10$ cm, $\overline{AC}=8$ cm 일 때, 다음을 구하시오.

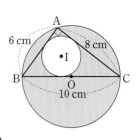

(1) △ABC의 외접원의 반지름의 길이
(2) △ABC의 내접원의 반지름의 길이
(3) 색칠한 부분의 넓이

01 오른쪽 그림에서 점 O는 △ABC의 외심이다.
∠ABC=35°, ∠OBC=24°일 때, ∠ACB의 크기
를 구하시오.

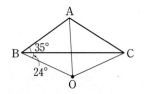

해결 Plus⁺

02 오른쪽 그림과 같이 △ABC의 외심 O에서 $\overline{AB}$,
$\overline{BC}$, $\overline{AC}$에 내린 수선의 발을 각각 D, E, F라 하자.
사각형 DBEO의 넓이가 16 cm²이고 $\overline{AF}$=5 cm,
$\overline{OF}$=4 cm일 때, △ABC의 넓이를 구하시오.

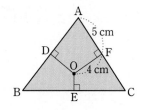

03 오른쪽 그림에서 점 O는 △ABC의 외심이다.
∠ADB=85°, ∠AEB=95°일 때, ∠C의 크기를
구하시오.

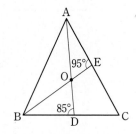

삼각형의 한 외각의 크기는 그와
이웃하지 않는 두 내각의 크기의
합과 같다.

융합형

04 오른쪽 그림과 같은 △ABC에서 ∠ABC=∠ACB이고
$\overline{AD}$는 ∠A의 이등분선이다. $\overline{AD}$ 위의 점 E에 대하여
∠BEC=90°, $\overline{DE}$=3 cm이고 $\overline{AB}$: $\overline{BD}$=3 : 1일 때,
△ABC의 둘레의 길이를 구하시오.

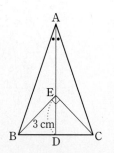

직각삼각형의 외심은 빗변의 중점
이다.

서술형 ✏️

05 오른쪽 그림에서 원 O는 △ABC의 외접원이다.
∠OBA=20°, ∠OCA=25°이고 $\overline{OC}$=6 cm일 때,
$\overparen{BC}$의 길이를 구하시오.

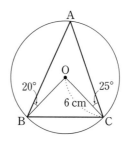

■ 해결 **Plus⁺**

06 오른쪽 그림에서 점 I는 △ABC의 내심이다.
∠C=50°일 때, ∠x+∠y의 크기를 구하시오.

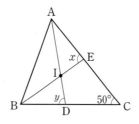

07 오른쪽 그림에서 점 I는 △ABC의 내심이고 세 점
D, E, F는 접점이다. $\overline{GH}$가 점 P에서 원 I에 접할
때, △GBH의 둘레의 길이를 구하시오.

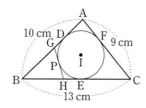

원 밖의 한 점에서 원에 두 접선을
그을 때, 그 점에서 두 접점까지의
거리는 같다.

08 오른쪽 그림에서 점 I는 △ABC의 내심이고, $\overline{AI}$의
연장선과 $\overline{BC}$의 교점을 D라 하자. $\overline{AH}\perp\overline{BC}$이고
∠B=66°, ∠ACB=38°일 때, ∠x+∠y의 크기
를 구하시오.

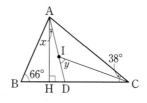

09 오른쪽 그림에서 점 I는 $\overline{AB}=\overline{AC}$인 이등변삼각형 ABC의 내심이다. 원 I와 $\overline{AI}$의 교점을 E라 하고, $\overline{AI}$의 연장선이 $\overline{BC}$와 만나는 점을 D라 할 때, $\overline{AE}$의 길이를 구하시오.

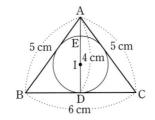

■ **해결 Plus⁺**

이등변삼각형의 꼭지각의 이등분선은 밑변을 수직이등분한다.

10 오른쪽 그림과 같이 △ABC의 내심 I를 지나고 $\overline{BC}$에 평행한 직선이 $\overline{AB}$, $\overline{AC}$와 만나는 점을 각각 D, E라 하자. △ADE$=22$ cm²일 때, △ADE의 내접원의 넓이를 구하시오. (단, 점 I는 △ADE의 내접원의 접점이다.)

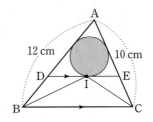

11 오른쪽 그림에서 점 O는 △ABC의 외심이고 점 I는 △ABC의 내심이다. ∠B$=38°$, ∠C$=62°$일 때, ∠IAO의 크기를 구하시오.

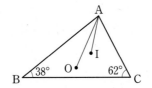

12 오른쪽 그림에서 점 O는 △ABC의 외심이고 점 I는 △ABC의 내심이다. ∠A$=68°$일 때, ∠BPC의 크기를 구하시오.

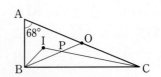

직각삼각형의 외심은 빗변의 중점이다.

최고 수준 뛰어넘기

01 오른쪽 그림과 같이 △ABC의 외심 O에 대하여 $\overline{CO}$, $\overline{BO}$의 연장선이 $\overline{AB}$, $\overline{AC}$와 만나는 점을 각각 D, E라 하자. $\overline{BD}=\overline{DE}=\overline{CE}$일 때, ∠BOC의 크기를 구하시오.

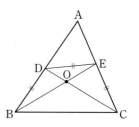

02 오른쪽 그림에서 점 O는 △ABC의 외심이고 두 점 M, N은 각각 $\overline{OA}$, $\overline{BC}$의 중점이다. ∠ABC=5∠OMN, ∠ACB=7∠OMN이고 ∠ONM=10°일 때, ∠MON의 크기를 구하시오.

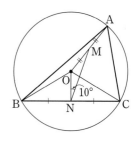

융합형 🔧

03 오른쪽 그림에서 점 I는 ∠B=90°인 직각삼각형 ABC의 내심이고, $\overline{AI}$, $\overline{BI}$, $\overline{CI}$의 연장선이 $\overline{BC}$, $\overline{AC}$, $\overline{AB}$와 만나는 점을 각각 D, E, F라 하자. $\overline{AB}=12$ cm, $\overline{BC}=9$ cm, $\overline{AC}=15$ cm일 때, 색칠한 부분의 넓이를 구하시오.

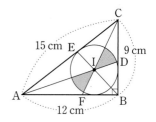

04

〔융합형 ✎〕

오른쪽 그림에서 점 I는 △ABC의 내심이고, 점 I를 중심으로 두 점 A, B를 지나는 원이 있다. 이 원이 $\overline{BC}$, $\overline{AC}$와 만나는 점을 각각 D, E라 하고, $\overline{AB}=12$ cm, $\overline{BC}=18$ cm일 때, $\overline{EC}$의 길이를 구하시오.

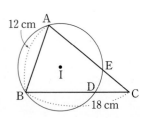

05

오른쪽 그림과 같이 △ABD와 △DBC의 내심 I, I′에 대하여 $\overline{AI}$의 연장선과 $\overline{DI'}$의 연장선이 만나는 점을 O라 하자. $\overline{AD} /\!/ \overline{BC}$이고 $\overline{AB}=\overline{AD}$, $\overline{BD}=\overline{BC}$, ∠DBC=20°일 때, ∠IOI′의 크기를 구하시오.

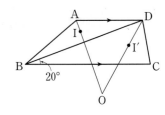

06

〔STEP UP ✐〕

오른쪽 그림은 ∠C=90°인 직각삼각형 ABC의 내접원과 외접원을 그린 것이다. $\overline{AB}=10$이고 내심에서 $\overline{AB}$에 이르는 거리가 2일 때, 색칠한 부분의 넓이를 구하시오. (단, 점 D, E, F는 접점이다.)

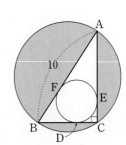

01

오른쪽 그림과 같이 $\overline{AB}=\overline{AC}$인 이등변삼각형 ABC에서
$\overline{AD}=\overline{DE}=\overline{EF}=\overline{FC}=\overline{CB}$이다.
△ABC와 합동인 삼각형들을 꼭짓점 A를 중심으로 이어 붙여 $\overline{BC}$가 한 변인 정다각형을 만들 때, 이 정다각형의 대각선의 총 개수를 구하시오.

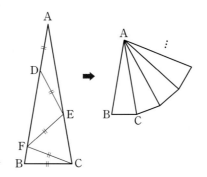

생각 Plus⁺

이등변삼각형의 밑각의 크기를 구한 후 꼭지각의 크기를 구한다.

풀이▶

답▶

02

다음 문장이 옳은지 말하고, 옳지 않으면 그 이유를 설명하시오.

> ㉠ 빗변의 길이와 한 예각의 크기가 각각 같은 두 직각삼각형은 서로 합동이다.
>
> ㉡ 빗변이 아닌 다른 한 변의 길이와 한 예각의 크기가 각각 같은 두 직각삼각형은 서로 합동이다.

풀이▶

답▶

교과서 속 *창의 사고력*

03 잔잔한 호수에 3개의 돌멩이를 던졌더니 각각 수면 위의 세 지점 A, B, C에 동시에 떨어졌고, 세 지점 A, B, C를 중심으로 물결이 일어나서 동시에 한 지점 H에서 만났다. ∠BAC=82°, ∠ACB=44°일 때, ∠AHC의 크기를 구하시오. (단, 물결이 퍼지는 속력은 모두 같다.)

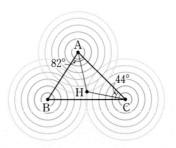

생각 Plus⁺

물결이 퍼지는 속력은 모두 같으므로
$\overline{AH}=\overline{BH}=\overline{CH}$

풀이▶

답▶

04 오른쪽 그림은 예지네 집에 있는 계단 아래에 직각삼각형 모양의 공간을 나타낸 것이다. 이 직각삼각형 모양의 공간에 다음 그림과 같은 원 모양의 액자를 걸려고 할 때, 걸 수 있는 액자를 모두 고르시오.
(단, 액자는 직각삼각형 모양의 공간을 벗어나지 않고 계단의 폭은 충분히 넓다.)

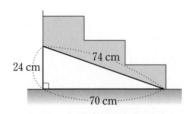

삼각형의 내접원의 반지름의 길이를 r cm라 하면 삼각형의 넓이는
$\frac{1}{2}r \times$ (삼각형의 둘레의 길이)

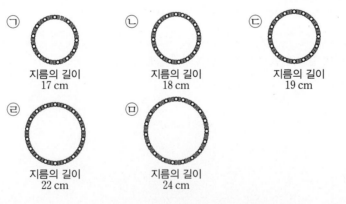

ㄱ 지름의 길이 17 cm

ㄴ 지름의 길이 18 cm

ㄷ 지름의 길이 19 cm

ㄹ 지름의 길이 22 cm

ㅁ 지름의 길이 24 cm

풀이▶

답▶

II

사각형의 성질

1 평행사변형

1 평행사변형

(1) 평행사변형 두 쌍의 대변이 각각 평행한 사각형
   ➡ □ABCD에서 $\overline{AB} /\!/ \overline{DC}$, $\overline{AD} /\!/ \overline{BC}$

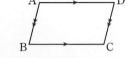

* 사각형 ABCD를 기호로 □ABCD와 같이 나타낸다.

(2) 평행사변형의 성질

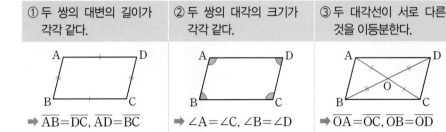

① 두 쌍의 대변의 길이가 각각 같다.	② 두 쌍의 대각의 크기가 각각 같다.	③ 두 대각선이 서로 다른 것을 이등분한다.
➡ $\overline{AB}=\overline{DC}$, $\overline{AD}=\overline{BC}$	➡ $\angle A=\angle C$, $\angle B=\angle D$	➡ $\overline{OA}=\overline{OC}$, $\overline{OB}=\overline{OD}$

* 평행사변형에서 두 쌍의 대변이 각각 평행하므로 이웃하는 두 내각의 크기의 합은 180°이다.

2 평행사변형이 되기 위한 조건

다음 중 어느 한 조건을 만족하는 □ABCD는 평행사변형이 된다.

① 두 쌍의 대변이 각각 평행하다.	② 두 쌍의 대변의 길이가 각각 같다.	③ 두 쌍의 대각의 크기가 각각 같다.
➡ $\overline{AB} /\!/ \overline{DC}$, $\overline{AD} /\!/ \overline{BC}$	➡ $\overline{AB}=\overline{DC}$, $\overline{AD}=\overline{BC}$	➡ $\angle A=\angle C$, $\angle B=\angle D$
④ 두 대각선이 서로 다른 것을 이등분한다.	⑤ 한 쌍의 대변이 평행하고 그 길이가 같다.	
➡ $\overline{OA}=\overline{OC}$, $\overline{OB}=\overline{OD}$	➡ $\overline{AD} /\!/ \overline{BC}$, $\overline{AD}=\overline{BC}$	

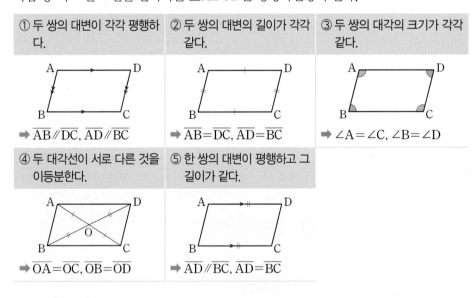

* □ABCD가 평행사변형일 때, 다음 □EBFD는 모두 평행사변형이다.

①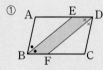
   ➡ $\angle EBF=\angle EDF$,
      $\angle BED=\angle BFD$

②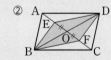
   ➡ $\overline{OB}=\overline{OD}$, $\overline{OE}=\overline{OF}$

③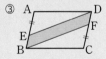
   ➡ $\overline{EB} /\!/ \overline{DF}$, $\overline{EB}=\overline{DF}$

④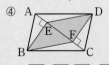
   ➡ $\overline{EB} /\!/ \overline{DF}$, $\overline{EB}=\overline{DF}$

3 평행사변형과 넓이

(1) 평행사변형의 넓이는 한 대각선에 의해 이등분된다.
   ➡ $\triangle ABC = \triangle BCD = \triangle CDA = \triangle DAB = \dfrac{1}{2} \square ABCD$

(2) 평행사변형의 넓이는 두 대각선에 의해 사등분된다.
   ➡ $\triangle OAB = \triangle OBC = \triangle OCD = \triangle ODA = \dfrac{1}{4} \square ABCD$

(3) 평행사변형의 내부의 한 점 P에 대하여
   $\triangle PAB + \triangle PCD = \triangle PDA + \triangle PBC = \dfrac{1}{2} \square ABCD$

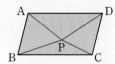

1 평행사변형의 성질

01
오른쪽 그림과 같은 평행
사변형 ABCD에서 $\angle x$,
$\angle y$의 크기를 각각 구하시
오. (단, 점 O는 두 대각선의 교점이다.)

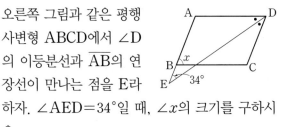

02
오른쪽 그림과 같은 평행
사변형 ABCD에서 $\angle$D
의 이등분선과 $\overline{AB}$의 연
장선이 만나는 점을 E라
하자. $\angle$AED$=34°$일 때, $\angle x$의 크기를 구하시
오.

03
오른쪽 그림과 같은 평행
사변형 ABCD에서
$\overline{AC}$의 길이를 구하시오.
(단, 점 O는 두 대각선의
교점이다.)

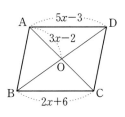

필수 ✔

04
오른쪽 그림과 같은 평행
사변형 ABCD에서 $\overline{DE}$는
$\angle$D의 이등분선이다.
$\overline{AB}=8$ cm, $\overline{AD}=12$ cm
일 때, $\overline{BE}$의 길이를 구하시오.

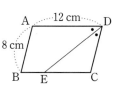

05
오른쪽 그림과 같은 평행
사변형 ABCD에서 $\overline{AE}$
와 $\overline{DF}$는 각각 $\angle$A와
$\angle$D의 이등분선이다.
$\overline{AB}=6$ cm, $\overline{AD}=9$ cm일 때, $\overline{EF}$의 길이를 구
하시오.

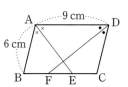

서술형 ✎

06
오른쪽 그림과 같은 평행사
변형 ABCD에서 $\angle$B의
이등분선이 $\overline{AD}$와 만나는
점을 E, $\overline{CD}$의 연장선과 만
나는 점을 F라 하자.
$\overline{AB}=6$ cm, $\overline{BC}=8$ cm일 때, $\overline{DE}+\overline{DF}$의 길이
를 구하시오.

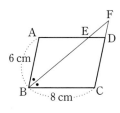

07 오른쪽 그림은 평행사변형 ABCD를 대각선 BD를 접는 선으로 하여 접은 것이다. $\overline{BA}$, $\overline{DC'}$의 연장선의 교점을 E라 하고 ∠BDC=53°일 때, ∠x의 크기를 구하시오.

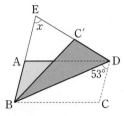

08 다음 그림과 같이 평행사변형 ABCD에서 ∠DAC의 이등분선과 $\overline{BC}$의 연장선이 만나는 점을 E라 하자. ∠B=72°, ∠E=32°일 때, ∠x의 크기를 구하시오.

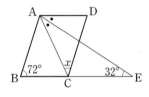

09 오른쪽 그림과 같은 평행사변형 ABCD에서 두 대각선의 길이의 합이 22 cm이고, $\overline{AB}$=7 cm일 때, △OAB의 둘레의 길이를 구하시오. (단, 점 O는 두 대각선의 교점이다.)

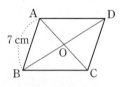

필수 ✔

10 다음 중 오른쪽 그림의 □ABCD가 평행사변형이 되는 조건은? (단, 점 O는 두 대각선의 교점이다.)

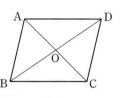

① $\overline{AB}$=6 cm, $\overline{AD}$=9 cm, $\overline{BC}$=6 cm, $\overline{CD}$=9 cm

② $\overline{OA}$=7 cm, $\overline{OB}$=7 cm, $\overline{OC}$=8 cm, $\overline{OD}$=8 cm

③ ∠BAD=110°, ∠ABC=70°, ∠BCD=110°

④ $\overline{AB}$=5 cm, $\overline{DC}$=5 cm, $\overline{AD}$∥$\overline{BC}$

⑤ ∠ABC=∠BCD, $\overline{AB}$=6 cm, $\overline{DC}$=6 cm

11 오른쪽 그림과 같이 평행사변형 ABCD에서 두 대각선의 교점을 O라 하자. $\overline{OB}$, $\overline{OD}$의 중점을 각각 E, F라 할 때, 다음 중 옳지 않은 것은?

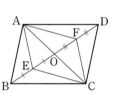

① $\overline{AF}$=$\overline{CE}$ ② $\overline{AE}$=$\overline{CF}$

③ $\overline{AE}$=$\overline{AF}$ ④ $\overline{AE}$∥$\overline{CF}$

⑤ ∠OEC=∠OFA

12 오른쪽 그림과 같은 평행사변형 ABCD에서 두 점 M, N은 각각 $\overline{AD}$, $\overline{BC}$의 중점이다. ∠MAN=65°, ∠MBN=55°일 때, ∠MFN의 크기를 구하시오.

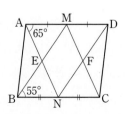

13 오른쪽 그림과 같이 평행사변형 ABCD의 꼭짓점 B, D에서 대각선 AC에 내린 수선의 발을 각각 E, F라 하자. ∠DEF=50°일 때, ∠x의 크기를 구하시오.

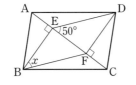

16 오른쪽 그림에서 □ABFE와 □BCDE는 모두 평행사변형이다. △ABF의 넓이가 15 cm²일 때, □BCDE의 넓이를 구하시오.

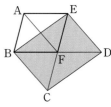

서술형 ✎

14 오른쪽 그림에서 점 O는 $\overline{AC}$의 중점이고 □ABCD, □OCDE는 모두 평행사변형이다. $\overline{AB}$=8 cm, $\overline{BC}$=12 cm 일 때, $\overline{AF}+\overline{OF}$의 길이를 구하시오.

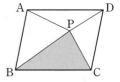

필수 ✔

17 오른쪽 그림과 같은 평행사변형 ABCD에서 내부의 한 점 P에 대하여 △PAD=22 cm², □ABCD=100 cm²일 때, △PBC의 넓이를 구하시오.

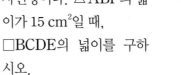

3 평행사변형과 넓이

15 오른쪽 그림과 같이 평행사변형 ABCD의 두 대각선의 교점을 O라 하고, 점 O를 지나는 직선이 $\overline{AB}$, $\overline{CD}$와 만나는 점을 각각 E, F라 하자. □ABCD의 넓이가 24 cm²일 때, △OAE와 △ODF의 넓이의 합을 구하시오.

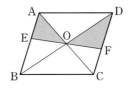

18 다음 그림과 같은 평행사변형 ABCD에서 내부의 한 점 P에 대하여

△PDA : △PCD : △PAB=2 : 3 : 4

이고 □ABCD=70일 때, △PBC의 넓이를 구하시오.

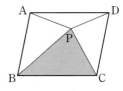

01 오른쪽 그림과 같은 평행사변형 ABCD에서
∠ADE=2∠EDC가 되도록 $\overline{BC}$ 위에 점 E를
잡았다. ∠B=45°, ∠AED=75°일 때, ∠AEB
의 크기를 구하시오.

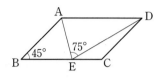

해결 Plus⁺

02 오른쪽 그림과 같이 $\overline{AB}=\overline{AC}$인 이등변삼각형 ABC
에서 $\overline{AB}/\!/\overline{DE}$, $\overline{AC}/\!/\overline{FE}$이고 $\overline{AB}=9\,cm$일 때,
□AFED의 둘레의 길이를 구하시오.

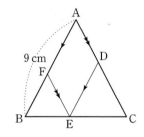

□AFED는 두 쌍의 대변이 각각
평행하므로 평행사변형이다.

융합형 ✐

03 오른쪽 그림의 좌표평면에서 □ABCD는 평행사변
형이다. 두 점 C, D를 지나는 직선과 x축, y축으로
둘러싸인 도형의 넓이를 구하시오.
    (단, 점 D는 제1사분면 위에 있다.)

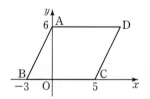

04 오른쪽 그림의 평행사변형 ABCD에서 $\overline{DE}$는 ∠D
의 이등분선이고 $\overline{AF}\perp\overline{DE}$이다. $\overline{AB}=6\,cm$,
$\overline{AD}=8\,cm$일 때, $\overline{EF}$의 길이를 구하시오.

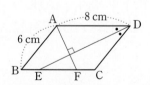

05 오른쪽 그림과 같은 평행사변형 ABCD에서 ∠A
의 이등분선이 $\overline{BC}$와 만나는 점을 E, $\overline{DC}$의 연장
선과 만나는 점을 F라 하자. $\overline{AB}=9\ cm$이고
$\overline{BE}:\overline{EC}=3:2$일 때, $\overline{CF}$의 길이를 구하시오.

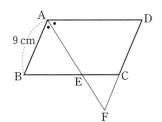

06 오른쪽 그림과 같은 △ABC에서 $\overline{AD}$는 ∠A의 이
등분선이다. $\overline{EF}\,/\!/\,\overline{BC}$, $\overline{DE}\,/\!/\,\overline{AC}$이고, $\overline{CF}=6\ cm$
일 때, $\overline{AE}+\overline{DE}$의 길이를 구하시오.

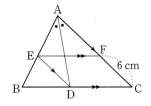

□EDCF는 두 쌍의 대변이 각각
평행하므로 평행사변형이다.

07 오른쪽 그림과 같이 $\overline{AD}=40\ m$인 평행사변형
ABCD에서 점 P는 점 A에서 점 D까지 매초 2 m
의 속력으로 움직이고, 점 Q는 점 C에서 점 B까지
매초 4 m의 속력으로 움직인다. 점 P가 점 A를 출
발한 지 5초 후에 점 Q가 점 C를 출발한다면
$\overline{AQ}\,/\!/\,\overline{PC}$가 되는 것은 점 Q가 출발한 지 몇 초 후인지 구하시오.

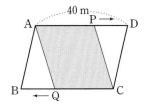

$\overline{AQ}\,/\!/\,\overline{PC}$가 되려면 □AQCP는
평행사변형이 되어야 한다.

08 오른쪽 그림에서 △DBA, △EBC, △FAC는
△ABC의 각 변을 한 변으로 하는 정삼각형이다.
∠DAF＋∠AFE의 크기를 구하시오.

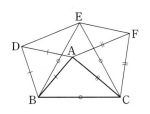

09 오른쪽 그림과 같이 평행사변형 ABCD의 두 대각선의 교점 O를 지나는 직선이 $\overline{AD}$, $\overline{BC}$와 만나는 점을 각각 P, Q라 하자. $\triangle OBQ : \triangle OCQ = 7 : 5$이고 $\triangle ODP = 28 \ cm^2$일 때, $\square ABCD$의 넓이를 구하시오.

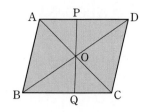

■ 해결 Plus⁺

10 오른쪽 그림에서 평행사변형 ABCD의 넓이는 $120 \ cm^2$이고 $\triangle PAB = 40 \ cm^2$이다. $\overline{EF} /\!/ \overline{DC}$, $\overline{ED} /\!/ \overline{PG}$일 때, $\triangle EPD$와 $\triangle PFC$의 넓이의 합을 구하시오.

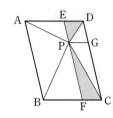

11 오른쪽 그림과 같은 평행사변형 ABCD에서 $\overline{AD}$, $\overline{BC}$의 중점을 각각 M, N이라 하고, $\overline{BM}$의 연장선이 $\overline{CD}$의 연장선과 만나는 점을 P, $\overline{AN}$의 연장선이 $\overline{CD}$의 연장선과 만나는 점을 Q라 하자. $\square ABCD = 72 \ cm^2$일 때, 색칠한 부분의 넓이를 구하시오.
(단, 점 O는 $\overline{AN}$과 $\overline{BM}$의 교점이다.)

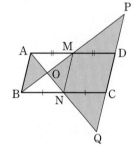

12 오른쪽 그림과 같은 평행사변형 ABCD의 네 변 위에 $\overline{AE} = \overline{BF}$, $\overline{GF} /\!/ \overline{EH}$가 되도록 네 점 E, F, G, H를 각각 잡았다. $\square ABCD$의 넓이가 $30 \ cm^2$일 때, $\square EGFH$의 넓이를 구하시오.

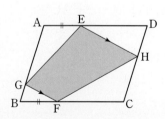

뛰어넘기

01 오른쪽 그림과 같은 평행사변형 ABCD에서 $\overline{CD}$의 중점을 E라 하고, 점 A에서 $\overline{BE}$에 내린 수선의 발을 H라 하자. ∠EBC=20°일 때, ∠ADH의 크기를 구하시오.

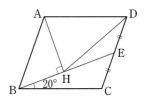

창의력 ⚡

02 오른쪽 그림과 같이 평행사변형 ABCD의 변 위를 점 P는 매초 0.4 cm의 속력으로 점 A에서 점 B를 지나 점 C까지 움직이고, 점 Q는 매초 0.5 cm의 속력으로 점 A에서 점 D를 지나 점 C까지 움직인다. $\overline{AB}$=10 cm, $\overline{AD}$=17 cm이고, 두 점 P, Q가 점 A에서 동시에 출발했을 때, △ABP와 △CDQ가 합동이 되는 것은 점 A에서 출발한 지 몇 초 후인지 구하시오.

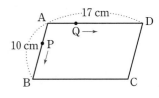

STEP UP 🚀

03 오른쪽 그림과 같은 평행사변형 ABCD에서 점 P는 점 B에서 점 C까지 $\overline{BC}$를 따라 움직인다. $\overline{AB}$=6 cm, $\overline{BC}$=9 cm, $\overline{AC}$=7 cm이고, ∠PAD의 이등분선이 $\overline{BC}$의 연장선과 만나는 점을 Q라 할 때, 점 Q가 움직인 거리를 구하시오.

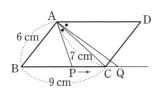

04 오른쪽 그림과 같이 평행사변형 ABCD의 내부의 한 점 P에 대하여 $\triangle ABP = 26 \text{ cm}^2$, $\triangle PBC = 12 \text{ cm}^2$일 때, $\triangle BPD$의 넓이를 구하시오.

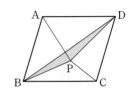

05 오른쪽 그림과 같이 평행사변형 ABCD의 내부의 한 점 P를 지나면서 $\overline{AB}$, $\overline{AD}$에 각각 평행한 $\overline{HG}$, $\overline{EF}$가 있다. $\overline{AH} : \overline{HD} = 7 : 3$, $\overline{AE} : \overline{EB} = 1 : 2$이고, $\triangle HPD = 6 \text{ cm}^2$일 때, $\square ABCD$의 넓이를 구하시오.

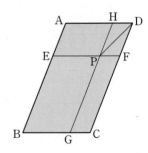

STEP UP

06 오른쪽 그림과 같은 평행사변형 ABCD에서 $\square AFHE = 45$, $\triangle FBI = 16$, $\triangle JCK = 50$, $\triangle DEG = 14$일 때, 색칠한 부분의 넓이를 구하시오.

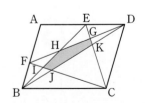

1 여러 가지 사각형

	직사각형	마름모	정사각형
모양	A D O B C	A B O D C	A D O B C
뜻	네 내각의 크기가 모두 같은 사각형 ➡ $\angle A = \angle B = \angle C = \angle D$	네 변의 길이가 모두 같은 사각형 ➡ $\overline{AB} = \overline{BC} = \overline{CD} = \overline{DA}$	네 내각의 크기가 모두 같고, 네 변의 길이가 모두 같은 사각형 ➡ $\angle A = \angle B = \angle C = \angle D,$ $\overline{AB} = \overline{BC} = \overline{CD} = \overline{DA}$
성질	두 대각선은 길이가 같고, 서로 다른 것을 이등분한다. ➡ $\overline{AC} = \overline{BD},$ $\overline{OA} = \overline{OB} = \overline{OC} = \overline{OD}$	두 대각선은 서로 다른 것을 수직이등분한다. ➡ $\overline{AC} \perp \overline{BD}$ $\overline{OA} = \overline{OC}, \overline{OB} = \overline{OD}$	두 대각선은 길이가 같고, 서로 다른 것을 수직이등분한다. ➡ $\overline{AC} = \overline{BD}, \overline{AC} \perp \overline{BD},$ $\overline{OA} = \overline{OB} = \overline{OC} = \overline{OD}$

- **사다리꼴**
  한 쌍의 대변이 평행한 사각형
- **등변사다리꼴**
  ① 밑변의 양 끝 각의 크기가 같은 사다리꼴
  ② 평행하지 않은 한 쌍의 대변의 길이가 같고, 두 대각선의 길이가 같다.

II
사각형의 성질

2 여러 가지 사각형 사이의 관계

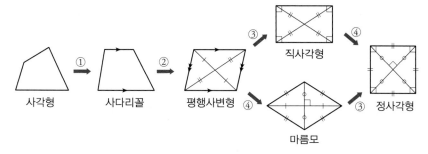

① 한 쌍의 대변이 평행하다.
② 다른 한 쌍의 대변도 평행하다.
③ 한 내각이 직각이거나 두 대각선의 길이가 같다.
④ 이웃하는 두 변의 길이가 같거나 두 대각선이 서로 수직이다.

- **여러 가지 사각형의 대각선의 성질**
  ① 두 대각선이 서로 다른 것을 이등분한다.
    ➡ 평행사변형, 직사각형, 마름모, 정사각형
  ② 두 대각선의 길이가 같다.
    ➡ 직사각형, 정사각형, 등변사다리꼴
  ③ 두 대각선이 서로 다른 것을 수직이등분한다.
    ➡ 마름모, 정사각형
- **사각형의 각 변의 중점을 연결하여 만든 사각형**
  ① 사각형 ➡ 평행사변형
  ② 평행사변형 ➡ 평행사변형
  ③ 직사각형 ➡ 마름모
  ④ 마름모 ➡ 직사각형
  ⑤ 정사각형 ➡ 정사각형
  ⑥ 사다리꼴 ➡ 평행사변형
  ⑦ 등변사다리꼴 ➡ 마름모

3 평행선과 넓이

(1) 평행선과 삼각형의 넓이　두 직선 l, m이 평행할 때, $\triangle ABC$, $\triangle DBC$, $\triangle EBC$는 밑변 BC가 공통이고 높이는 h로 같으므로 그 넓이가 같다.

➡ $\triangle ABC = \triangle DBC = \triangle EBC = \dfrac{1}{2} ah$

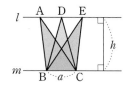

(2) 높이가 같은 두 삼각형의 넓이의 비　높이가 같은 두 삼각형의 넓이의 비는 밑변의 길이의 비와 같다.

➡ $\triangle ABC : \triangle ACD = m : n$

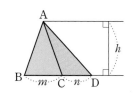

1 여러 가지 사각형

필수 ✓

01 오른쪽 그림과 같은 직사각형 ABCD에서 점 O는 두 대각선의 교점일 때, $\overline{AC}$의 길이를 구하시오.

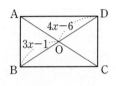

02 오른쪽 그림과 같은 직사각형 ABCD에서 ∠BDC의 이등분선이 $\overline{BC}$와 만나는 점을 E라 하자. $\overline{BE}=\overline{DE}$일 때, ∠DEC의 크기를 구하시오.

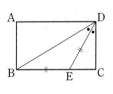

03 다음 중 오른쪽 그림과 같은 평행사변형 ABCD가 직사각형이 되는 조건을 모두 고르면? (단, 점 O는 두 대각선의 교점이다.) (정답 2개)

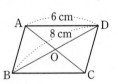

① $\overline{AB}=6$ cm   ② $\overline{OB}=4$ cm
③ $\overline{AC}=8$ cm   ④ ∠BOC=90°
⑤ ∠BCD=90°

04 오른쪽 그림과 같은 마름모 ABCD에서 점 O는 두 대각선의 교점이고 $\overline{OA}=6$ cm, $\overline{OB}=8$ cm일 때, □ABCD의 넓이를 구하시오.

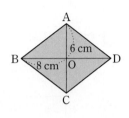

05 오른쪽 그림과 같은 마름모 ABCD에서 $\overline{AF}\perp\overline{CD}$이고 ∠C=110°일 때, ∠AEB의 크기를 구하시오.

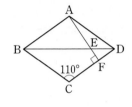

06 오른쪽 그림과 같은 평행사변형 ABCD가 마름모가 되는 조건을 다음 보기에서 모두 고르시오. (단, 점 O는 두 대각선의 교점이다.)

／ 보기 ╱
㉠ $\overline{AB}=5$ cm   ㉡ $\overline{BC}=5$ cm
㉢ ∠BAD=90°   ㉣ ∠AOB=90°
㉤ ∠ABO=∠CBO   ㉥ ∠BAO=∠ABO
㉦ $\overline{OB}=\overline{OD}$ ㉧ $\overline{OA}=\overline{OC}$

07

오른쪽 그림과 같은 정사각형 ABCD에서 대각선 BD 위의 점 E에 대하여 ∠DAE=30° 일 때, ∠BEC의 크기를 구하시오.

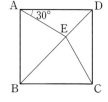

08 오른쪽 그림과 같이 정사각형 ABCD에서 $\overline{AD}=\overline{AE}$이고 ∠ADE=80°가 되도록 점 E를 잡을 때, ∠ABE의 크기를 구하시오.

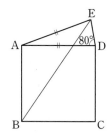

09

오른쪽 그림과 같은 정사각형 ABCD에서 내부의 한 점 P에 대하여 $\overline{PB}=\overline{BC}=\overline{CP}$일 때, ∠ADP의 크기를 구하시오.

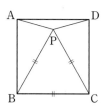

10 다음 중 오른쪽 그림과 같은 평행사변형 ABCD가 정사각형이 되기 위한 조건인 것은?

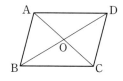

① ∠A=∠B=∠C=∠D
② $\overline{AB}=\overline{AD}$, ∠B=∠C
③ $\overline{AC}=\overline{BD}$
④ $\overline{AC}\perp\overline{BD}$
⑤ $\overline{BC}=\overline{CD}$

11 오른쪽 그림과 같이 $\overline{AD}/\!/\overline{BC}$인 등변사다리꼴 ABCD에서 $\overline{AD}$=4 cm, $\overline{AB}$=8 cm, ∠B=60°일 때, □ABCD의 둘레의 길이를 구하시오.

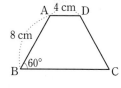

12 오른쪽 그림과 같이 $\overline{AD}/\!/\overline{BC}$인 등변사다리꼴 ABCD의 꼭짓점 D에서 $\overline{BC}$에 내린 수선의 발을 E라 하자. $\overline{AD}$=10 cm, $\overline{BC}$=20 cm일 때, $\overline{EC}$의 길이를 구하시오.

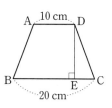

2 여러 가지 사각형 사이의 관계

3 평행선과 넓이

13 다음 그림은 여러 가지 사각형 사이의 관계를 나타
낸 것이다. ①~⑤에 알맞은 조건이 <u>아닌</u> 것은?

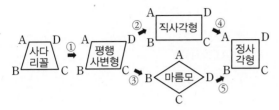

① $\overline{AB} /\!/ \overline{DC}$ ② $\angle A = 90°$ ③ $\overline{AC} \perp \overline{BD}$
④ $\angle A = \angle B$ ⑤ $\overline{AC} = \overline{BD}$

14 오른쪽 그림과 같은 평행사
변형 ABCD에 대하여 다
음 보기 중 옳은 것을 모두
고르시오.

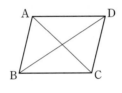

┌─ 보기 ─
│ ㉠ $\overline{AC} = \overline{BD}$인 평행사변형 ABCD는 마름모이다.
│ ㉡ $\angle A = 90°$, $\overline{AC} \perp \overline{BD}$인 평행사변형 ABCD는
│   정사각형이다.
│ ㉢ $\angle A = 90°$인 평행사변형 ABCD는 직사각형
│   이다.
│ ㉣ $\overline{AC} \perp \overline{BD}$인 평행사변형 ABCD는 마름모이다.
│ ㉤ $\overline{AB} = \overline{BC}$인 평행사변형 ABCD는 정사각형이다.
└─

15 오른쪽 그림과 같은 평행사
변형 ABCD의 네 내각의
이등분선의 교점을 각각 E,
F, G, H라 할 때, 다음 중 옳
지 <u>않은</u> 것은?

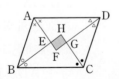

① $\overline{EF} = \overline{HG}$ ② $\overline{EH} = \overline{FG}$
③ $\overline{EG} = \overline{HF}$ ④ $\overline{EG} \perp \overline{HF}$
⑤ $\angle EFG = 90°$

16 오른쪽 그림과 같이
□ABCD의 꼭짓점 D를 지
나고 $\overline{AC}$에 평행한 직선이
$\overline{BC}$의 연장선과 만나는 점
을 E라 하자. $\overline{AH} = 10$ cm,
$\overline{BC} = 14$ cm, $\overline{CE} = 6$ cm일 때, □ABCD의 넓
이를 구하시오.

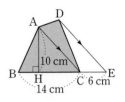

17 오른쪽 그림과 같은 평행사
변형 ABCD에서
$\overline{AP} : \overline{PD} = 2 : 3$이고
□ABCD의 넓이가 60 cm²
일 때, △PCD의 넓이를 구하시오.

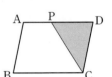

18 오른쪽 그림과 같은 평행사
변형 ABCD에서 $\overline{BD} /\!/ \overline{EF}$
이고 △ABE = 20 cm²일
때, △DBF의 넓이를 구하
시오.

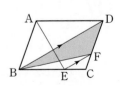

최고 수준 완성하기

해결 Plus⁺

01 오른쪽 그림과 같이 직사각형 ABCD가 사분원 안에 들어 있다. 사분원의 넓이가 36π cm²일 때, $\overline{AC}$의 길이를 구하시오.

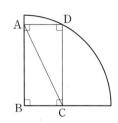

직사각형의 두 대각선의 길이는 서로 같다.

02 오른쪽 그림과 같이 직사각형 ABCD를 꼭짓점 C가 꼭짓점 A에 오도록 접었다. ∠D′AE=20°일 때, ∠AEF 의 크기를 구하시오.

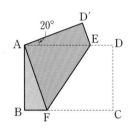

03 오른쪽 그림과 같은 직사각형 ABCD에서 $\overline{AB} : \overline{BC}=2 : 3$이다. 점 P는 $\overline{AB}$의 중점이고 점 Q 는 $\overline{BC}$를 2 : 1로 나누는 점일 때, $\angle x + \angle y$의 크기를 구하시오.

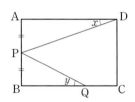

$\overline{DQ}$를 그은 후 합동인 두 삼각형을 찾는다.

04 오른쪽 그림과 같은 직사각형 ABCD에서 ∠D 의 이등분선이 $\overline{BC}$와 만나는 점을 P라 하자. $\overline{AB}=4$ cm, $\overline{BC}=10$ cm일 때, △CDP : □ABPD를 가장 간단한 자연수의 비 로 나타내시오.

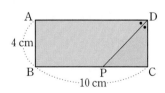

서술형

05 오른쪽 그림과 같은 마름모 ABCD의 꼭짓점 A에서 $\overline{BC}$, $\overline{CD}$에 내린 수선의 발을 각각 P, Q라 하자. ∠B=48°일 때, ∠AQP의 크기를 구하시오.

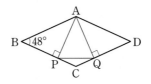

해결 Plus⁺

06 오른쪽 그림과 같은 마름모 ABCD에서 △ABP는 정삼각형이고 ∠BAD=110°일 때, ∠CPD의 크기를 구하시오.

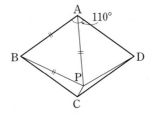

△APD와 △BCP는 이등변삼각형이다.

07 오른쪽 그림과 같은 마름모 ABCD에서 $\overline{BC}$ 위의 점 P에 대하여 $\overline{BP} : \overline{PC}=1 : 3$이고, $\overline{AC}=16$, $\overline{BD}=20$일 때, △APC의 넓이를 구하시오.

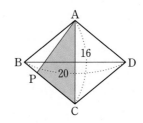

마름모 ABCD의 넓이는 $\frac{1}{2} \times \overline{BD} \times \overline{AC}$이다.

창의력

08 오른쪽 그림과 같이 한 변의 길이가 10인 마름모 ABCD에서 내부의 한 점 P에 대하여 $\overline{AC}=12$, $\overline{BD}=16$일 때, 점 P에서 네 변에 이르는 거리의 합을 구하시오.

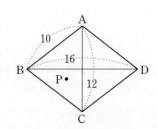

09 오른쪽 그림과 같은 정사각형 ABCD에서 대각선 BD 위의 점 E에 대하여 $\overline{BC}$의 연장선과 $\overline{AE}$의 연장선의 교점을 F라 하자. ∠F=30°일 때, ∠CEF의 크기를 구하시오.

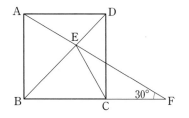

━ 해결 Plus⁺

10 오른쪽 그림과 같은 정사각형 ABCD에서 ∠EOF=90°이고 $\overline{AE}$=4 cm, $\overline{AF}$=6 cm일 때, □ABCD의 넓이를 구하시오.

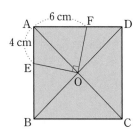

△AEO와 합동인 삼각형을 찾는다.

11 오른쪽 그림에서 □ABCD는 정사각형이고 △DCE는 $\overline{DC}=\overline{DE}$인 이등변삼각형일 때, ∠$x$의 크기를 구하시오.

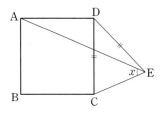

12 오른쪽 그림과 같은 정사각형 ABCD에서 $\overline{BC}$, $\overline{CD}$ 위에 각각 ∠PAQ=45°, ∠APQ=75°가 되도록 두 점 P, Q를 잡을 때, ∠AQD의 크기를 구하시오.

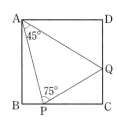

13 오른쪽 그림과 같이 $\overline{AD} /\!/ \overline{BC}$인 사다리꼴 ABCD에서 $\overline{AB}=\overline{AD}=\overline{DC}$이고 $\overline{BC}=2\overline{AD}$일 때, ∠A의 크기를 구하시오.

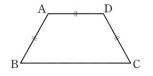

해결 Plus⁺

14 오른쪽 그림과 같은 평행사변형 ABCD에서 △BFE=10 cm², △CDF=26 cm²일 때, △AED의 넓이를 구하시오.

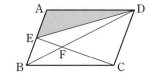

15 오른쪽 그림과 같은 평행사변형 ABCD에서 $\overline{AB}$의 연장선 위에 $\overline{AB}=\overline{BE}$가 되도록 점 E를 잡고, $\overline{BC}$와 $\overline{DE}$의 교점을 F라 하자. △AFD의 넓이가 20 cm²일 때, △FEC의 넓이를 구하시오.

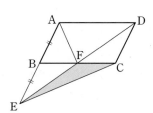

△BEF와 합동인 삼각형을 찾는다.

16 오른쪽 그림과 같은 평행사변형 ABCD에서 $\overline{DE}:\overline{EC}=2:5$이고 □ABCD의 넓이가 42 cm²일 때, 색칠한 부분의 넓이를 구하시오.

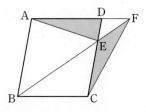

01 오른쪽 그림과 같은 직사각형 ABCD에서 $\overline{AB}$, $\overline{CD}$의 중점을 각각 E, F라 하고 $\overline{AC}$가 $\overline{ED}$, $\overline{BF}$와 만나는 점을 각각 G, H라 하자. $\overline{AB}=10$ cm, $\overline{AD}=18$ cm일 때, □EBHG의 넓이를 구하시오.

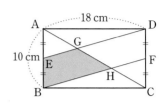

02 오른쪽 그림과 같은 마름모 ABCD에서 두 대각선의 교점을 O라 하고 $\overline{AB}$ 위의 점 N에서 두 대각선 AC, BD에 내린 수선의 발을 각각 P, Q라 하자. $\overline{OA}=6$, $\overline{OB}=8$, $\overline{AB}=10$일 때, $\overline{PQ}$의 길이가 가장 짧을 때의 $\overline{NO}$의 길이를 구하시오.

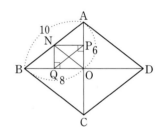

STEP UP ↗

03 오른쪽 그림과 같은 정사각형 ABCD에서 $\overline{BE}$는 ∠ABF의 이등분선이다. $\overline{AE}=8$ cm, $\overline{CF}=3$ cm일 때, $\overline{BF}$의 길이를 구하시오.

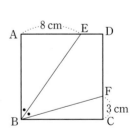

04 오른쪽 그림과 같이 한 변의 길이가 10인 정사각형 ABCD에서
∠FBE=45°일 때, △DFE의 둘레의 길이를 구하시오.

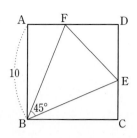

05 오른쪽 그림과 같이 $\overline{AD} /\!/ \overline{BC}$인 등변사다리꼴 ABCD에서 $\overline{AC} \perp \overline{BD}$,
$\overline{BC} \perp \overline{DH}$이고 $\overline{AD}=6$, $\overline{BC}=12$일 때, $\overline{DH}$의 길이를 구하시오.

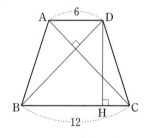

06 오른쪽 그림과 같은 평행사변형 ABCD에서 $\overline{AD} /\!/ \overline{PQ}$이고 $\overline{PQ}$와 대각
선 BD의 교점을 T라 하자. $\overline{PS}=\overline{ST}=\overline{TQ}$이고 □ABCD의 넓이가
216 cm²일 때, △SBD의 넓이를 구하시오.

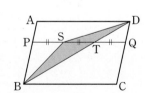

교과서 속 창의 사고력

정답과 풀이 ② 23

01 오른쪽 그림과 같이 좌표평면 위에 세 점 A, B, C가 있다. 이 좌표평면 위에 점 D를 잡아 네 점 A, B, C, D를 꼭짓점으로 하는 평행사변형을 만들려고 할 때, 가능한 점 D의 좌표를 모두 구하시오.

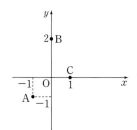

생각 Plus⁺

좌표평면 위에 두 쌍의 대변이 각각 평행하도록 점 D의 좌표를 잡아 본다.

풀이▶

답▶

02 오른쪽 그림과 같은 정사각형 ABCD에서 네 변의 중점을 각각 E, F, G H라 하자. 색칠한 부분의 넓이가 4일 때, 정사각형 ABCD의 넓이를 구하시오.

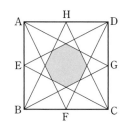

$\overline{EG}$와 $\overline{HF}$를 긋고 높이가 같은 두 삼각형의 넓이의 비는 밑변의 길이의 비와 같음을 이용한다.

풀이▶

답▶

최·고·수·준·수·학

03 오른쪽 그림과 같은 고소 작업대에서 □ABCD는 마름모이고 $\overline{DC}$, $\overline{BC}$의 연장선이 직선 l과 만나는 점을 각각 E, F라 하자. $\overline{AC}$의 연장선과 직선 l이 점 P에서 수직으로 만나고 ∠CEP=35°일 때, ∠x의 크기를 구하시오.

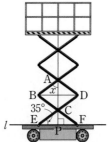

생각 Plus⁺

□ABCD는 마름모이므로 $\overline{AB}/\!/\overline{DC}$ 이다.

풀이▶

답▶

04 오른쪽 그림과 같이 한 변의 길이가 12 cm인 정사각형 ABCD의 두 대각선의 교점을 O라 하자. 정사각형 OEFG를 점 O를 중심으로 회전시킬 때, 다음 물음에 답하시오.

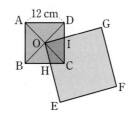

(1) △ODI와 서로 합동인 삼각형을 찾고, 합동 조건을 말하시오.

(2) 두 정사각형의 겹쳐진 모양과 상관없이 겹쳐진 부분의 넓이는 항상 일정한 이유를 설명하시오.

(3) 겹쳐진 부분의 넓이를 구하시오.

풀이▶

답▶

III

도형의 닮음

1 도형의 닮음

1 닮음의 뜻과 성질

(1) 닮은 도형 한 도형을 일정한 비율로 확대하거나 축소하여 다른 한 도형과 합동일 때, 이 두 도형은 서로 닮음인 관계에 있다 또는 서로 닮았다고 하며 닮음인 관계에 있는 두 도형을 닮은 도형이라 한다.

(2) 닮음의 기호 두 도형이 닮은 도형일 때, 기호 ∽를 사용하여 나타낸다.

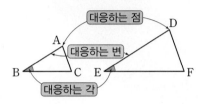

> **예** $\triangle ABC$와 $\triangle DEF$가 닮은 도형일 때, $\triangle ABC \backsim \triangle DEF$와 같이 나타낸다. 이때 꼭짓점의 기호는 대응하는 순서대로 쓴다.

(3) 닮은 도형의 성질

	평면도형	입체도형
성질	① 대응하는 변의 길이의 비는 일정하다. ② 대응하는 각의 크기는 서로 같다.	① 대응하는 모서리의 길이의 비는 일정하다. ② 대응하는 면은 서로 닮은 도형이다.
닮음비	대응하는 변의 길이의 비	대응하는 모서리의 길이의 비

> **참고** 입체도형의 닮음비는 대응하는 모서리의 길이, 높이, 반지름의 길이의 비 등으로 구할 수 있다.

항상 닮음인 도형 (여백)
- **항상 닮음인 도형**
  ① 두 원
  ② 두 직각이등변삼각형
  ③ 변의 개수가 같은 두 정다각형
  ④ 두 구
  ⑤ 면의 개수가 같은 두 정다면체

- $\triangle ABC$와 $\triangle DEF$에 대하여
  ① 합동일 때, $\triangle ABC \equiv \triangle DEF$
  ② 닮음일 때, $\triangle ABC \backsim \triangle DEF$
  ③ 넓이가 같을 때, $\triangle ABC = \triangle DEF$

- 닮음비가 $1:1$인 두 도형은 합동이다.

2 삼각형의 닮음 조건

두 삼각형 ABC, A′B′C′이 다음 조건 중 어느 하나를 만족하면 서로 닮은 도형이다.

(1) 대응하는 세 변의 길이의 비가 같다.

➡ $a : a' = b : b' = c : c'$ (SSS 닮음)

(2) 대응하는 두 변의 길이의 비가 같고, 그 끼인각의 크기가 같다.

➡ $a : a' = c : c'$, $\angle B = \angle B'$ (SAS 닮음)

(3) 대응하는 두 각의 크기가 각각 같다.

➡ $\angle B = \angle B'$, $\angle C = \angle C'$ (AA 닮음)

3 직각삼각형의 닮음

$\angle A = 90°$인 직각삼각형 ABC에서 $\overline{AH} \perp \overline{BC}$일 때

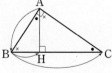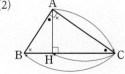

(1)	(2)	(3)
$\triangle ABC \backsim \triangle HBA$ (AA 닮음)	$\triangle ABC \backsim \triangle HAC$ (AA 닮음)	$\triangle HBA \backsim \triangle HAC$ (AA 닮음)
$\therefore \overline{AB}^2 = \overline{BH} \times \overline{BC}$	$\therefore \overline{AC}^2 = \overline{CH} \times \overline{CB}$	$\therefore \overline{AH}^2 = \overline{BH} \times \overline{CH}$

(여백)
- **(1)** $\triangle ABC \backsim \triangle HBA$이므로
  $\overline{BA} : \overline{BH} = \overline{BC} : \overline{BA}$
  $\therefore \overline{AB}^2 = \overline{BH} \times \overline{BC}$
- **(2)** $\triangle ABC \backsim \triangle HAC$이므로
  $\overline{CA} : \overline{CH} = \overline{CB} : \overline{CA}$
  $\therefore \overline{AC}^2 = \overline{CH} \times \overline{CB}$
- **(3)** $\triangle HBA \backsim \triangle HAC$이므로
  $\overline{BH} : \overline{AH} = \overline{AH} : \overline{CH}$
  $\therefore \overline{AH}^2 = \overline{BH} \times \overline{CH}$

1 닮음의 뜻과 성질

01 다음 중 항상 닮은 도형이라고 할 수 없는 것을 모두 고르면? (정답 2개)

① 두 부채꼴
② 한 내각의 크기가 같은 두 마름모
③ 꼭지각의 크기가 같은 두 이등변삼각형
④ 한 내각의 크기가 같은 평행사변형
⑤ 두 정사각형

02 아래 그림에서 □ABCD∽□A′B′C′D′일 때, 다음을 구하시오.

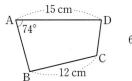 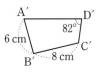

(1) □ABCD와 □A′B′C′D′의 닮음비
(2) $\overline{AB}$의 길이
(3) ∠D의 크기

[필수✔]
03 다음 그림에서 □ABCD∽□EFGH이고 닮음비가 2:3일 때, □EFGH의 둘레의 길이를 구하시오.

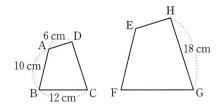

04 아래 그림에서 두 사각기둥은 서로 닮은 도형이다. $\overline{AB}$에 대응하는 모서리가 $\overline{A′B′}$일 때, 다음 중 옳지 않은 것은?

 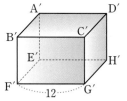

① □EFGH∽□E′F′G′H′
② 닮음비는 1:2이다.
③ ∠ABC=∠A′B′C′
④ $\overline{D′H′}=8$
⑤ $\overline{G′H′}=5$

05 다음 그림에서 두 원기둥은 서로 닮은 도형일 때, 두 원기둥의 밑면의 둘레의 길이의 비를 구하시오.

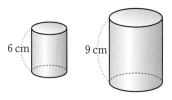

[필수✔]
06 오른쪽 그림과 같은 원뿔 모양의 그릇에 전체 높이의 $\frac{3}{4}$만큼 물을 채웠을 때, 수면의 반지름의 길이를 구하시오.

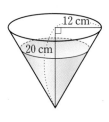

2 삼각형의 닮음 조건

07 아래 그림에서 △ABC와 △DEF가 닮은 도형이 되려면 다음 중 어느 조건을 추가해야 하는가?

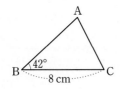

① ∠A=76°, ∠E=42°
② ∠C=82°, ∠E=52°
③ $\overline{AB}$=12 cm, $\overline{DE}$=9 cm
④ $\overline{AC}$=4 cm, $\overline{DF}$=3 cm
⑤ $\overline{AB}$=15 cm, $\overline{DF}$=12 cm

08 오른쪽 그림과 같은 △ABC에서 ∠B=∠DAC이고 $\overline{AB}$=8 cm, $\overline{AD}$=6 cm, $\overline{BC}$=12 cm일 때, $\overline{AC}$의 길이를 구하시오.

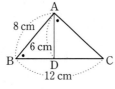

필수 ✓
09 오른쪽 그림과 같은 △ABC에서 ∠ADE=∠C이고 $\overline{AD}$=2 cm, $\overline{DB}$=6 cm, $\overline{AE}$=3 cm일 때, $\overline{EC}$의 길이를 구하시오.

10 오른쪽 그림과 같은 △ABC에서 $\overline{AD}=\overline{BD}=\overline{ED}$=6, $\overline{BE}$=8, $\overline{CE}$=1일 때, $\overline{AC}$의 길이를 구하시오.

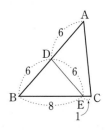

11 오른쪽 그림과 같은 직사각형 ABCD에서 $\overline{AB}$=6 cm, $\overline{AD}$=8 cm, $\overline{BD}$=10 cm, $\overline{EC}$=1 cm일 때, $\overline{BF}$의 길이를 구하시오.

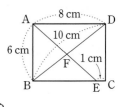

12 오른쪽 그림과 같은 평행사변형 ABCD에서 $\overline{AB}$의 연장선 위의 점 F에 대하여 $\overline{DF}$와 $\overline{BC}$의 교점을 E라 하자. $\overline{AD}$=12, $\overline{AB}$=5, $\overline{BF}$=7일 때, $\overline{CE}$의 길이를 구하시오.

서술형 ✍

13 오른쪽 그림과 같이 정삼각형 ABC를 $\overline{DF}$를 접는 선으로 하여 꼭짓점 A가 $\overline{BC}$ 위의 점 E에 오도록 접었다. 이때 $\overline{AD}$의 길이를 구하시오.

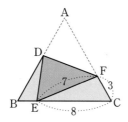

16 오른쪽 그림과 같이 $\angle A=90°$인 직각삼각형 ABC에서 $\square ACFE$는 $\overline{AC}$를 한 변으로 하는 정사각형이다. $\overline{AD}\perp\overline{BC}$이고 $\overline{AD}=6$ cm, $\overline{BD}=9$ cm 일 때, $\square ACFE$의 넓이를 구하시오.

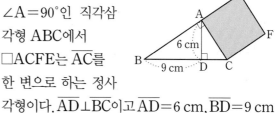

3 직각삼각형의 닮음

14 오른쪽 그림과 같은 $\triangle ABC$에서 $\overline{AD}\perp\overline{BC}$, $\overline{BE}\perp\overline{AC}$이고 $\overline{BD}=\overline{CD}=6$ cm, $\overline{FD}=3$ cm일 때, $\overline{AF}$의 길이를 구하시오.

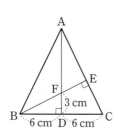

17 오른쪽 그림과 같이 직사각형 ABCD의 꼭짓점 A에서 대각선 BD에 내린 수선의 발을 H라 하자. $\overline{BH}=2$ cm, $\overline{DH}=8$ cm일 때, $\square ABCD$의 넓이를 구하시오.

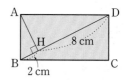

필수 ✓

15 오른쪽 그림과 같이 직사각형 ABCD를 대각선 BD를 접는 선으로 하여 접었다. $\overline{AD}$와 $\overline{BE}$의 교점 P에서 $\overline{BD}$에 내린 수선의 발을 Q라 할 때, $\overline{PQ}$의 길이를 구하시오.

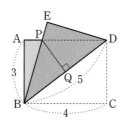

서술형 ✍

18 다음 그림과 같이 $\angle A=90°$인 직각삼각형 ABC에서 $\overline{BM}=\overline{CM}$, $\overline{AD}\perp\overline{BC}$, $\overline{DH}\perp\overline{AM}$이다. $\overline{BD}=12$ cm, $\overline{CD}=3$ cm일 때, $\overline{AH}$의 길이를 구하시오.

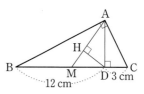

01 오른쪽 그림에서 두 원 O, I는 각각 직각삼각형 ABC의 외접원과 내접원이다. $\overline{AB}=18$, $\overline{BC}=24$, $\overline{AC}=30$일 때, 두 원 O, I의 닮음비를 가장 간단한 자연수의 비로 나타내시오.

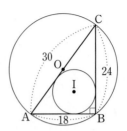

■ **해결 Plus⁺**

직각삼각형의 외심은 빗변의 중점이다.

02 오른쪽 그림에서 세 삼각형 ABC, CBE, ADF는 모두 닮은 도형이다. $\overline{BC}=\overline{CD}=18\ cm$, $\overline{AD}=12\ cm$, $\overline{AF}=10\ cm$일 때, □CDFE의 둘레의 길이를 구하시오.

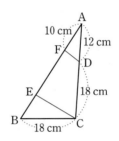

03 오른쪽 그림과 같이 직선 $y=\dfrac{1}{2}x+2$와 x축 사이에 세 개의 정사각형 A, B, C가 놓여 있다.

직선 $y=\dfrac{1}{2}x+2$와 정사각형 A, B, C가 만나는 점을 각각 P, Q, R라 할 때, 세 정사각형 A, B, C의 닮음비를 가장 간단한 자연수의 비로 나타내시오.

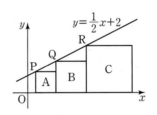

세 점 P, Q, R의 y좌표를 각각 a, b, c로 놓고 x좌표를 각각 a, b, c를 이용하여 나타낸다.

04 오른쪽 그림에서 △ABC∽△BDC이고 $\overline{AB}=8$, $\overline{AD}=7$, $\overline{BD}=6$일 때, △ABC의 둘레의 길이를 구하시오.

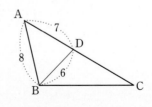

05 오른쪽 그림과 같은 □ABCD에서
△ABC∽△DEC이고 ∠D=65°,
∠ABE=∠DCE=35°일 때, ∠CAD의 크기를
구하시오.

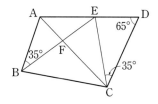

■■ **해결 Plus⁺**

서술형 ✎

06 오른쪽 그림과 같은 △ABC에서 $\overline{AD}$는 ∠A의
이등분선이고 점 C에서 $\overline{AD}$에 내린 수선의 발을
E라 하자. 점 M은 $\overline{BC}$의 중점이고 $\overline{AB}=8$ cm,
$\overline{AC}=4$ cm일 때, $\overline{EM}$의 길이를 구하시오.

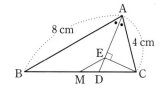

$\overline{CE}$의 연장선이 $\overline{AB}$와 만나는 점
을 P로 놓고 합동인 삼각형과 닮음
인 삼각형을 찾는다.

07 오른쪽 그림과 같은 □ABCD에서 대각선 BD 위의 점
E에 대하여 ∠ABE=∠ACD, ∠BAE=∠CAD일 때,
다음 중 △ABC와 닮은 도형인 것은?

① △CDF   ② △BCF   ③ △ABE
④ △ADC   ⑤ △AED

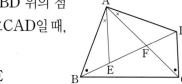

08 오른쪽 그림과 같이 $\overline{AB}=\overline{AC}$인 이등변삼각형 ABC
에서 $\overline{DE}/\!/\overline{BC}$이고 $\overline{AE}:\overline{CE}=2:1$이다.
∠EDC=∠EDF일 때, $\overline{EF}:\overline{CE}$를 가장 간단한 자연
수의 비로 나타내시오.

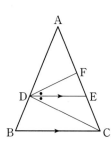

09 오른쪽 그림과 같이 정삼각형 ABC에서
∠ADE=60°가 되도록 $\overline{BC}$와 $\overline{AB}$ 위에 각각 점 D와
점 E를 잡았다. $\overline{BD}=12$, $\overline{DC}=6$일 때, $\overline{AD}^2$의 값을
구하시오.

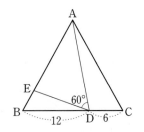

■ 해결 Plus⁺

10 오른쪽 그림과 같은 평행사변형 ABCD의 꼭짓점
D에서 $\overline{BC}$의 연장선에 내린 수선의 발을 E라 하자.
$\overline{BC}=6$, $\overline{BE}=2$, $\overline{EF}=3$일 때, $\triangle FCD$의 넓이를
구하시오.

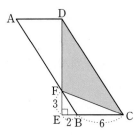

$\triangle FCD=\dfrac{1}{2}\times\overline{DF}\times\overline{CE}$이므로
$\overline{DF}$의 길이를 구한다.

11 오른쪽 그림과 같이 ∠A=90°인 직각삼각형
ABC에서 $\overline{AD}\perp\overline{BC}$일 때, $\triangle ABD:\triangle ADC$를
가장 간단한 자연수의 비로 나타내시오.

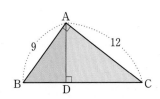

서술형 ✏

12 오른쪽 그림과 같이 직사각형 ABCD를 $\overline{DE}$를 접는
선으로 하여 꼭짓점 A가 $\overline{BC}$ 위의 점 F에 오도록 접
었다. 점 B에서 $\overline{EF}$에 내린 수선의 발을 H라 할 때,
$\overline{FH}$의 길이를 구하시오.

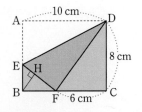

01 오른쪽 그림과 같이 $\overline{AD}$∥$\overline{BC}$인 등변사다리꼴 ABCD에서 꼭짓점 D를 지나고 $\overline{AB}$와 평행한 직선이 $\overline{BC}$와 만나는 점을 E라 하자. $\overline{BD}=\overline{BC}$이고 $\overline{AB}:\overline{BC}=1:3$일 때, $\overline{EC}:\overline{BE}$를 가장 간단한 자연수의 비로 나타내시오.

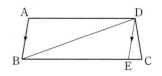

02 오른쪽 그림과 같은 □ABCD에서 $\overline{AD}$와 $\overline{BC}$의 연장선이 만나는 점을 P라 하자. ∠ABC=∠DCB이고 $\overline{PA}=6$, $\overline{PB}=4$, $\overline{PC}=8$, $\overline{PD}=10$일 때, $\overline{AB}\times\overline{CD}$의 값을 구하시오.

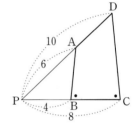

03 오른쪽 그림과 같이 정사각형 ABCD의 $\overline{BC}$, $\overline{CD}$ 위의 점 E, F에서 대각선 AC에 내린 수선의 발을 각각 P, Q라 하자. □ABCD의 넓이는 54 cm²이고 ∠EAF=45°, $\overline{AP}=6$ cm일 때, $\overline{PQ}$의 길이를 구하시오.

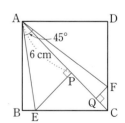

STEP UP ✎

04 오른쪽 그림과 같이 $\overline{AB}=\overline{AC}$인 이등변삼각형 ABC에서 $\overline{AB}$, $\overline{AC}$ 위에 각각 $\overline{AD}=6$ cm, $\overline{AE}=4$ cm가 되도록 두 점 D, E를 잡았다. 점 B를 지나고 $\overline{AC}$와 평행한 직선이 직선 DE와 만나는 점을 F라 하고, 점 C를 지나고 $\overline{AB}$와 평행한 직선이 직선 DE와 만나는 점을 G라 하자. $\square BCEF=96$ cm^{2}일 때, $\square BCGD$의 넓이를 구하시오.

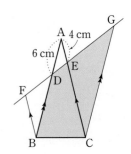

05 오른쪽 그림과 같이 $\overline{AB}=8$인 직사각형 ABCD를 $\overline{AF}$를 접는 선으로 하여 꼭짓점 D가 $\square ABCD$의 내부의 점 G에 오도록 접었다. $\overline{AB}$, $\overline{CD}$의 중점 E, F에 대하여 $\square ABCD \backsim \square BCFE$이고, 점 G에서 $\overline{AB}$, $\overline{BC}$에 내린 수선의 발을 각각 H, I라 할 때, $\overline{BH}$의 길이를 구하시오.

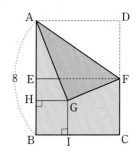

융합형 ✐

06 오른쪽 그림과 같이 $\angle A=90°$인 직각삼각형 ABC에서 $\overline{AH}\perp\overline{BC}$이고 $\overline{AB}=4$, $\overline{BC}=5$, $\overline{CA}=3$이다. $\triangle ABH$의 내접원과 $\triangle AHC$의 내접원이 $\overline{AH}$에 접하는 점을 각각 D, E라 할 때, $\overline{DE}$의 길이를 구하시오.

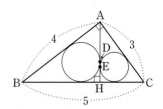

2 닮음의 활용(1)

1 삼각형에서 평행선과 선분의 길이의 비

(1) 삼각형에서 평행선과 선분의 길이의 비(1)

△ABC에서 한 직선이 두 변 AB, AC 또는 그 연장선과 만나는 점을 각각 D, E라 할 때

① $\overline{BC} \, // \, \overline{DE}$이면 $\overline{AB} : \overline{AD} = \overline{AC} : \overline{AE} = \overline{BC} : \overline{DE}$

② $\overline{AB} : \overline{AD} = \overline{AC} : \overline{AE}$이면 $\overline{BC} \, // \, \overline{DE}$

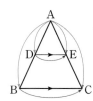 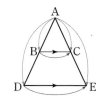

(2) 삼각형에서 평행선과 선분의 길이의 비(2)

△ABC에서 한 직선이 두 변 AB, AC 또는 그 연장선과 만나는 점을 각각 D, E라 할 때

① $\overline{BC} \, // \, \overline{DE}$이면 $\overline{AD} : \overline{DB} = \overline{AE} : \overline{EC}$

② $\overline{AD} : \overline{DB} = \overline{AE} : \overline{EC}$이면 $\overline{BC} \, // \, \overline{DE}$

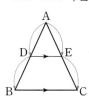 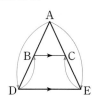

2 삼각형의 각의 이등분선

(1) 삼각형의 내각의 이등분선

△ABC에서 ∠A의 이등분선이 $\overline{BC}$와 만나는 점을 D라 하면 $\overline{AB} : \overline{AC} = \overline{BD} : \overline{CD}$

(2) 삼각형의 외각의 이등분선

△ABC에서 ∠A의 외각의 이등분선이 $\overline{BC}$의 연장선과 만나는 점을 D라 하면 $\overline{AB} : \overline{AC} = \overline{BD} : \overline{CD}$

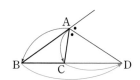

3 평행선 사이의 선분의 길이의 비

평행한 세 직선이 다른 두 직선과 만나서 생기는 선분의 길이의 비는 같다.
즉 $l \, // \, m \, // \, n$이면
$a : b = c : d$ 또는 $a : c = b : d$

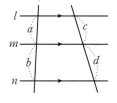 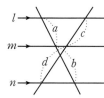

• **삼각형의 두 변의 중점을 연결한 선분**

① △ABC에서
$\overline{AM} = \overline{MB}$, $\overline{AN} = \overline{NC}$이면
$\overline{MN} \, // \, \overline{BC}$, $\overline{MN} = \dfrac{1}{2}\overline{BC}$

② △ABC에서
$\overline{AM} = \overline{MB}$, $\overline{MN} \, // \, \overline{BC}$이면
$\overline{AN} = \overline{NC}$, $\overline{MN} = \dfrac{1}{2}\overline{BC}$

• **사다리꼴에서 선분의 길이의 비**

사다리꼴 ABCD에서 $\overline{AD} \, // \, \overline{EF} \, // \, \overline{BC}$일 때, $\overline{EF}$의 길이를 구하는 방법은 다음과 같다.

①

$\overline{GF} = \overline{HC} = \overline{AD} = a$
$\overline{BH} = b - a$이므로
$\overline{EG} : (b - a) = m : (m + n)$
➡ $\overline{EF} = \overline{EG} + \overline{GF}$

②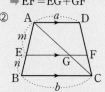

$\overline{EG} : b = m : (m + n)$
$\overline{GF} : a = n : (m + n)$
➡ $\overline{EF} = \overline{EG} + \overline{GF}$

III

도형의 닮음

2. 닮음의 활용 (1) | **55**

1 삼각형에서 평행선과 선분의 길이의 비

01 오른쪽 그림에서 $\overline{BC}/\!/\overline{GF}$, $\overline{FB}/\!/\overline{DE}$일 때, x, y의 값을 각각 구하시오.

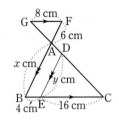

필수✓

02 오른쪽 그림과 같은 $\triangle ABC$에서 $\overline{BC}/\!/\overline{DE}$일 때, $\overline{DP}$의 길이를 구하시오.

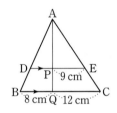

03 오른쪽 그림과 같은 $\triangle ABC$에서 $\overline{AC}/\!/\overline{ED}$, $\overline{AD}/\!/\overline{EF}$이고 $\overline{BD}=6$, $\overline{DC}=4$일 때, $\overline{BF}$의 길이를 구하시오.

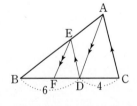

04 오른쪽 그림과 같은 $\triangle ABC$에 대하여 다음 보기 중 옳은 것을 모두 고르시오.

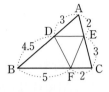

보기
㉠ $\overline{BC}/\!/\overline{DE}$
㉡ $\overline{AC}/\!/\overline{DF}$
㉢ $\triangle ADE \backsim \triangle ABC$
㉣ $\triangle BFD \backsim \triangle BCA$

05 오른쪽 그림과 같은 $\triangle ABC$에서 $\overline{AD}=\overline{DB}$이고 $\overline{DE}/\!/\overline{BC}$, $\overline{AB}/\!/\overline{EF}$이다. $\overline{DE}=10\text{ cm}$일 때, $\overline{CF}$의 길이를 구하시오.

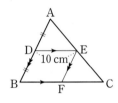

06 오른쪽 그림과 같은 $\triangle ABC$에서 두 점 D, E는 각각 $\overline{BC}$, $\overline{AD}$의 중점이고 $\overline{BF}/\!/\overline{DG}$이다. $\overline{DG}=5\text{ cm}$일 때, $\overline{BE}$의 길이를 구하시오.

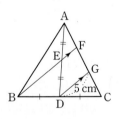

07 오른쪽 그림과 같은
△ABC에서
$\overline{AE}=\overline{EF}=\overline{FB}$이고,
$\overline{AG}=\overline{GD}$이다.
$\overline{CG}=15$ cm일 때, $\overline{EG}$의
길이를 구하시오.

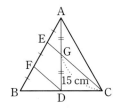

2 삼각형의 각의 이등분선

10 오른쪽 그림과 같은
△ABC에서 $\overline{AD}$는 ∠A
의 이등분선이고
$\overline{AB}$∥$\overline{ED}$이다.
$\overline{AB}=8$ cm, $\overline{AC}=10$ cm일 때, $\overline{DE}$의 길이를 구
하시오.

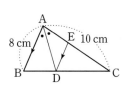

08 오른쪽 그림과 같은
△ABC에서 $\overline{BA}$의 연장
선 위에 $\overline{BA}=\overline{AD}$가 되도
록 점 D를 잡고, $\overline{AC}$의 중
점을 M, $\overline{DM}$의 연장선과
$\overline{BC}$의 교점을 E라 하자. $\overline{BE}=14$ cm일 때, $\overline{CE}$의
길이를 구하시오.

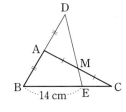

11 오른쪽 그림과 같은
△ABC에서 $\overline{AD}$는 ∠A
의 이등분선이다. △ABD
의 넓이가 12 cm²일 때,
△ACD의 넓이를 구하시오.

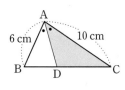

09 오른쪽 그림은 △ABC의
각 변의 중점을 연결하여
△DEF를 그리고 △DEF
의 각 변의 중점을 연결하
여 △GHI를 그린 것이다.
△GHI의 둘레의 길이가 12 cm일 때, △ABC의
둘레의 길이를 구하시오.

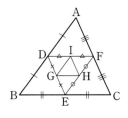

12 다음 그림과 같은 △ABC에서 ∠A의 외각의 이
등분선과 $\overline{BC}$의 연장선의 교점을 D라 하자.
$\overline{AD}$∥$\overline{EB}$이고 $\overline{AB}=9$, $\overline{BC}=8$, $\overline{BD}=10$일 때,
$\overline{CE}$의 길이를 구하시오.

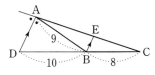

서술형 ✐

13 다음 그림과 같은 △ABC에서 $\overline{AD}$는 ∠A의 이 등분선이고, 점 E는 ∠A의 외각의 이등분선과 $\overline{BC}$의 연장선의 교점이다. $\overline{AB}=12$, $\overline{BC}=10$, $\overline{CA}=8$일 때, $\overline{DE}$의 길이를 구하시오.

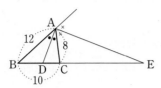

16 오른쪽 그림과 같은 사다리 꼴 ABCD에서 $\overline{AD} /\!/ \overline{EF} /\!/ \overline{BC}$이고 $\overline{AE} : \overline{EB}=3 : 2$일 때, $\overline{MN}$의 길이를 구하시오.

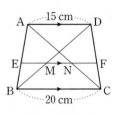

3 평행선 사이의 선분의 길이의 비

14 다음 그림에서 $p /\!/ q /\!/ r /\!/ s$일 때, $x+10y+z$의 값을 구하시오.

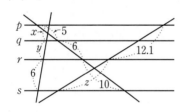

17 오른쪽 그림과 같이 $\overline{AD} /\!/ \overline{BC}$인 사다리꼴 ABCD에서 두 점 M, N은 각각 $\overline{AB}$, $\overline{DC}$의 중점이다. $\overline{AD}=10$ cm, $\overline{BC}=14$ cm 일 때, $\overline{MN}$의 길이를 구하시오.

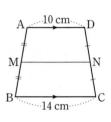

필수 ✔

15 오른쪽 그림과 같은 사다리 꼴 ABCD에서 $\overline{AD} /\!/ \overline{EF} /\!/ \overline{BC}$이고 $\overline{AE}=3\overline{EB}$이다. $\overline{AD}=16$ cm, $\overline{BC}=24$ cm일 때, $\overline{EF}$의 길이를 구하시오.

18 다음 그림에서 $\overline{AB} /\!/ \overline{PQ} /\!/ \overline{DC}$이고 $\overline{AM}=\overline{MP}$, $\overline{BN}=\overline{NQ}$이다. $\overline{AB}=12$ cm, $\overline{DC}=6$ cm일 때, $\overline{MN}$의 길이를 구하시오.

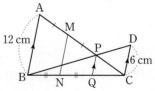

최고 수준 완성하기

01 오른쪽 그림과 같은 평행사변형 ABCD에서 $\overline{AD}$ 위의 점 E에 대하여 $\overline{AE}:\overline{DE}=3:2$이고, $\overline{AC}$와 $\overline{BE}$의 교점 F를 지나고 $\overline{BC}$에 평행한 직선이 $\overline{AB}$와 만나는 점을 G라 하자. $\overline{BC}=15$ cm일 때, $\overline{GF}$의 길이를 구하시오.

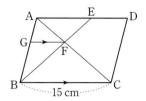

■ **해결 Plus⁺**

△ABE에서 $\overline{GF}/\!/\overline{AE}$이므로 $\overline{GF}:\overline{AE}=\overline{BF}:\overline{BE}$

02 오른쪽 그림과 같은 △ABC에서 ∠ACD=∠BCD=60°이고, $\overline{BC}=10$ cm, $\overline{CD}=6$ cm일 때, $\overline{AC}$의 길이를 구하시오.

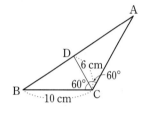

서술형 ✏️

03 오른쪽 그림과 같은 △ABC에서 $\overline{AE}:\overline{CE}=3:7$, $\overline{BD}:\overline{CD}=3:4$이다. $\overline{AD}$와 $\overline{BE}$의 교점을 P라 하고 $\overline{BE}=14$ cm일 때, $\overline{BP}$의 길이를 구하시오.

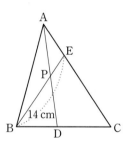

04 오른쪽 그림과 같이 한 모서리의 길이가 30 cm인 정사면체 ABCD에서 $\overline{BC}$ 위에 $\overline{BE}=6$ cm가 되도록 점 E를 잡았다. 점 E에서 시작하여 $\overline{AC}$ 위의 점 F와 $\overline{AD}$ 위의 점 G를 차례대로 지나 점 B에 이르는 길이가 최소가 되도록 할 때, $\overline{CF}$의 길이를 구하시오.

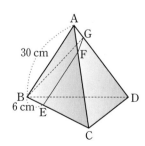

정사면체의 전개도를 이용한다.

05 오른쪽 그림과 같은 △ABC에서 $\overline{\text{AD}}$는 ∠BAC의 이
등분선이고, $\overline{\text{BA}}$의 연장선 위의 점 E를 지나고 $\overline{\text{AD}}$와
평행한 직선이 $\overline{\text{BC}}$, $\overline{\text{AC}}$와 만나는 점을 각각 F, G라 하
자. $\overline{\text{BE}}$=14 cm, $\overline{\text{BF}}$=8 cm, $\overline{\text{FC}}$=4 cm일 때, $\overline{\text{CG}}$의
길이를 구하시오.

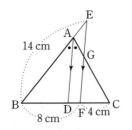

해결 Plus+

06 오른쪽 그림에서 점 I는 △ABC의 내심이고
$\overline{\text{IE}}$∥$\overline{\text{BC}}$이다. $\overline{\text{AB}}$=9, $\overline{\text{BC}}$=12, $\overline{\text{AC}}$=7일 때, $\overline{\text{IE}}$
의 길이를 구하시오.

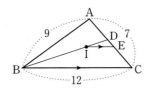

점 I는 △ABC의 내심이므로 $\overline{\text{BI}}$
는 ∠B의 이등분선이다.

융합형 🖋

07 오른쪽 그림과 같이 ∠A=90°인 직각삼각형 ABC
에서 $\overline{\text{AH}}$⊥$\overline{\text{BC}}$이고 $\overline{\text{BD}}$는 ∠B의 이등분선이다.
$\overline{\text{AH}}$와 $\overline{\text{BD}}$의 교점을 E라 하고, $\overline{\text{AB}}$=6, $\overline{\text{BC}}$=10,
$\overline{\text{AC}}$=8일 때, △AED의 넓이를 구하시오.

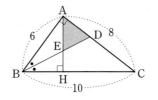

△ABC에서 $\overline{\text{AB}}^2 = \overline{\text{BH}} \times \overline{\text{BC}}$

08 오른쪽 그림에서 점 I는 △ABC의 내심이다.
$\overline{\text{AB}}$=8 cm, $\overline{\text{BD}}$=4 cm, $\overline{\text{CD}}$=6 cm일 때,
$\dfrac{\triangle \text{ABC}}{\triangle \text{AIE}}$의 값을 구하시오.

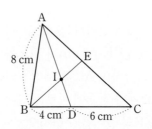

09 오른쪽 그림과 같은 △ABC에서 ∠BAC=∠DBC이고, ∠ABE=∠DBE이다. $\overline{BC}$=8 cm, $\overline{AC}$=12 cm일 때, $\overline{DE}$의 길이를 구하시오.

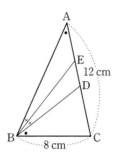

해결 **Plus⁺**

10 오른쪽 그림과 같은 사다리꼴 ABCD에서 $\overline{AD}$∥$\overline{PQ}$∥$\overline{BC}$이고, $\overline{BP}$:$\overline{DP}$=$\overline{CQ}$:$\overline{AQ}$=3:4이다. $\overline{AD}$=14 cm, $\overline{BC}$=21 cm일 때, $\overline{PQ}$의 길이를 구하시오.

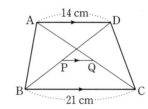

$\overline{QP}$의 연장선이 $\overline{AB}$와 만나는 점을 E로 놓고 △ABD와 △ABC에서 평행선 사이의 선분의 길이의 비를 생각해 본다.

창의력 ⚡

11 오른쪽 그림과 같이 $\overline{AD}$∥$\overline{BC}$인 등변사다리꼴 ABCD에서 점 E는 $\overline{AD}$의 중점이고 점 G는 $\overline{BC}$의 중점이다. $\overline{EG}$⊥$\overline{BC}$이고 $\overline{AF}$:$\overline{FB}$=$\overline{DH}$:$\overline{HC}$=2:3일 때, □EFGH의 넓이를 구하시오.

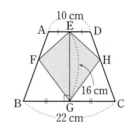

12 오른쪽 그림과 같은 □ABCD에서 $\overline{AB}$⊥$\overline{BC}$, $\overline{DC}$⊥$\overline{BC}$이고 두 대각선 AC, BD의 교점을 E라 하자. $\overline{AB}$=12 cm, $\overline{DC}$=6 cm, $\overline{BC}$=9 cm일 때, △AED의 넓이를 구하시오.

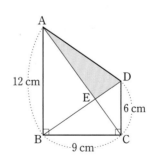

01 오른쪽 그림에서 △ABC와 △ADE는 정삼각형이고, $\overline{CE}$의 연장선이 $\overline{BD}$와 만나는 점을 F라 하자. $\overline{AC}=18$, $\overline{AD}=12$일 때, $\overline{EF}:\overline{CE}$를 가장 간단한 자연수의 비로 나타내시오.

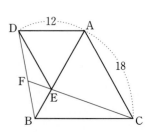

STEP UP ✈

02 오른쪽 그림과 같은 △ABC에서 점 D는 $\overline{AB}$의 중점이고, $\overline{AE}:\overline{CE}=2:1$이다. $\overline{BE}$와 $\overline{CD}$의 교점을 F라 할 때, △CEF : □ADFE를 가장 간단한 자연수의 비로 나타내시오.

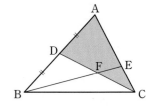

03 오른쪽 그림과 같은 △ABC에서 $\overline{AB} /\!/ \overline{EG}$, $\overline{AC} /\!/ \overline{DF}$이고 DF와 EG의 교점을 P라 하자. $\overline{PG}:\overline{BD}=5:17$, $\overline{PF}:\overline{CE}=5:13$이고, △PGF $=25$ cm^{2}일 때, △PED의 넓이를 구하시오.

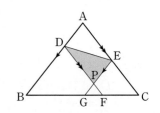

04
세 직선 $y=6$, $y=3$, $y=c$가 일차함수 $y=ax+b$의 그래프와 만나는 점을 차례대로 A, B, C라 하고 y축과 만나는 점을 차례대로 D, E, F라 하자. $\overline{AB}=5$, $\overline{BC}=15$, $\overline{AD}=2$, $\overline{BE}=6$일 때, 점 C의 좌표를 구하시오. (단, a, b는 상수, $a>0$, $b>6$, $c<0$)

05 오른쪽 그림과 같이 $\overline{AD} /\!/ \overline{EF} /\!/ \overline{BC}$인 사다리꼴 ABCD에서 두 대각선 AC, BD의 교점을 O라 하자. $\overline{AD}=6$ cm, $\overline{BC}=9$ cm, $\overline{BD}=10$ cm이고 $\overline{EP}:\overline{PQ}=2:3$일 때, $\overline{OP}$의 길이를 구하시오.

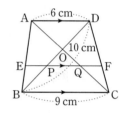

06
오른쪽 그림과 같이 밑면이 정사각형인 사각뿔대에서 $\overline{AB}=a$, $\overline{FG}=b$이다. 이 사각뿔대를 $\overline{AE}$를 $3:1$로 나누는 점 I를 지나고 □EFGH에 평행한 평면으로 잘랐을 때 생기는 단면의 넓이를 a, b를 사용하여 나타내시오.

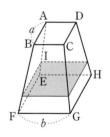

닮음의 활용 (2)

1 삼각형의 중선

(1) **삼각형의 중선** 삼각형의 한 꼭짓점과 그 대변의 중점을 이은 선분

(2) **삼각형의 중선의 성질** 삼각형의 한 중선은 삼각형의 넓이를 이등분한다.

➡ $\overline{AD}$가 $\triangle ABC$의 중선이면

$$\triangle ABD = \triangle ACD = \frac{1}{2}\triangle ABC$$

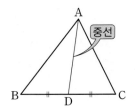

2 삼각형의 무게중심

(1) **삼각형의 무게중심** 삼각형의 세 중선의 교점

(2) **삼각형의 무게중심의 성질**

① 삼각형의 세 중선은 한 점(무게중심)에서 만난다.

② 삼각형의 무게중심은 세 중선의 길이를 각 꼭짓점으로부터 각각 $2:1$로 나눈다.

➡ 점 G가 $\triangle ABC$의 무게중심이면

$$\overline{AG}:\overline{GD}=\overline{BG}:\overline{GE}=\overline{CG}:\overline{GF}=2:1$$

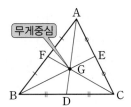

3 삼각형의 무게중심과 넓이

점 G가 $\triangle ABC$의 무게중심이면

(1) 세 중선에 의하여 삼각형의 넓이는 6등분된다.

➡ $\triangle GAF = \triangle GBF = \triangle GBD = \triangle GCD$

$$= \triangle GCE = \triangle GAE = \frac{1}{6}\triangle ABC$$

> **참고** 넓이는 같지만 합동은 아니다.

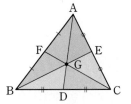

(2) 삼각형의 무게중심과 세 꼭짓점을 이어서 생기는 세 삼각형의 넓이는 같다.

➡ $\triangle GAB = \triangle GBC = \triangle GCA = \frac{1}{3}\triangle ABC$

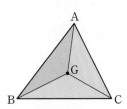

4 닮은 도형의 넓이의 비와 부피의 비

(1) **닮은 두 평면도형의 둘레의 길이의 비와 넓이의 비**

닮은 두 평면도형의 닮음비가 $m:n$이면

① 둘레의 길이의 비 ➡ $m:n$ ② 넓이의 비 ➡ $m^2:n^2$

(2) **닮은 두 입체도형의 겉넓이의 비와 부피의 비**

닮은 두 입체도형의 닮음비가 $m:n$이면

① 겉넓이의 비 ➡ $m^2:n^2$ ② 부피의 비는 ➡ $m^3:n^3$

- 삼각형의 외심, 내심, 무게중심의 위치

① 정삼각형 : 외심, 내심, 무게중심이 모두 일치한다.

② 이등변삼각형 : 외심, 내심, 무게중심이 모두 꼭지각의 이등분선 위에 있다.

- 평행사변형에서 삼각형의 무게중심

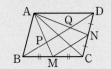

평행사변형 $ABCD$에서 두 점 M, N이 각각 $\overline{BC}$, $\overline{CD}$의 중점일 때

① 두 점 P, Q는 각각 $\triangle ABC$, $\triangle ACD$의 무게중심이다.

② $\overline{MN}=\frac{1}{2}\overline{BD}$

③ $\overline{BP}=\overline{PQ}=\overline{QD}=\frac{1}{3}\overline{BD}$

최고
수준

입문하기

최고
수준

1 삼각형의 중선

01 오른쪽 그림과 같은 △ABC에서 $\overline{BD}=\overline{CD}$이다.
△ABC=28 cm², △AEC=9 cm²일 때, △EBD의 넓이를 구하시오.

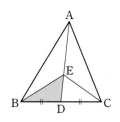

02 오른쪽 그림과 같은 △ABC에서 점 M은 $\overline{BC}$의 중점이고 점 N은 $\overline{AM}$의 중점이다. △ABC의 넓이가 32 cm²일 때, △NMC의 넓이를 구하시오.

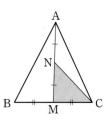

03 오른쪽 그림과 같은 △ABC에서 점 D는 $\overline{BC}$의 중점이고 $\overline{AE}=\overline{EF}=\overline{FD}$이다. △FDC의 넓이가 6 cm²일 때, △ABC의 넓이를 구하시오.

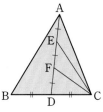

2 삼각형의 무게중심

04 오른쪽 그림에서 점 G는 직각삼각형 ABC의 무게중심이다. $\overline{AB}=12$ cm일 때, $\overline{GM}$의 길이를 구하시오.

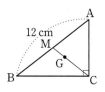

05 필수✓
오른쪽 그림에서 두 점 G, G′은 각각 △ABC, △GBC의 무게중심이다. $\overline{GG'}=4$ cm일 때, $\overline{AD}$의 길이를 구하시오.

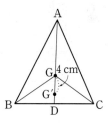

06 오른쪽 그림에서 점 G는 △ABC의 무게중심이다. $\overline{AD}/\!/\overline{EF}$이고 $\overline{EF}=6$ cm일 때, $\overline{AG}$의 길이를 구하시오.

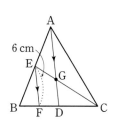

III

Ⅲ. 닮음의 활용

07 오른쪽 그림에서 점 G는 △ABC의 무게중심이다. $\overline{EF}/\!/\overline{BC}$이고 $\overline{BD}=6\,cm$일 때, $\overline{GF}$의 길이를 구하시오.

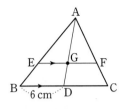

08 오른쪽 그림에서 점 G는 △ABC의 무게중심이고 $\overline{DE}/\!/\overline{AC}$이다. $\overline{AC}=18\,cm$일 때, $\overline{DE}$의 길이를 구하시오.

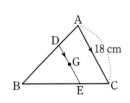

서술형

09 오른쪽 그림과 같이 $\overline{AB}=\overline{AC}$인 이등변삼각형 ABC에서 점 D는 $\overline{BC}$의 중점이고, 두 점 G, G′은 각각 △ABD, △ADC의 무게중심이다. $\overline{BC}=18\,cm$일 때, $\overline{GG'}$의 길이를 구하시오.

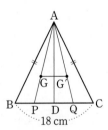

10 오른쪽 그림에서 점 G는 △ABC의 무게중심이고 $\overline{EF}/\!/\overline{BC}$이다. $\overline{AD}=24\,cm$일 때, $\overline{FG}$의 길이를 구하시오.

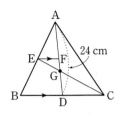

3 삼각형의 무게중심과 넓이

필수 ✔

11 오른쪽 그림에서 점 G는 △ABC의 무게중심이다. △ABC의 넓이가 $36\,cm^2$일 때, △GDE의 넓이를 구하시오.

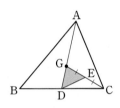

12 오른쪽 그림에서 점 G는 ∠C=90°인 직각삼각형 ABC의 무게중심이다. $\overline{AC}=3\,cm$, $\overline{BC}=4\,cm$일 때, △GED의 넓이를 구하시오.

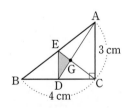

13 오른쪽 그림에서 두 점 G, G′은 각각 △ABC, △GBC 의 무게중심이다. △ABC 의 넓이가 90 cm²일 때, △GBG′의 넓이를 구하시오.

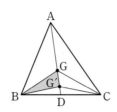

14 오른쪽 그림과 같이 ∠C=90°인 직각삼각형 ABC에서 점 D는 $\overline{AB}$의 중점이고 두 점 M, N은 $\overline{AB}$를 삼등분 하는 점이 다. 점 G는 △ABC의 무게중심이고 $\overline{AC}$=9 cm, $\overline{BC}$=10 cm일 때, △MGC의 넓이를 구하시오.

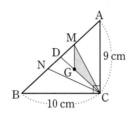

15 오른쪽 그림과 같은 평행사 변형 ABCD에서 $\overline{AM}=\overline{DM}$이고 △ABP의 넓이가 5 cm²일 때, △BCD의 넓이를 구하시오.

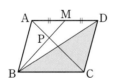

16 오른쪽 그림과 같은 직사 각형 ABCD에서 $\overline{BC}$의 중점을 M, $\overline{AC}$와 $\overline{DM}$ 의 교점을 P라 하자. $\overline{AB}$=8 cm, $\overline{BC}$=12 cm 일 때, □OBMP의 넓이를 구하시오. (단, 점 O는 두 대각선의 교점이다.)

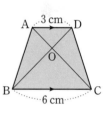

4 닮은 도형의 넓이의 비와 부피의 비

17 오른쪽 그림과 같은 사다리꼴 ABCD에서 $\overline{AD}$∥$\overline{BC}$이고 △AOD의 넓이가 6 cm²일 때, □ABCD의 넓이를 구 하시오.

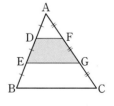

18 오른쪽 그림과 같은 △ABC 에서 $\overline{AB}$를 삼등분 하는 점 을 D, E라 하고 $\overline{AC}$를 삼등 분 하는 점을 F, G라 하자. □EBCG의 넓이가 120 cm² 일 때, □DEGF의 넓이를 구하시오.

필수 ✔

19 다음 그림의 두 삼각기둥 A, B는 닮은 도형이다. 삼각기둥 B의 겉넓이가 117 cm²일 때, 삼각기둥 A의 겉넓이를 구하시오.

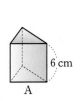
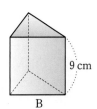

A

6 cm

B

9 cm

22 오른쪽 그림과 같이 지면으로부터 15 cm 떨어진 지점에 반지름의 길이가 6 cm인 원판을 고정시킨 후 원판의 중심으로부터 10 cm 떨어진 지점에서 전등이 원판을 비추게 하였다. 이때 지면에 생기는 원판의 그림자의 넓이를 구하시오. (단, 원판의 두께와 전등의 크기는 생각하지 않는다.)

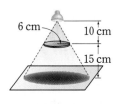

6 cm

10 cm

15 cm

서술형 ✐

20 오른쪽 그림과 같이 원뿔을 밑면에 평행한 두 평면으로 잘라 원뿔 P와 두 원뿔대 Q, R를 만들었다. $\overline{OA}=\overline{AB}=\overline{BC}$이고, 원뿔대 Q의 부피가 28π cm³일 때, 원뿔대 R의 부피를 구하시오.

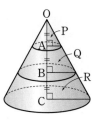

O
P
A
Q
B
R
C

23 다음 그림과 같이 탑의 그림자 끝 A 지점에서 2 m 떨어진 B 지점에 길이가 1.3 m인 막대를 세워 그 그림자의 끝이 탑의 그림자의 끝과 일치하게 하였다. 막대와 탑 사이의 거리가 8 m일 때, 탑의 높이를 구하시오. (단, 막대의 두께는 생각하지 않는다.)

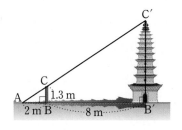

C′
C
1.3 m
A
2 m B
8 m
B′

21 다음 그림의 두 사면체 A, B는 닮은 도형이다. 두 사면체 A, B의 겉넓이의 비가 9:16이고, 사면체 B의 부피가 128 cm³일 때, 사면체 A의 부피를 구하시오.

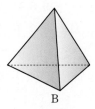

A

B

24 강의 너비인 두 지점 A, B 사이의 거리를 재기 위하여 다음 그림과 같이 측량하였다. 두 지점 A, B 사이의 거리를 구하시오.

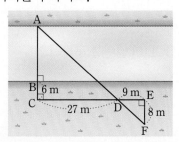

A
B 6 m
C 27 m 9 m E
D 8 m
F

최고 수준 완성하기

01 오른쪽 그림과 같이 ∠A＝90°인 직각삼각형 ABC에서 점 D는 $\overline{\text{AB}}$의 중점이고 $\overline{\text{CB}}$＝18 cm이다. $\overline{\text{CD}}$를 3등분하여 점 D에 가까운 점을 E라 할 때, $\overline{\text{AE}}$의 길이를 구하시오.

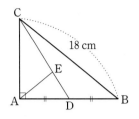

해결 Plus⁺

02 오른쪽 그림에서 두 점 G, G′은 각각 △ABC, △DBC의 무게중심이다. $\overline{\text{AD}}$＝15 cm일 때, $\overline{\text{GG}'}$의 길이를 구하시오.

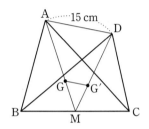

서술형 ✐

03 오른쪽 그림에서 점 G는 △ABC의 무게중심이고, $\overline{\text{AD}}$ 위에 점 N을 잡았더니 △ABC의 넓이는 △ANC의 넓이의 4배가 되었다. $\overline{\text{AD}}$＝18 cm일 때, $\overline{\text{GN}}$의 길이를 구하시오.

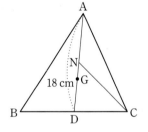

창의력 ⚡

04 오른쪽 그림과 같은 정사면체에서 두 점 G, G′은 각각 △ABC, △ACD의 무게중심이다. $\overline{\text{AE}}$＝6 cm일 때, 점 G에서 $\overline{\text{AC}}$를 지나 점 G′에 이르는 최단 거리를 구하시오.

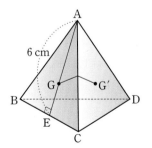

점 G에서 $\overline{\text{AC}}$를 지나 점 G′에 이르는 최단 거리는 점 G에서 $\overline{\text{AC}}$까지의 거리의 2배이다.

05 오른쪽 그림에서 세 점 G, X, Y는 각각 △ABC, △GAB, △GBC의 무게중심이다. $\overline{AC}=6$ cm일 때, $\overline{XY}$의 길이를 구하시오.

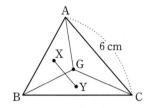

해결 Plus⁺

두 점 X, Y는 각각 $\overline{CG}$, $\overline{AG}$의 연장선 위에 있다.

융합형 🖋

06 오른쪽 그림에서 점 G는 △ABC의 무게중심이고, 점 I는 △ABC의 내심이다. $\overline{AB}=12$ cm, $\overline{BC}=10$ cm, $\overline{AC}=8$ cm일 때, $\overline{GI}$의 길이를 구하시오.

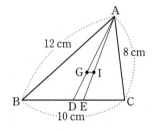

점 I가 △ABC의 내심이므로 $\overline{AE}$는 ∠A의 이등분선이다.

07 오른쪽 그림과 같이 $\overline{AB}=\overline{AD}$, $\overline{BC}=\overline{CD}$인 사각형 ABCD에서 $\overline{AB}$의 중점을 M, $\overline{CD}$의 중점을 N이라 하고 $\overline{AC}$가 $\overline{DM}$, $\overline{BN}$과 만나는 점을 각각 P, Q라 하자. $\overline{AC}=18$ cm일 때, $\overline{PQ}$의 길이를 구하시오.

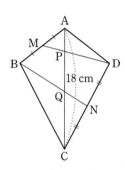

서술형 🖋

08 오른쪽 그림과 같은 △ABC에서 점 M은 $\overline{BC}$의 중점이고, 세 점 G, P, Q는 각각 △ABC, △ABM, △ACM의 무게중심이다. $\overline{AB}=13$, $\overline{BC}=12$, $\overline{AC}=15$일 때, △PMQ의 둘레의 길이를 구하시오.

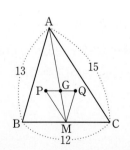

09 오른쪽 그림에서 점 G는 △ABC의 무게중심이고 $\overline{EF} /\!/ \overline{BC}$이다. △BDE의 넓이가 6 cm²일 때, △DFE의 넓이를 구하시오.

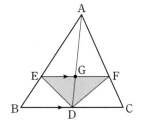

■ 해결 Plus⁺

△ABC와 △AEF의 닮음비를 이용하여 넓이의 비를 구한다.

10 오른쪽 그림과 같이 $\overline{AB}=\overline{AC}$인 이등변삼각형 ABC 에서 $\overline{BD}\perp\overline{AC}, \overline{CE}\perp\overline{AB}$이다. △FDE=4, △FBC=25일 때, △AED의 넓이를 구하시오.

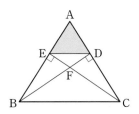

11 오른쪽 그림과 같은 삼각기둥에서 $\overline{AC}=3\overline{AH}$, $\overline{AB}=3\overline{AG}$가 되도록 삼각뿔 D−AGH를 잘랐다. 잘려진 삼각뿔의 부피가 3 cm³일 때, 처음 삼각기둥 의 부피를 구하시오.

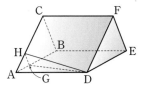

창의력 ⚡
12 오른쪽 그림과 같이 △ABC의 내부의 한 점 P를 지나 고 세 변 AB, BC, CA에 각각 평행한 직선을 그을 때 생기는 세 삼각형을 각각 A_1, A_2, A_3라 하자. 세 삼각형 A_1, A_2, A_3의 넓이가 차례대로 16 cm², 36 cm², 64 cm² 일 때, △ABC의 넓이를 구하시오.

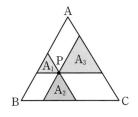

△A_1∽△A_2∽△A_3∽△ABC 임을 이용한다.

Ⅲ

다형의 닮음

01 오른쪽 그림에서 $\overline{BD}$는 △ABC의 중선이고 두 점 E, F는 $\overline{BC}$를 삼등분 하는 점이다. $\overline{BD}$가 $\overline{AE}$, $\overline{AF}$와 만나는 점을 각각 P, Q라 하고 $\overline{BD}=20$ cm일 때, $\overline{PQ}$의 길이를 구하시오.

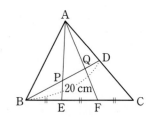

02 오른쪽 그림과 같은 △ABC에서 두 점 D, E는 $\overline{BC}$를 삼등분 하는 점이고, $\overline{BH}\perp\overline{AC}$, $\overline{AG}:\overline{GE}=2:1$이다. △ABC의 넓이가 63 cm²일 때, △AGH의 넓이를 구하시오.

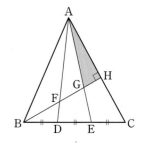

용합형 🔗

03 오른쪽 그림과 같은 평행사변형 ABCD에서 $\overline{AD}$, $\overline{CD}$의 중점을 각각 E, F라 하고 $\overline{AF}$가 $\overline{BE}$, $\overline{CE}$와 만나는 점을 각각 P, Q라 할 때, $\overline{BP}$의 길이는 $\overline{PE}$의 길이의 몇 배인지 구하시오.

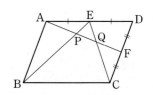

04 오른쪽 그림과 같이 한 변의 길이가 4인 정사각형 ABCD에서 두 점 E, F는 각각 $\overline{BC}$, $\overline{CD}$의 중점이다. $\overline{DE}$가 $\overline{AF}$, $\overline{AC}$와 만나는 점을 각각 G, H라 할 때, □CFGH의 넓이를 구하시오.

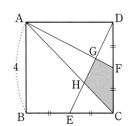

05 오른쪽 그림과 같이 부피가 540 cm³인 정사면체 ABCD에서 각 면의 무게중심을 이어서 만든 정사면체 EFGH의 부피를 구하시오.

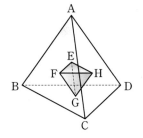

STEP UP ✔

06 오른쪽 그림의 평행사변형 ABCD에서 $\overline{BP}:\overline{PC}=1:2$, $\overline{CQ}:\overline{DQ}=2:3$이고 $\overline{DP}$와 $\overline{AQ}$의 교점을 R라 하자. △ARD=18 cm²일 때, □PCQR의 넓이를 구하시오.

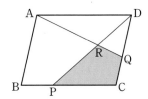

01 성규와 지석이는 오른쪽 그림과 같은 직사각형 모양의 수영장에서 수영을 하였다. 성규는 A 지점에서 출발하여 B 지점으로부터 20 m 떨어진 F 지점에 도착하였고, 지석이는 B 지점에서 출발하여 A 지점으로부터 30 m 떨어진 E 지점에 도착하였다. 이때 성규와 지석이가 모두 지나는 지점인 점 G는 출발선인 $\overline{AB}$로부터 몇 m 떨어져 있는지 구하시오.

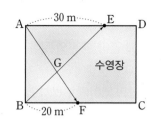

생각 Plus⁺

점 G에서 $\overline{AB}$에 내린 수선의 발을 H라 하고 닮음인 두 삼각형을 찾는다.

풀이▶

답▶

02 오른쪽 그림과 같이 높이가 40 cm인 원기둥이 지면에 놓여 있고, 이 원기둥의 한 밑면인 원 O의 중심 위의 A 지점에서 전등이 원기둥을 비추게 하였다. 지면에 생긴 고리 모양의 그림자의 넓이가 원기둥의 밑넓이의 3배가 되었을 때, 작은 원뿔의 높이 $\overline{AO}$는 몇 cm인지 구하시오.

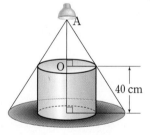

두 원뿔의 밑넓이의 비를 이용하여 닮음비를 구한다.

풀이▶

답▶

03 오른쪽 그림과 같이 건물 외벽에서 12 m 떨어진 위치에 높이가 10 m인 전봇대가 지면과 수직으로 세워져 있다. 이 전봇대의 그림자가 건물 외벽에 의해 꺾인 일부분의 길이가 2 m이다. 건물 외벽이 없다면 전봇대의 그림자의 전체 길이는 몇 m인지 구하시오.

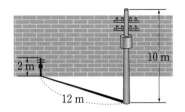

생각 Plus⁺

건물 외벽이 없을 때 추가로 늘어난 전봇대의 그림자의 길이를 x cm로 놓는다.

풀이▶

답▶

04 다음 그림과 같이 △ABC를 내접하는 직사각형 DEFG의 한 변 DG를 접는 선으로 하여 접었다. □DEFG의 넓이가 70 cm²이고 $\overline{HJ}=\frac{1}{6}\overline{BC}$일 때, △ABC의 넓이를 구하시오.

네 점 E, H, J, F를 $\overline{DG}$에 대하여 대칭이동시킨 점을 차례대로 E′, H′, J′, F′으로 놓는다.

풀이▶

답▶

05 오른쪽 그림에서 점 G가 △ABC의 무게중심일 때, 점 G를 지나고 $\overline{BC}$에 평행한 직선이 $\overline{AB}$, $\overline{AC}$와 만나는 점을 각각 D, E라 하자. 다음 물음에 답하시오.

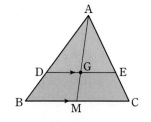

생각 Plus⁺

점 G가 △ABC의 무게중심임을 이용한다.

(1) $\overline{DE}=\dfrac{2}{3}\overline{BC}$임을 설명하시오.

(2) □DBCE의 넓이는 △ADE의 넓이의 몇 배인지 구하시오.

풀이▶

답▶

06 오른쪽 그림에서 세 점 M, N, O는 각각 $\overline{BC}$, $\overline{AM}$, $\overline{MC}$의 중점이다. $\overline{AO}$가 $\overline{CN}$과 만나는 점을 P라 하고, △APC의 넓이가 $10\ \text{cm}^2$일 때, △ABC의 넓이를 구하시오.

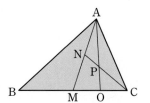

점 P가 △AMC의 무게중심임을 이용한다.

풀이▶

답▶

IV

피타고라스 정리

1 피타고라스 정리

1 피타고라스 정리

1 피타고라스 정리

(1) **피타고라스 정리**   직각삼각형 ABC에서 직각을 낀 두 변의 길이를 각각 a, b라 하고 빗변의 길이를 c라 하면

$$a^2+b^2=c^2$$

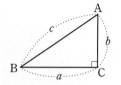

(2) **피타고라스 정리의 설명(피타고라스의 방법)**

〈그림 1〉에서 색칠한 사각형은 정사각형이므로 색칠한 부분의 넓이는 c^2

〈그림 2〉에서 색칠한 부분의 넓이는 a^2+b^2

〈그림 1〉과 〈그림 2〉에서 색칠한 부분의 넓이는 서로 같으므로 $a^2+b^2=c^2$

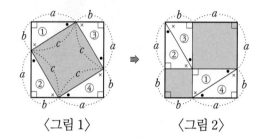

〈그림 1〉   〈그림 2〉

2 피타고라스 정리를 이용한 성질

(1) **직각삼각형이 될 조건**   세 변의 길이가 a, b, c인 삼각형에서 $a^2+b^2=c^2$이면 이 삼각형은 빗변의 길이가 c인 직각삼각형이다.

(2) **삼각형의 각의 크기에 대한 변의 길이**

△ABC에서 $\overline{AB}=c$, $\overline{BC}=a$, $\overline{CA}=b$일 때,

① ∠C < 90°이면 $c^2 < a^2+b^2$

② ∠C = 90°이면 $c^2 = a^2+b^2$

③ ∠C > 90°이면 $c^2 > a^2+b^2$

3 피타고라스 정리의 활용

(1) 직각삼각형에서의 활용

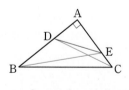

$$\overline{DE}^2 + \overline{BC}^2 = \overline{BE}^2 + \overline{CD}^2$$

(2) 사각형에서의 활용

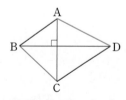

$$\overline{AB}^2 + \overline{CD}^2 = \overline{AD}^2 + \overline{BC}^2$$

(3) 직각삼각형과 반원으로 이루어진 도형에서의 활용

①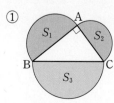

$$S_1 + S_2 = S_3$$

②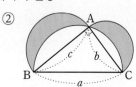

$$(\text{색칠한 부분의 넓이}) = \triangle ABC = \frac{1}{2}bc$$

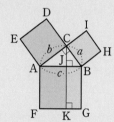

□ACDE+□CBHI
=□AFKJ+□JKGB
=□AFGB
∴ $a^2+b^2=c^2$

• △ABC에서
$\overline{AB}=c$, $\overline{BC}=a$, $\overline{CA}=b$일 때,
① $c^2 < a^2+b^2$이면 ∠C < 90°
② $c^2 = a^2+b^2$이면 ∠C = 90°
③ $c^2 > a^2+b^2$이면 ∠C > 90°

• 직사각형 ABCD의 내부에 한 점 P가 있을 때,
$$\overline{AP}^2 + \overline{CP}^2 = \overline{BP}^2 + \overline{DP}^2$$

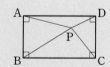

입문하기

1 피타고라스 정리

필수 ✓

01 오른쪽 그림과 같은 직각삼각형 ABC에서 $\overline{AB}$의 길이를 구하시오.

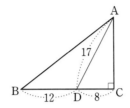

02 다음 그림에서 □ABCD는 정사각형이고, $\overline{DE}=5$, $\overline{CF}=10$, $\overline{EF}=12$일 때, □ABCD의 넓이를 구하시오.

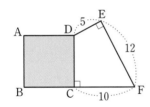

03 오른쪽 그림과 같은 등변사다리꼴 ABCD의 넓이를 구하시오.

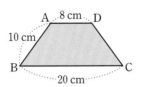

04 오른쪽 그림과 같이 직사각형 ABCD를 $\overline{AQ}$를 접는 선으로 하여 꼭짓점 D가 $\overline{BC}$ 위의 점 P에 오도록 접었다. $\overline{AB}=9$ cm, $\overline{AD}=15$ cm일 때, $\overline{PQ}$의 길이를 구하시오.

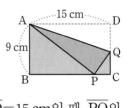

05 다음 그림과 같은 이등변삼각형 ABC의 넓이를 구하시오.

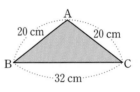

서술형 ✎

06 오른쪽 그림과 같은 직각삼각형 ABC에서 ∠A의 이등분선이 $\overline{BC}$와 만나는 점을 D라 할 때, △ADC의 넓이를 구하시오.

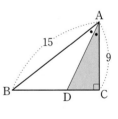

07 오른쪽 그림과 같이 넓이가 각각 225 cm², 25 cm²인 두 정사각형 ABCD와 ECGF를 이어붙였다. 이 때 $\overline{AG}$의 길이를 구하시오.

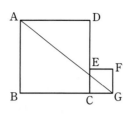

10 오른쪽 그림에서 □ABCD는 한 변의 길이가 5 cm인 정사각형이다. $\overline{AP}=\overline{BQ}=\overline{CR}=\overline{DS}$ $=2$ cm 일 때, □PQRS의 넓이를 구하시오.

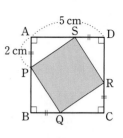

필수 ✔

08 오른쪽 그림은 $\angle A=90°$인 직각삼각형 ABC의 세 변을 각각 한 변으로 하는 정사각형을 그린 것이다. 다음 중 옳지 <u>않은</u> 것은?

① $\overline{AF}=\overline{EC}$
② $\overline{BI}=\overline{EC}$
③ $\triangle AGC=\triangle ACH$
④ □ACHI=□JKGC
⑤ $\triangle EBC=\dfrac{1}{2}$□BFKJ

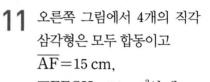
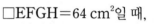
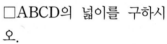

11 오른쪽 그림에서 4개의 직각삼각형은 모두 합동이고 $\overline{AF}=15$ cm, □EFGH$=64$ cm²일 때, □ABCD의 넓이를 구하시오.

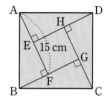

2 피타고라스 정리를 이용한 성질

필수 ✔

12 다음 중 직각삼각형의 세 변의 길이가 될 수 있는 것을 모두 고르면? (정답 2개)

① $\dfrac{1}{2}$ cm, $\dfrac{1}{3}$ cm, $\dfrac{2}{3}$ cm
② $\dfrac{3}{2}$ cm, 2 cm, $\dfrac{5}{2}$ cm
③ 3 cm, 5 cm, 6 cm
④ 5 cm, 12 cm, 13 cm
⑤ 10 cm, 12 cm, 15 cm

서술형 ✏

09 오른쪽 그림은 $\angle A=90°$인 직각삼각형 ABC의 세 변을 각각 한 변으로 하는 정사각형을 그린 것이다. 이때 $\triangle ABF$의 넓이를 구하시오.

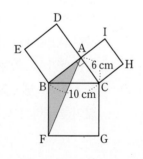

13 세 변의 길이가 6, 7, x인 삼각형이 예각삼각형이 되도록 하는 자연수 x의 값을 모두 구하시오.

(단, $x>7$)

16 오른쪽 그림과 같이 $\overline{AC}\perp\overline{BD}$인 □ABCD에서 $\overline{AB}=9$, $\overline{BC}=11$, $\overline{CO}=8$, $\overline{DO}=6$일 때, $\overline{AD}^2$의 값을 구하시오.

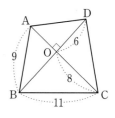

3 피타고라스 정리의 활용

14 오른쪽 그림과 같이 원점 O 에서 직선 $4x-3y+48=0$ 에 내린 수선의 발을 H라 할 때, $\overline{OH}$의 길이를 구하시오.

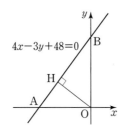

필수 ✔

17 오른쪽 그림은 $\angle A=90°$인 직각삼각형 ABC의 세 변을 각각 지름으로 하는 반원을 그린 것이다. $\overline{BC}=8$이고 세 반원의 넓이를 각각 P, Q, R 라 할 때, $P+Q+R$의 값을 구하시오.

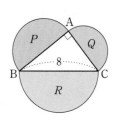

15 오른쪽 그림과 같이 $\angle A=90°$인 직각삼각형 ABC에서 $\overline{AB}$, $\overline{AC}$의 중점을 각각 D, E 라 하자. $\overline{BC}=12$일 때, $\overline{BE}^2+\overline{CD}^2$의 값을 구하시오.

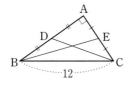

18 오른쪽 그림은 $\angle A=90°$인 직각삼각형 ABC의 세 변을 각각 지름으로 하는 반원을 그린 것이다. $\overline{AB}=12$ cm이고 색칠한 부분의 넓이가 54 cm²일 때, $\overline{BC}$의 길이를 구하시오.

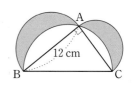

01 오른쪽 그림과 같이 직사각형 ABCD의 두 꼭짓점 A, C에서 대각선 BD에 내린 수선의 발을 각각 P, Q라 하자. $\overline{AB}=9$, $\overline{AD}=12$일 때, $\overline{PQ}$의 길이를 구하시오.

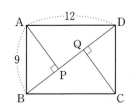

해결 Plus⁺

02 오른쪽 그림은 ∠A=90°인 직각삼각형 ABC에서 $\overline{BC}$를 한 변으로 하는 정사각형 BDEC를 그린 것이다. $\overline{AG}\perp\overline{DE}$이고 $\overline{AB}=24$ cm, $\overline{AC}=10$ cm일 때, 색칠한 부분의 넓이를 구하시오.

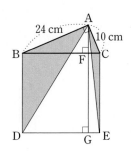

03 오른쪽 그림에서 4개의 직각삼각형은 모두 합동이고, $\overline{AC}=3$, $\overline{BC}=4$이다. 이때 □ABDE의 넓이와 □CFGH의 넓이의 합을 구하시오.

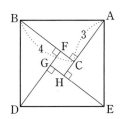

□ABDE와 □CFGH는 정사각형이다.

창의력⚡

04 오른쪽 그림에서 삼각형은 모두 직각삼각형이고, 사각형은 모두 정사각형이다. 직각삼각형 ABC에서 $\overline{BC}=5$일 때, 색칠한 부분의 넓이를 구하시오.

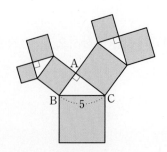

05 오른쪽 그림과 같이 ∠A＝90°인 직각삼각형 ABC
에서 $\overline{AB}$, $\overline{AC}$를 각각 빗변으로 하는 두 직각이등변
삼각형을 그렸다. $\overline{BC}$＝12 cm일 때, 색칠한 부분의
넓이를 구하시오.
(단, 세 점 A, D, E는 한 직선 위에 있다.)

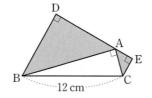

해결 Plus⁺

06 오른쪽 그림과 같이 가로의 길이가 16 cm이고 세로
의 길이가 12 cm인 직사각형 모양의 종이를 대각선
BD를 접는 선으로 하여 접었을 때, 겹쳐진 부분의 넓
이를 구하시오.

[서술형]

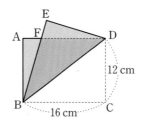

07 두 변의 길이가 각각 7 cm, 13 cm인 삼각형이 있다. 이 삼각형이 둔각삼각형
일 때, 다음 보기 중 나머지 한 변의 길이가 될 수 있는 것을 모두 고르시오.

┌ 보기 ┐
ㄱ 6 cm   ㄴ 8 cm   ㄷ 10 cm   ㄹ 12 cm   ㅁ 14 cm   ㅂ 15 cm

둔각삼각형은 가장 긴 변의 길이의
제곱이 나머지 두 변의 길이의 제
곱의 합보다 크다.

08 오른쪽 그림과 같은 △ABC에서 두 점 M, N은 각각
$\overline{AB}$, $\overline{BC}$의 중점이다. $\overline{AN}\perp\overline{CM}$이고 $\overline{AB}$＝16 cm,
$\overline{BC}$＝12 cm일 때, $\overline{AC}^2$의 값을 구하시오.

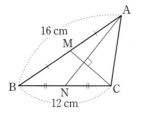

Ⅳ

피타고라스 정리

09 오른쪽 그림과 같이 ∠C=90°인 직각삼각형 ABC의 세 변을 각각 지름으로 하는 반원의 넓이를 S_1, S_2, S_3라 하자. $\overline{AB}=9$, $\overline{AC}=7$일 때, $S_1 : S_2 : S_3$를 가장 간단한 자연수의 비로 나타내시오.

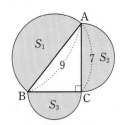

해결 Plus⁺

10 오른쪽 그림은 직사각형 ABCD의 각 변을 지름으로 하는 반원을 그린 후 네 점 A, B, C, D를 지나는 원을 그린 것이다. $\overline{AB}=9$, $\overline{BC}=5$일 때, 색칠한 부분의 넓이를 구하시오.

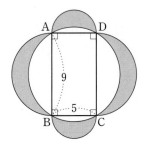

서술형 ✎

11 오른쪽 그림과 같이 반지름의 길이가 10 cm인 구에 꼭 맞게 원뿔이 들어 있다. 원뿔의 밑면인 원의 반지름의 길이가 6 cm일 때, 원뿔의 부피를 구하시오.

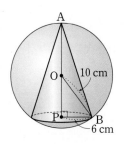

창의력 ⚡

12 오른쪽 그림과 같이 직육면체의 꼭짓점 A에서 출발하여 겉면을 따라 두 모서리 DH, CG를 지나 꼭짓점 F에 이르는 최단 거리를 구하시오.

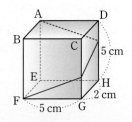

직육면체의 전개도를 이용하여 최단 거리를 구한다.

01 오른쪽 그림과 같이 ∠C＝90°인 직각삼각형 ABC에서 점 A와 점 B를 중심으로 하고 반지름이 $\overline{AC}$, $\overline{BC}$인 원을 그려 $\overline{AB}$와 만나는 점을 각각 D, E 라 하자. $\overline{AC} : \overline{BC} = 5 : 12$일 때, $\overline{BD} : \overline{DE} : \overline{EA}$를 가장 간단한 자연수의 비로 나타내시오.

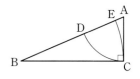

02 오른쪽 그림과 같이 ∠C＝90°인 직각이등변삼각형 ABC에서 $\overline{AB}$의 삼등분점을 각각 P, Q라 하자. $\overline{CP} = \overline{CQ} = 3$일 때, △ABC의 넓이를 구하시오.

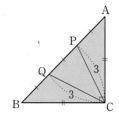

창의력 ⚡

03 오른쪽 그림과 같이 밑면의 반지름의 길이가 $\dfrac{4}{\pi}$이고, 높이가 18인 원기둥이 있다. 이때 밑면의 A 지점에서 원기둥의 옆면을 따라 세 바퀴를 돌아 B 지점에 이르는 최단 거리를 구하시오. (단, $\overline{AB}$는 원기둥의 높이이다.)

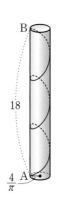

01 현수네 반 학생들이 오른쪽 그림과 같은 직사각형 모양의 응원 깃발을 만들었다. 대각선의 길이는 75 cm이고, 응원 깃발의 가로와 세로의 길이의 비가 4 : 3일 때, 응원 깃발의 넓이를 구하시오.

생각 Plus⁺

가로의 길이를 $4x$ cm, 세로의 길이를 $3x$ cm로 놓고 피타고라스 정리를 이용한다.

풀이▶

답▶

02 오른쪽 그림과 같이 폭이 3 km로 일정하고 동서로 흐르는 강의 양쪽에 두 마을 A, B가 위치하고 있다. 강을 가로지르는 다리인 $\overline{DE}$는 두 마을을 잇는 경로 A → D → E → B의 거리가 최소가 되는 위치에 있다고 할 때, 최단 경로의 거리를 구하시오.

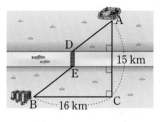

강의 폭을 뺀 두 마을 사이의 최단 거리를 구한 후 강의 폭을 더한다.

풀이▶

답▶

V

확률

1 경우의 수

1 사건과 경우의 수

(1) **사건** 동일한 조건에서 반복할 수 있는 실험이나 관찰에 의하여 나타나는 결과
(2) **경우의 수** 어떤 사건이 일어날 수 있는 경우의 가짓수

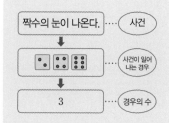

2 사건 A 또는 사건 B가 일어나는 경우의 수(합의 법칙)

두 사건 A, B가 동시에 일어나지 않을 때, 사건 A가 일어나는 경우의 수가 m이고 사건 B가 일어나는 경우의 수가 n이면
(사건 A 또는 사건 B가 일어나는 경우의 수)$=m+n$

3 사건 A와 사건 B가 동시에 일어나는 경우의 수(곱의 법칙)

두 사건 A, B가 서로 영향을 끼치지 않을 때, 사건 A가 일어나는 경우의 수가 m이고, 그 각각에 대하여 사건 B가 일어나는 경우의 수가 n이면
(사건 A와 사건 B가 동시에 일어나는 경우의 수)$=m\times n$

4 여러 가지 경우의 수

(1) 일렬로 세우는 경우의 수

① n명을 일렬로 세우는 경우의 수는 $n\times(n-1)\times(n-2)\times\cdots\times2\times1$
② n명 중에서 2명을 뽑아 일렬로 세우는 경우의 수는 $n\times(n-1)$
③ n명 중에서 3명을 뽑아 일렬로 세우는 경우의 수는 $n\times(n-1)\times(n-2)$

(2) 자연수를 만드는 경우의 수

	0을 포함하지 않는 경우	0을 포함하는 경우
2개를 택하여 만들 수 있는 두 자리의 자연수의 개수	십의 자리의 숫자를 제외한 $(n-1)$개 중에서 1개를 뽑는 경우의 수 $n\times(n-1)$ n개 중에서 1개를 뽑는 경우의 수	십의 자리의 숫자를 제외하고 0을 포함한 $(n-1)$개 중에서 1개를 뽑는 경우의 수 $(n-1)\times(n-1)$ 0을 제외한 $(n-1)$개 중에서 1개를 뽑는 경우의 수
3개를 택하여 만들 수 있는 세 자리의 자연수의 개수	$n\times(n-1)\times(n-2)$	$(n-1)\times(n-1)\times(n-2)$
n개를 택하여 만들 수 있는 n자리의 자연수의 개수	$n\times(n-1)\times(n-2)\times\cdots\times2\times1$	$(n-1)\times(n-1)\times(n-2)\times\cdots\times2\times1$

(3) 대표를 뽑는 경우의 수

① n명 중에서 자격이 다른 대표 2명을 뽑는 경우의 수는 $n\times(n-1)$
② n명 중에서 자격이 같은 대표 2명을 뽑는 경우의 수는 $\dfrac{n\times(n-1)}{2\times1}$

> 참고 도형, 방정식, 부등식, 함수에서의 경우의 수를 구할 때에는 합의 법칙 또는 곱의 법칙 등의 다양한 방법을 활용한다.

- **동전, 주사위 던지기**
① n개의 동전을 동시에 던질 때, 일어나는 모든 경우의 수는
$$\underbrace{2\times2\times\cdots\times2}_{n\text{개}}=2^n$$
② n개의 주사위를 동시에 던질 때, 일어나는 모든 경우의 수는
$$\underbrace{6\times6\times\cdots\times6}_{n\text{개}}=6^n$$
③ m개의 동전과 n개의 주사위를 동시에 던질 때, 일어나는 모든 경우의 수는
$$\underbrace{2\times2\times\cdots\times2}_{m\text{개}}\underbrace{6\times6\times\cdots\times6}_{n\text{개}}$$
$$=2^m\times6^n$$

- n명 중에서 r명을 뽑아 일렬로 세우는 경우의 수는
$$\underbrace{n\times(n-1)\times(n-2)\times\cdots\times(n-r+1)}_{r\text{개}}$$

- n개 중에서 중복을 허락하여 r개를 뽑아 일렬로 배열하는 경우의 수는
$$\underbrace{n\times n\times\cdots\times n}_{r\text{개}}=n^r$$

- n명 중에서 3명의 대표를 뽑는 경우의 수
① 자격이 다른 경우
$n\times(n-1)\times(n-2)$
② 자격이 같은 경우
$$\dfrac{n\times(n-1)\times(n-2)}{3\times2\times1}$$

1 사건과 경우의 수

01 1에서 20까지의 자연수가 각각 적힌 20장의 카드 중에서 1장의 카드를 뽑을 때, 소수가 적힌 카드를 뽑는 경우의 수를 구하시오.

04 현진이는 100원짜리, 50원짜리, 10원짜리 동전을 각각 5개씩 가지고 있다. 현진이가 600원짜리 공책을 사려고 할 때, 공책의 값을 지불하는 방법의 수를 구하시오.

필수 ✔

02 서로 다른 두 개의 주사위를 동시에 던질 때, 다음을 구하시오.

(1) 두 눈의 수의 합이 6이 되는 경우의 수
(2) 두 눈의 수의 차가 2가 되는 경우의 수

2 사건 A 또는 사건 B가 일어나는 경우의 수

필수 ✔

05 서로 다른 두 개의 주사위를 동시에 던질 때, 나오는 두 눈의 수의 합이 4 또는 7이 되는 경우의 수를 구하시오.

03 주사위 한 개를 두 번 던져 처음에 나온 눈의 수를 x, 나중에 나온 눈의 수를 y라 할 때, $2x+y=13$을 만족하는 경우의 수를 구하시오.

06 1에서 15까지의 자연수가 각각 적힌 15장의 카드 중에서 1장의 카드를 뽑을 때, 3의 배수 또는 5의 배수가 적힌 카드가 나오는 경우의 수를 구하시오.

V

확률

07 서로 다른 두 개의 주사위를 동시에 던질 때, 나오는 두 눈의 수의 합이 소수가 되는 경우의 수를 구하시오.

10 다음 그림과 같은 4개의 전구로 불을 켜거나 끄면서 신호를 만들 때, 모두 몇 개의 신호를 만들 수 있는지 구하시오. (단, 전구가 모두 꺼진 경우는 신호로 생각하지 않는다.)

3 사건 A와 사건 B가 동시에 일어나는 경우의 수

08 동전 한 개와 서로 다른 주사위 두 개를 동시에 던질 때 일어나는 모든 경우의 수를 구하시오.

서술형 ✎

11 집과 학교 사이에는 다음 그림과 같이 길이 있다. 집에서 학교까지 가는 모든 방법의 수를 구하시오. (단, 한 번 지나간 지점은 다시 지나지 않는다.)

집   문구점   학교

필수 ✔

09 서로 다른 동전 두 개와 주사위 한 개를 동시에 던질 때, 동전은 서로 다른 면이 나오고, 주사위는 4의 약수의 눈이 나오는 경우의 수를 구하시오.

12 오른쪽 그림과 같은 A, B, C, D 4개의 부분에 4가지 색을 사용하여 칠하려고 한다. 같은 색을 여러 번 사용할 수 있으나 이웃한 부분에는 서로 다른 색을 칠하려고 할 때, 색을 칠하는 방법의 수를 구하시오.

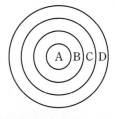

4 여러 가지 경우의 수

13 체육대회에서 이어달리기 선수로 재호, 수빈, 유리, 미소 4명이 선발되었다. 재호가 수빈이에게 배턴을 넘겨주도록 달리는 선수를 정하는 경우의 수를 구하시오.

필수 ✓

14 민정이와 선우를 포함한 7명의 학생을 일렬로 세울 때, 민정이와 선우가 양 끝에 서는 경우의 수를 구하시오.

15 남학생 3명과 여학생 4명을 일렬로 세울 때, 남학생은 남학생끼리, 여학생은 여학생끼리 이웃하여 서는 경우의 수를 구하시오.

서술형 ✏

16 주머니 안에 1에서 5까지의 자연수가 각각 적힌 5개의 공이 들어 있다. 이 주머니에서 3개의 공을 꺼내 만든 세 자리의 정수 중에서 홀수의 개수를 구하시오.

17 0, 1, 2, 3, 4의 숫자가 각각 적힌 5장의 카드에서 3장의 카드를 뽑아 세 자리의 정수를 만들 때, 310보다 큰 정수의 개수를 구하시오.

18 0, 1, 2, 3, 4의 숫자가 각각 적힌 5장의 카드에서 3장의 카드를 뽑아 세 자리의 정수를 만들 때, 3의 배수의 개수를 구하시오.

확률

19 6명의 학생 중에서 회장 1명, 부회장 1명, 총무 1명을 뽑는 경우의 수를 구하시오.

22 남학생 3명, 여학생 4명 중에서 2명의 대표를 뽑을 때, 여학생이 적어도 한 명 뽑히는 경우의 수를 구하시오.

20 5명의 학생 중에서 3명의 청소 당번을 정하는 방법의 수를 구하시오.

서술형 🖊

23 오른쪽 그림과 같이 한 원 위에 6개의 점이 있다. 이 중에서 2개의 점을 연결하여 만들 수 있는 선분의 개수를 a, 3개의 점을 연결하여 만들 수 있는 삼각형의 개수를 b라 할 때, $a+b$의 값을 구하시오.

필수 ✔

21 A, B, C, D, E 5명의 학생 중에서 3명의 대표를 뽑을 때, A가 반드시 뽑히는 경우의 수를 구하시오.

24 오른쪽 그림과 같은 도로망이 있을 때, A 지점에서 출발하여 P 지점을 지나 B 지점까지 최단 거리로 가는 방법의 수를 구하시오.

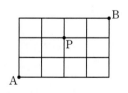

최고 수준 완성하기

01 A, B 두 야구팀이 준결승전을 하는데 5번의 경기 중에서 먼저 3번을 이긴 팀이 결승전에 올라간다. 1차전에서 A 팀이 이겼을 때, 결승전에 올라가는 팀이 결정되는 경우의 수를 구하시오.

해결 Plus⁺

02 4명의 학생 A, B, C, D가 복지관에서 가방을 한 곳에 모아 놓고 봉사활동을 하였다. 봉사활동을 끝낸 후 임의로 가방을 한 개씩 들었을 때, 자기 가방을 든 학생이 한 명도 없는 경우의 수를 구하시오.

A, B, C, D의 가방을 각각 a, b, c, d라 하고 자기 가방을 든 학생이 한 명도 없는 경우를 나뭇가지 모양의 그림으로 나타내 본다.

03 100원짜리 동전 6개, 500원짜리 동전 2개, 1000원짜리 지폐 2장이 있다. 세 종류의 동전과 지폐를 각각 하나 이상 사용하여 지불할 수 있는 금액은 모두 몇 가지인지 구하시오.

각각의 경우를 순서쌍으로 나열한 후 중복되는 금액을 제외한다.

융합형 🖉

04 오른쪽 그림과 같이 5개의 계단이 있는 층계가 있다. 한 걸음에 한 계단 또는 두 계단을 오른다고 할 때, 지면에서부터 시작하여 다섯 번째 계단까지 오르는 경우의 수를 구하시오.

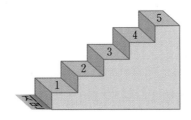

창의력 ⚡

05 오른쪽 그림과 같은 정팔면체의 꼭짓점 A에서 출발하여 모서리를 따라 움직여 꼭짓점 F에 도착하는 방법의 수를 구하시오. (단, 한 번 지나간 꼭짓점은 다시 지나지 않는다.)

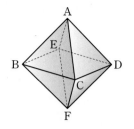

06 오른쪽 그림과 같은 A, B, C, D, E 5개의 부분에 5가지 색을 사용하여 칠하려고 한다. 같은 색을 여러 번 사용할 수 있으나 이웃한 부분에는 서로 다른 색을 칠하려고 할 때, 색을 칠하는 방법의 수를 구하시오.

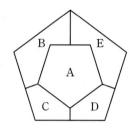

D에 B와 다른 색을 칠하는 경우와 같은 색을 칠하는 경우로 나누어 생각한다.

07 남학생 3명과 여학생 5명을 일렬로 세울 때, 어떤 두 남학생도 이웃하여 서지 않는 경우의 수를 구하시오.

서술형 ✏️

08 부모와 자녀 3명으로 이루어진 5명의 가족이 일렬로 서서 사진을 찍으려고 할 때, 부모 사이에 자녀 세 명 중 적어도 두 명이 서게 되는 경우의 수를 구하시오.

09 1에서 10까지의 자연수가 각각 적힌 10장의 카드 중에서 2장의 카드를 뽑을 때, 2장의 카드에 적힌 수의 합이 8의 배수 또는 10의 배수인 경우의 수를 구하시오.

해결 Plus⁺

10 세 자리의 자연수 중에서 111, 119, 541과 같이 숫자 1이 적어도 하나 들어 있는 자연수의 개수를 구하시오.

11 남학생 3명, 여학생 4명 중에서 회장 1명과 남, 녀 부회장을 각각 1명씩 뽑는 경우의 수를 구하시오.

회장이 남학생인 경우와 여학생인 경우로 나누어 생각한다.

융합형 🖉
12 5개의 문자 A, B, C, D, E를 사전식으로 ABCDE에서 EDCBA의 순서로 배열할 때, BCEDA는 몇 번째에 오는지 구하시오.

확률

13 4개의 알파벳 A, B, C, D 중 두 개만 이용하여 네 자리 암호를 만들려고 한다. 예를 들어 AABB, BBCB와 같이 만든다. 이때 만들 수 있는 암호의 개수를 구하시오.

■ 해결 Plus⁺

14 오른쪽 그림과 같은 도로망이 있을 때, P 지점에서 출발하여 Q지점까지 가는 방법의 수를 구하시오. (단, 왼쪽에서 오른쪽, 아래에서 위, 왼쪽 아래에서 오른쪽 위 방향으로만 움직일 수 있다.)

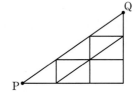

창의력 ⚡

15 오른쪽 그림과 같은 도로망이 있을 때, A 지점에서 출발하여 B 지점까지 최단 거리로 가는 방법의 수를 구하시오.

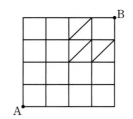

서술형 ✎

16 오른쪽 그림과 같이 21등분된 직사각형에서 크고 작은 직사각형을 만들 때, 만들 수 있는 직사각형의 개수를 구하시오.

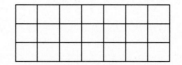

가로선 중에서 2개, 세로선 중에서 2개의 선을 뽑으면 직사각형을 만들 수 있다.

01

융합형 ✐

각 면에 1, 2, 3, 4, 5, 6이 하나씩 적힌 정육면체 모양의 주사위 1개와 각 면에 1, 2, 3, 4가 하나씩 적힌 정사면체 모양의 주사위 1개를 동시에 던질 때, 바닥에 닿은 면에 적힌 수를 각각 x, y라 하자. 이때 $(x-3)(y-2)<0$이 되는 경우의 수를 구하시오.

02

오른쪽 그림과 같이 6개의 원이 선분으로 연결되어 있다. 빨간색, 파란색, 노란색 스티커가 각각 2개씩 총 6개가 있을 때, 이 6개의 스티커를 원에 한 개씩 붙이려고 한다. 한 개의 선분으로 연결된 이웃한 두 원에는 같은 색 스티커를 붙이지 않는다고 할 때, 스티커를 붙이는 경우의 수를 구하시오.

(단, 같은 색 스티커끼리는 서로 구별하지 않는다.)

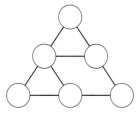

03

융합형 ✐ STEP UP ✐

두 자리 이상의 자연수 n에 대하여 함수 $f(n)=$ (n의 각 자리의 숫자의 곱)이라 하자. 예를 들어 $f(37)=3\times 7=21$이다. 일의 자리 숫자가 0이 아닌 두 자리의 자연수 x, y, z가 $f(x)+f(y)+f(z)=6$을 만족할 때, xyz의 값의 경우의 수를 구하시오.

04

STEP UP ✎

22명의 학생으로 구성된 배드민턴 동아리에서 임의로 3명을 선발하여 대회에 출전하려고 한다. 남학생 1명과 여학생 1명은 반드시 포함되도록 선발하는 방법이 1200가지일 때, 이 반의 남학생 수를 구하시오.
(단, 남학생이 여학생보다 많다.)

05

진희와 동주가 각각 정답이 한 개인 오지선다형 문제 5개를 풀었는데 진희는 1번 문제부터 5번 문제까지의 답을 각각 5, 4, 3, 2, 1로 택했고 동주는 답을 모두 2로 택했다. 이때 진희와 동주 둘 다 3문제씩 맞히는 경우의 수를 구하시오.

06

창의력 ⚡

오른쪽 그림과 같은 정십삼각형의 꼭짓점을 이어서 만들 수 있는 사다리꼴의 개수를 구하시오.

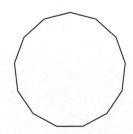

2 확률

1 확률의 뜻과 성질

(1) 확률 각각의 경우가 일어날 가능성이 같은 어떤 실험이나 관찰에서 모든 경우의 수에 대한 사건 A가 일어나는 경우의 수의 비율을 사건 A가 일어날 확률이라 한다. 즉

$$(\text{사건 } A \text{가 일어날 확률}) = \frac{(\text{사건 } A \text{가 일어나는 경우의 수})}{(\text{모든 경우의 수})}$$

(2) 확률의 성질

① 어떤 사건이 일어날 확률을 p라 하면 $0 \le p \le 1$이다.

② 절대로 일어날 수 없는 사건의 확률은 0이다.

③ 반드시 일어나는 사건의 확률은 1이다.

④ 어떤 사건 A가 일어날 확률을 p라 하면

(사건 A가 일어나지 않을 확률)$=1-p$

> **예** 한 개의 주사위를 던질 때, 3의 눈이 나올 확률이 $\frac{1}{6}$이므로
>
> (3의 눈이 나오지 않을 확률)$=1-\frac{1}{6}=\frac{5}{6}$

- 확률은 보통 분수, 소수, 백분율(%) 등으로 나타낸다.

- 사건 A가 일어날 확률을 구하는 순서
  ① 모든 경우의 수 구하기
  ② 사건 A가 일어나는 경우의 수 구하기
  ③ (사건 A가 일어날 확률)$=\dfrac{②}{①}$

- '적어도', '~가 아닌' 등의 표현이 있으면
  (사건 A가 일어나지 않을 확률)
  $=1-$(사건 A가 일어날 확률)
  을 이용한다.

2 확률의 계산

(1) 사건 A 또는 사건 B가 일어날 확률(확률의 덧셈)

두 사건 A, B가 동시에 일어나지 않을 때, 사건 A가 일어날 확률을 p, 사건 B가 일어날 확률을 q라 하면

(사건 A 또는 사건 B가 일어날 확률)$=p+q$

(2) 사건 A와 사건 B가 동시에 일어날 확률(확률의 곱셈)

두 사건 A, B가 서로 영향을 끼치지 않을 때, 사건 A가 일어날 확률을 p, 사건 B가 일어날 확률을 q라 하면

(사건 A와 사건 B가 동시에 일어날 확률)$=p \times q$

- '~이거나', '또는' 등의 표현이 있으면 확률의 덧셈을 이용한다.

- '~이고', '~와', '동시에' 등의 표현이 있으면 확률의 곱셈을 이용한다.

3 여러 가지 확률의 계산

(1) 연속하여 뽑는 경우의 확률

① 뽑은 것을 다시 넣고 뽑는 경우 : 처음에 뽑은 것을 다시 뽑을 수 있으므로 처음에 뽑을 때와 나중에 뽑을 때의 조건이 같다.

② 뽑은 것을 다시 넣지 않고 뽑는 경우 : 처음에 뽑은 것을 다시 뽑을 수 없으므로 처음에 뽑을 때와 나중에 뽑을 때의 조건이 다르다.

(2) 도형에서의 확률

일어날 수 있는 모든 경우의 수는 도형 전체의 넓이로, 어떤 사건이 일어나는 경우의 수는 도형에서 해당하는 부분의 넓이로 바꾸어 계산한다. 즉

$$(\text{도형에서의 확률}) = \frac{(\text{해당하는 부분의 넓이})}{(\text{도형 전체의 넓이})}$$

- 뽑은 것을 다시 넣지 않고 뽑는 경우
  (처음에 뽑을 때의 전체 개수)
  $\ne$(나중에 뽑을 때의 전체 개수)

- 도형에서의 확률은 도형 전체의 넓이에 대한 해당하는 부분의 넓이의 비율을 구하는 것이므로 구체적인 넓이를 구하지 않아도 되는 경우가 많다.

V

확률

최고 수준 입문하기

1 확률의 뜻과 성질

01 두 사람이 가위바위보를 할 때, 비길 확률을 구하시오.

02 길이가 각각 3 cm, 4 cm, 5 cm, 6 cm, 9 cm인 5개의 선분이 있다. 이 중에서 임의로 3개의 선분을 택할 때, 삼각형이 만들어질 확률을 구하시오.

필수

03 A, B, C, D, E 다섯 명이 일렬로 설 때, C가 한가운데에 설 확률을 구하시오.

04 0, 1, 2, 3, 4의 숫자가 각각 적힌 5장의 카드 중에서 임의로 2장의 카드를 뽑아 두 자리의 정수를 만들 때, 짝수일 확률을 구하시오.

서술형

05 6명의 학생 A, B, C, D, E, F 중에서 임의로 대표 3명을 뽑을 때, B가 뽑힐 확률을 구하시오.

06 두 개의 주사위 A, B를 동시에 던져서 나온 눈의 수를 각각 a, b라 할 때, 두 직선 $y=2x+4$와 $y=ax+b$가 평행할 확률을 구하시오.

07 1에서 20까지의 자연수가 각각 적힌 20장의 카드 중에서 임의로 1장의 카드를 뽑을 때, 홀수 또는 소수가 적힌 카드가 나올 확률을 구하시오.

08 어느 동호회에서 임의로 대표 3명을 뽑는데 남자 3명과 여자 5명이 후보로 나왔다. 적어도 1명은 남자가 뽑힐 확률을 구하시오.

09 다음 중 확률에 대한 설명으로 옳지 <u>않은</u> 것은?

① 반드시 일어나는 사건의 확률은 1이다.

② 절대로 일어날 수 없는 사건의 확률은 0이다.

③ 어떤 사건이 일어날 확률과 그 사건이 일어나지 않을 확률의 합은 1이다.

④ 사건 A가 일어날 확률을 p라 하면 $0 < p < 1$이다.

⑤ 사건 A가 일어날 확률을 p라 하면 사건 A가 일어나지 않을 확률은 $1-p$이다.

10 서로 다른 두 개의 주사위를 동시에 던질 때, 나오는 두 눈의 수의 합이 2 이상일 확률을 a, 두 눈의 수의 합이 12 이하일 확률을 b라 하자. 이때 $a+b$의 값을 구하시오.

2 확률의 계산

11 오른쪽 표와 같이 1등, 2등, 3등 제비가 합하여 100개가 있다. 이 중에서 임의로

등수(등)	제비의 개수(개)
1	4
2	21
3	75

제비 1개를 뽑을 때, 1등 또는 2등 제비를 뽑을 확률을 구하시오.

필수 ✓

12 A 접시에는 깨가 들어 있는 송편 18개와 팥이 들어 있는 송편 12개가 놓여 있고, B 접시에는 깨가 들어 있는 송편 15개와 팥이 들어 있는 송편 15개가 놓여 있다. A, B 두 접시에서 임의로 송편을 1개씩 택할 때, 2개 모두 팥이 들어 있는 송편을 택할 확률을 구하시오.

V

확률

13 A, B, C 세 사격 선수의 명중률이 차례대로 $\frac{2}{5}$, $\frac{1}{2}$, $\frac{1}{3}$일 때, A와 B는 명중시키고 C는 명중시키지 못할 확률을 구하시오.

14 세종이와 지훈이는 이번 주 토요일에 도서관 앞에서 만나기로 약속하였다. 세종이가 약속을 지키지 못할 확률은 $\frac{1}{5}$이고 지훈이가 약속을 지킬 확률은 $\frac{1}{6}$일 때, 두 사람이 만나지 못할 확률을 구하시오.

15 어느 시험에 보기 5개 중에서 하나를 답으로 쓰는 객관식 문제가 3문제 출제되었다. 문제를 보지 않고 아무렇게나 답을 쓸 때, 적어도 1문제는 답을 맞힐 확률을 구하시오.

서술형 ✏

16 두 자연수 A, B가 홀수일 확률이 각각 $\frac{1}{4}$, $\frac{2}{3}$일 때, $A+B$가 홀수일 확률을 구하시오.

17 오른쪽 그림과 같이 한 변의 길이가 1인 정사각형 ABCD가 있다. 점 P는 꼭짓점 A를 출발하여 주사위를 두 번 던져서 나온 두 눈의 수의 합만큼 정사각형의 변을 따라 시계 반대 방향으로 이동한다. 이때 점 P가 꼭짓점 D에 놓일 확률을 구하시오.

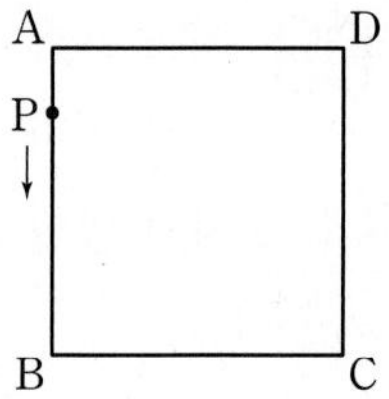

18 어느 지역에 비가 오면 그 다음 날에 비가 올 확률은 70 %이고, 비가 오지 않으면 그 다음 날에 비가 올 확률은 50 %라 한다. 월요일에 비가 왔을 때, 같은 주 수요일에 비가 올 확률을 구하시오.

3 여러 가지 확률의 계산

19 20개의 제비 중 4개의 당첨 제비가 들어 있는 상자에서 임의로 수영이와 서연이가 차례대로 한 개씩 제비를 뽑을 때, 수영이는 당첨되고 서연이는 당첨되지 않을 확률을 구하시오.

(단, 뽑은 제비는 다시 넣는다.)

필수 ✔

20 주머니 안에 파란 구슬 3개와 노란 구슬 5개가 들어 있다. 이 주머니에서 임의로 2개의 구슬을 연속하여 꺼낼 때, 적어도 한 개는 노란 구슬을 꺼낼 확률을 구하시오. (단, 꺼낸 구슬은 다시 넣지 않는다.)

21 주머니 안에 빨간 구슬 4개와 파란 구슬 3개가 들어 있다. 이 주머니에서 임의로 지윤이와 서영이가 구슬을 한 개씩 차례대로 꺼낼 때, 두 사람이 서로 다른 색의 구슬을 꺼낼 확률을 구하시오.

(단, 꺼낸 구슬은 다시 넣지 않는다.)

22 오른쪽 그림과 같이 정사각형을 9등분한 과녁에 화살을 한 발 쏠 때, 노란색 부분 또는 파란색 부분을 맞힐 확률을 구하시오. (단, 화살이 과녁을 벗어나거나 경계선에 맞는 경우는 생각하지 않는다.)

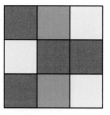

23 오른쪽 그림과 같이 6등분된 원판 위에 −1 또는 1이 적혀 있다. 이 원판에 화살을 2번 쏠 때, 맞힌 두 수의 합이 0이 될 확률을 구하시오. (단, 화살이 원판을 벗어나거나 경계선에 맞는 경우는 생각하지 않는다.)

24 A 바둑통에는 흰 바둑돌 6개와 검은 바둑돌 3개가 들어 있고, B 바둑통에는 흰 바둑돌 3개와 검은 바둑돌 2개가 들어 있다. A 바둑통에서 임의로 바둑돌 1개를 꺼내어 B 바둑통에 넣은 후 B 바둑통에서 임의로 바둑돌 1개를 꺼낼 때, 흰 바둑돌이 나올 확률을 구하시오.

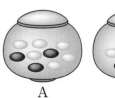

A   B

V

확률

최고 수준 완성하기

01 A, B, C 3개의 주사위를 동시에 던져서 A에서 나온 눈의 수와 B에서 나온 눈의 수의 합이 C에서 나온 눈의 수와 같게 될 확률을 구하시오.

02 빨간 공 5개, 파란 공 x개, 노란 공 y개가 들어 있는 주머니에서 임의로 한 개의 공을 꺼낼 때, 빨간 공이 나올 확률이 $\frac{1}{3}$이고 파란 공이 나올 확률이 $\frac{3}{5}$이다. 이때 $x-y$의 값을 구하시오.

03 오른쪽 그림과 같이 이웃하고 있는 점 사이의 거리가 모두 같은 6개의 점이 있다. 이 점들을 이용하여 삼각형을 만들 때, 정삼각형이 될 확률을 구하시오.

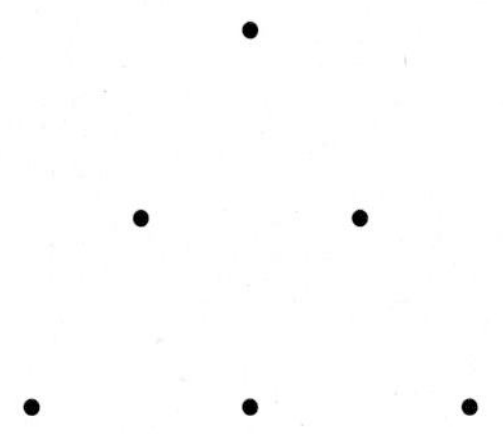

융합형

04 A, B 두 개의 주사위를 동시에 던져서 나온 눈의 수를 각각 a, b라 할 때, 직선 $ax+by=6$과 x축, y축으로 둘러싸인 삼각형의 넓이가 3이 될 확률을 구하시오.

해결 Plus+

직선 $ax+by=6$의 x절편은 $\frac{6}{a}$이고 y절편은 $\frac{6}{b}$이다.

05 0, 0, 1, 4, 6의 숫자가 각각 적힌 5장의 카드가 있다. 이 중에서 임의로 3장의 카드를 뽑아 세 자리의 정수를 만들 때, 이 수가 4의 배수가 될 확률을 구하시오.

■ 해결 Plus$^+$

0이 중복되므로 십의 자리의 숫자가 0인 경우와 0이 아닌 경우로 나누어 생각한다.

융합형 🖋
06 삼각형을 그리려고 하는데 한 변의 길이는 4로 하고 나머지 두 변의 길이는 서로 다른 주사위 2개를 동시에 던져서 나온 눈의 수로 할 때, 삼각형이 만들어지지 않을 확률을 구하시오.

07 서로 다른 2개의 주사위를 동시에 던져서 나오는 눈의 수의 합을 x라 할 때, $\dfrac{20}{x+2}$이 정수가 될 확률을 구하시오.

$\dfrac{20}{x+2}$이 정수가 되려면 $x+2$가 20의 약수이어야 한다.

08 서로 다른 동전 3개와 주사위 1개를 동시에 던질 때, 동전에서 앞면이 나오는 개수가 주사위에서 나오는 눈의 수의 약수일 확률을 구하시오.

확률

해결 Plus⁺

서술형 ✏️

09 어느 수학 시험에서 서술형 문제를 진희, 동주, 석민이가 맞힐 확률은 각각 $\frac{3}{5}$, $\frac{2}{3}$, $\frac{1}{4}$일 때, 2명만 문제를 맞힐 확률을 구하시오.

10 어느 프로 축구팀이 시합에서 비가 오지 않을 때 이길 확률이 $\frac{3}{5}$이고, 비가 올 때 이길 확률이 $\frac{1}{3}$이라 한다. 시합하는 날 비가 올 확률이 60 %일 때, 시합에서 이 축구팀이 이길 확률을 구하시오.

11 윤희와 민정이가 어떤 문제를 푸는데 윤희가 답을 맞힐 확률이 $\frac{4}{5}$이고, 두 사람 모두 답을 맞히지 못할 확률이 $\frac{2}{15}$이다. 이때 두 사람 모두 답을 맞힐 확률을 구하시오.

창의력 ⚡

12 오른쪽 그림과 같이 폭이 일정한 관이 있다. 한 개의 공을 P 지점에 넣으면 A, B, C, D, E 중의 어느 한 곳으로 공이 나온다고 할 때, 공이 C로 나올 확률을 구하시오. (단, 각 갈림길에서 공이 어느 한 방향으로 이동할 확률은 같다.)

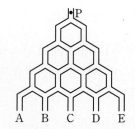

각각의 갈림길에서 하나의 길로 이동할 확률은 $\frac{1}{2}$이다.

13 농구 경기에서 자유투를 하여 성공할 확률이 $\dfrac{2}{3}$인 선수에게 세 번의 자유투 기회가 주어졌을 때, 2번 이상 성공할 확률을 구하시오.

해결 Plus⁺

서술형 ✍

14 주머니 속에 빨간 공 4개, 파란 공 6개가 들어 있다. 이 주머니에서 임의로 태경 이와 성주가 차례대로 한 개씩 공을 계속해서 꺼낼 때, 빨간 공을 먼저 꺼낸 사 람이 이기기로 하였다. 이때 성주가 이길 확률을 구하시오.

　　　　　(단, 태경이가 먼저 공을 꺼내며, 꺼낸 공은 다시 넣지 않는다.)

15 오른쪽 그림과 같이 넓이가 4 cm²인 정사각형 ABCD 안에 점 P를 찍을 때, △PBC의 넓이가 1 cm² 이하가 될 확률을 구하시오.

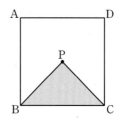

16 오른쪽 그림과 같은 과녁에 화살을 쏘아서 맞힌 부분에 적혀 있는 수만큼의 점수를 얻을 때, 화살을 두 번 쏘아 서 4점 이상의 점수를 얻을 확률을 구하시오. (단, 화살 이 과녁을 벗어나거나 경계선에 맞는 경우는 생각하지 않는다.)

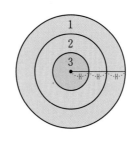

세 원의 반지름의 길이를 가장 작 은 것부터 차례대로 r, $2r$, $3r$로 놓 고 각 부분의 넓이를 r를 사용하여 나타낸다.

01 1, 2, 3, 4, 5의 숫자가 각각 적힌 5장의 카드가 있다. 이 카드를 일렬로 배열할 때, 2는 3보다 왼쪽에, 4는 3보다 오른쪽에 있을 확률을 구하시오.

02 빨간 공 4개, 파란 공 3개, 노란 공 2개가 들어 있는 주머니에서 임의로 6개의 공을 꺼낼 때, 빨간 공 3개, 파란공 2개, 노란 공 1개를 꺼낼 확률을 구하시오.

03 1에서 9까지의 자연수 중에서 임의로 서로 다른 5개의 수를 택할 때, 3이 두 번째로 작은 수가 될 확률을 구하시오.

04 세 명의 양궁 선수 A, B, C가 있다. A가 10점 과녁을 맞힐 확률은 $\dfrac{1}{4}$, A와 B 중 적어도 한 사람이 10점 과녁을 맞힐 확률은 $\dfrac{1}{2}$, A와 C 중 적어도 한 사람이 10점 과녁을 맞힐 확률은 $\dfrac{5}{8}$이다. B와 C가 동시에 활을 쏘았을 때, 적어도 한 사람이 10점 과녁을 맞힐 확률을 구하시오.

융합형 ⌀

05 A, B, C 세 주머니에 0에서 9까지의 정수가 각각 적힌 10개의 공이 각각 들어 있다. 이 주머니에서 임의로 공을 한 개씩 꺼내 나온 수를 각각 a, b, c라 할 때, $(a-b)(b-c)(c-a)=0$일 확률을 구하시오.

06 오른쪽 그림과 같은 원판이 있다. 이 원판을 연속해서 세 번 돌려서 바늘이 가리키는 면에 적힌 수를 더할 때, 그 합이 3이 될 확률을 구하시오.
(단, 바늘이 경계선을 가리키는 경우는 생각하지 않는다.)

V

확률

교과서 속 창의 사고력

01 오른쪽 표는 올해 어느 중학교 2학년 5개의 반과 각 반의 담임 선생님을 나타낸 것이다. 내년에도 이 5명의 선생님이 2학년 5개의 반의 담임을 나누어 맡는다고 할 때, 어떤 선생님도 올해에 맡았던 반을 다시 맡지 않는 경우의 수를 구하시오.

반	담임
1	A
2	B
3	C
4	D
5	E

생각 Plus⁺

내년에 1반의 담임 선생님이 B인 경우를 나뭇가지 모양의 그림으로 나타내 본다.

풀이▶

답▶

02 오른쪽 그림과 같이 정육각형의 내부에서 만나지 않는 대각선을 이용하여 정육각형을 삼각형으로 분할하려고 한다. 이런 방법으로 정육각형을 분할하는 경우는 모두 몇 가지인지 구하시오.

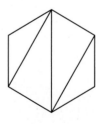

먼저 한 꼭짓점에 대하여 분할하는 방법을 생각한다.

풀이▶

답▶

03 소영이네 가족은 7월 26일부터 8월 1일까지의 기간 중에서 3박 4일 동안 여행을 갈 예정이고, 미선이네 가족은 7월 28일부터 8월 1일까지의 기간 중에서 2박 3일 동안 여행을 갈 예정이다. 두 가족 모두 여행을 가는 날을 임의로 정한다고 할 때, 두 가족의 여행 날짜가 하루 이상 겹치게 될 확률을 구하시오.

풀이▶

답▶

생각 Plus⁺

소영이네 가족이 여행을 가는 날짜와 미선이네 가족이 여행을 가는 날짜를 나열해 본다.

04 무게가 서로 다른 4개의 수박을 일렬로 세우려고 한다. 이때 두 번째에 놓여 있는 수박이 그와 이웃하는 두 수박보다 가벼울 확률을 구하시오.

풀이▶

답▶

두 번째에 놓인 수박이 이웃한 두 수박보다 가벼우므로 두 번째에는 가장 가벼운 수박 또는 두 번째로 가벼운 수박이 놓일 수 있다.

05 오른쪽 그림과 같이 크기가 같은 쌓기나무를 맨 위층에는 1개, 그 아래층에는 4개, 또 그 아래층에는 9개, …와 같이 6층을 쌓았다. 이때 사용된 쌓기나무 중 한 개가 검정색일 때, 검정색 쌓기나무가 보이지 않을 확률을 구하시오. (단, 바닥 면은 보이지 않는다.)

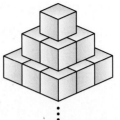

생각 **Plus**⁺

(확률)= $\dfrac{\text{(보이지 않는 쌓기나무의 개수)}}{\text{(쌓기나무의 총 개수)}}$

풀이▶

답▶

06 주사위 1개를 연속해서 두 번 던질 때, 처음 던진 주사위에서 사건 A가 일어날 확률이 p이고, 두 번째 던진 주사위에서 사건 B가 일어날 확률이 $1-p$라 한다. 이때 두 사건 A, B가 동시에 일어날 확률의 최댓값을 구하시오.

주사위 한 개를 던질 때, 나올 수 있는 확률은 $0, \dfrac{1}{6}, \dfrac{2}{6}, \dfrac{3}{6}, \dfrac{4}{6}, \dfrac{5}{6}, 1$의 7가지이다.

풀이▶

답▶

최고수준 수학

수학

정답과
풀이

중학
수학 **2·2**

천재교육

정답 시스템 활용법

강점 01 Action

문제 해결을 위한 실마리를 정확하게 짚어준다.

강점 02 명쾌한 풀이

실력파 학생을 위해 군더더기 없고 명쾌한 풀이 방법을 제시한다.

강점 03 다른 풀이

다른 풀이 방법을 제시하여 다각적인 수학적 해결력을 강화시킨다.

강점 04 Lecture

풀이 방법과 관련된 핵심 내용과 헷갈리기 쉬운 부분을 강의하는 것처럼 짚어준다.

정답과 풀이

중학 수학 **2·2**

I. 삼각형의 성질

1. 삼각형의 성질

<table>
<tr><td>최고
수준</td><td>입문하기</td><td colspan="2" style="text-align:right">Ⓟ 7 - Ⓟ 8</td></tr>
</table>

01 ①, ④   **02** $24°$ **03** $\angle x=30°$, $\angle y=50°$
04 $36°$ **05** $20°$ **06** $\angle x=44°$, $\angle y=68°$
07 ③   **08** 3 cm   **09** ⑤   **10** (1) 14 (2) 50
11 $57°$ **12** 12 cm

01 ⟨Action⟩ 이등변삼각형의 꼭지각의 이등분선은 밑변을 수직이등분함을 이용한다.
①, ④ 이등변삼각형의 꼭지각의 이등분선은 밑변을 수직이등분하므로 $\overline{AD}\perp\overline{BC}$, $\overline{BD}=\overline{CD}$

02 ⟨Action⟩ 이등변삼각형의 두 밑각의 크기는 서로 같음을 이용한다.
$\triangle BCD$에서 $\overline{BC}=\overline{BD}$이므로 $\angle BDC=\angle C=68°$
$\therefore \angle DBC=180°-2\times68°=44°$
이때 $\triangle ABC$에서 $\angle ABC=\angle C=68°$이므로
$\angle x+44°=68°$ $\therefore \angle x=24°$

03 ⟨Action⟩ 이등변삼각형의 꼭지각의 이등분선은 밑변을 수직이등분함을 이용한다.
$\angle ADB=90°$이므로 $\triangle ABD$에서
$20°+(\angle x+40°)+90°=180°$
$\angle x+150°=180°$ $\therefore \angle x=30°$
$\triangle PBD$와 $\triangle PCD$에서
$\overline{BD}=\overline{CD}$, $\angle PDB=\angle PDC=90°$, $\overline{PD}$는 공통
즉 $\triangle PBD\equiv\triangle PCD$(SAS 합동)이므로
$\angle PCD=\angle PBD=40°$
$\triangle PCD$에서 $\angle y+90°+40°=180°$이므로
$\angle y+130°=180°$ $\therefore \angle y=50°$

04 ⟨Action⟩ 삼각형의 한 외각의 크기는 그와 이웃하지 않는 두 내각의 크기의 합과 같음을 이용한다.
$\angle B=\angle x$라 하면 $\triangle ABC$에서
$\angle ACB=\angle B=\angle x$
$\therefore \angle CAD=\angle B+\angle ACB$
$\qquad\qquad =\angle x+\angle x$
$\qquad\qquad =2\angle x$
$\triangle CDA$에서
$\angle CDA=\angle CAD=2\angle x$

$\triangle DBC$에서
$\angle DCE=\angle B+\angle CDB=\angle x+2\angle x=3\angle x$
즉 $3\angle x=108°$이므로 $\angle x=36°$
$\therefore \angle B=\angle x=36°$

05 ⟨Action⟩ 이등변삼각형의 두 밑각의 크기는 서로 같음을 이용하여 $\angle ABC$, $\angle ACE$의 크기를 각각 구한다.
$\triangle ABC$에서 $\overline{AB}=\overline{AC}$이므로
$\angle ABC=\angle ACB=\dfrac{1}{2}\times(180°-40°)=70°$
$\therefore \angle DBC=\dfrac{1}{2}\angle ABC=\dfrac{1}{2}\times70°=35°$ ······ 40%
이때 $\angle ACE=180°-\angle ACB=180°-70°=110°$이므로
$\angle DCE=\dfrac{1}{2}\angle ACE=\dfrac{1}{2}\times110°=55°$ ······ 40%
따라서 $\triangle BCD$에서 $\angle DBC+\angle BDC=\angle DCE$이므로
$35°+\angle x=55°$
$\therefore \angle x=20°$ ······ 20%

> **♪) Lecture**
>
> 각의 크기를 구할 때, 자주 이용되는 성질
> ① 평각의 크기는 180°이다.
> ② 삼각형의 세 내각의 크기의 합은 180°이다.
> ③ 삼각형의 한 외각의 크기는 그와 이웃하지 않는 두 내각의 크기의 합과 같다.

06 ⟨Action⟩ $\overline{DE}$를 접는 선으로 하여 접었으므로 $\angle ABE=\angle A=\angle x$임을 이용한다.
$\angle ABE=\angle A=\angle x$이므로
$\angle DBC=\angle C=\angle x+24°$
$\triangle ABC$에서
$\angle x+(\angle x+24°)+(\angle x+24°)=180°$이므로
$3\angle x=132°$ $\therefore \angle x=44°$
$\therefore \angle y=\angle C=\angle x+24°=44°+24°=68°$

07 ⟨Action⟩ 두 내각의 크기가 같은 삼각형은 이등변삼각형임을 이용한다.
$\triangle ABC$는 $\overline{AB}=\overline{AC}$인 이등변삼각형이므로
$\angle ABC=\angle C=\dfrac{1}{2}\times(180°-36°)=72°$
$\therefore \angle ABD=\angle DBC=\dfrac{1}{2}\times72°=36°$(①)
즉 $\triangle DAB$는 $\angle A=\angle ABD$인 이등변삼각형이다.(⑤)
$\therefore \overline{AD}=\overline{BD}$ ······ ㉠
$\triangle DAB$에서 $\angle BDC=36°+36°=72°$(②)이므로 $\triangle BCD$는 $\angle BDC=\angle C$인 이등변삼각형이다.(④)
$\therefore \overline{BD}=\overline{BC}$ ······ ㉡
㉠, ㉡에서 $\overline{AD}=\overline{BD}=\overline{BC}$(③)
따라서 옳지 않은 것은 ③이다.

08 [Action] 두 내각의 크기가 같은 삼각형은 이등변삼각형임을 이용한다.

$\overline{AD}\,/\!/\,\overline{BC}$이므로 $\angle GFE=\angle FEC$(엇각)

$\angle GEF=\angle FEC$(접은 각)

$\therefore \angle GFE=\angle GEF$

따라서 $\triangle GEF$는 이등변삼각형이므로

$\overline{GF}=\overline{GE}=3\ cm$

09 [Action] 삼각형의 합동 조건과 직각삼각형의 합동 조건을 이용한다.

① RHA 합동   ② ASA 합동

③ RHS 합동   ④ RHA 합동

따라서 두 직각삼각형 ABC와 DEF가 합동이 되는 경우가

아닌 것은 ⑤이다.

10 [Action] $\triangle ADB \equiv \triangle BEC$(RHA 합동)임을 이용한다.

(1) $\triangle ADB$와 $\triangle BEC$에서

$\angle D=\angle E=90°, \overline{AB}=\overline{BC}$

$\angle BAD=90°-\angle ABD=\angle CBE$

$\therefore \triangle ADB \equiv \triangle BEC$(RHA 합동)

즉 $\overline{BD}=\overline{CE}=8, \overline{BE}=\overline{AD}=6$이므로

$\overline{DE}=\overline{BD}+\overline{BE}=8+6=14$

(2) $\triangle ABC=$(사각형 ADEC의 넓이)$-2\triangle ADB$

$=\dfrac{1}{2}\times(6+8)\times14-2\times\left(\dfrac{1}{2}\times6\times8\right)$

$=98-48=50$

11 [Action] $\triangle MBD \equiv \triangle MCE$(RHS 합동)임을 이용한다.

$\triangle MBD$와 $\triangle MCE$에서

$\angle BDM=\angle CEM=90°,$

$\overline{BM}=\overline{CM}, \overline{MD}=\overline{ME}$

이므로 $\triangle MBD \equiv \triangle MCE$(RHS 합동)

$\therefore \angle B=\angle C$

즉 $\triangle ABC$는 이등변삼각형이므로

$\angle B=\dfrac{1}{2}\times(180°-66°)=57°$

12 [Action] $\triangle ABD \equiv \triangle AED$(RHA 합동)임을 이용한다.

$\triangle ABD$와 $\triangle AED$에서

$\angle ABD=\angle AED=90°, \overline{AD}$는 공통,

$\angle BAD=\angle EAD$

이므로 $\triangle ABD \equiv \triangle AED$(RHA 합동)

$\therefore \overline{AB}=\overline{AE}, \overline{BD}=\overline{ED}$ ······ 40%

즉 $\overline{AE}=\overline{AB}=6\ cm$이므로

$\overline{CE}=\overline{AC}-\overline{AE}=10-6=4\ (cm)$ ······ 30%

따라서 $\triangle EDC$의 둘레의 길이는

$\overline{ED}+\overline{DC}+\overline{CE}=\overline{BD}+\overline{DC}+\overline{CE}=\overline{BC}+\overline{CE}$

$=8+4=12\ (cm)$ ······ 30%

완성하기   📖 9~ 📖 10

01 73°	**02** 30°	**03** 60°
04 $\angle x=58°, \angle y=52°$		**05** 3 cm	**06** 10
07 25°	**08** 6 cm^2	

01 [Action] 삼각형의 한 외각의 크기는 그와 이웃하지 않는 두 내각의 크기의 합과 같음을 이용한다.

$\angle BAD=\angle DAE=\angle CAE=\dfrac{1}{3}\angle BAC$

$=\dfrac{1}{3}\times102°=34°$

$\triangle ABC$는 이등변삼각형이므로

$\angle B=\angle C=\dfrac{1}{2}\times(180°-102°)=39°$

따라서 $\triangle ABD$에서

$\angle ADE=\angle BAD+\angle B=34°+39°=73°$

02 [Action] $\angle ABD=\angle a, \angle CBE=\angle b$로 놓고 $\angle a+\angle b$의 크기를 구한다.

$\angle ABD=\angle a, \angle CBE=\angle b$라 하면 $\triangle ABD, \triangle CEB$는 모두 이등변삼각형이므로

$\angle ADB=\angle ABD=\angle a, \angle CEB=\angle CBE=\angle b$

$\angle EBD=(\angle a+\angle b)-120°$ ······ ㉠

$\triangle EBD$에서

$\angle EBD=180°-(\angle BDE+\angle BED)$

$=180°-(\angle a+\angle b)$ ······ ㉡

㉠, ㉡에서

$(\angle a+\angle b)-120°=180°-(\angle a+\angle b)$

$2(\angle a+\angle b)=300°$ $\therefore \angle a+\angle b=150°$

$\therefore \angle EBD=150°-120°=30°$

03 [Action] $\angle BED=\angle a, \angle CEF=\angle b$로 놓고 $\angle a+\angle b$의 크기를 구한다.

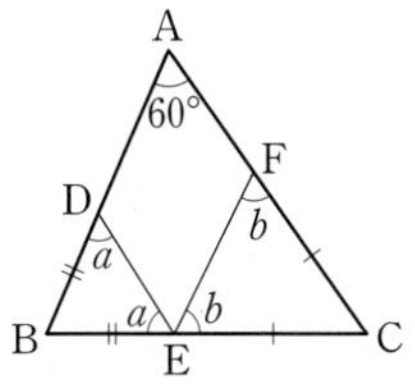

오른쪽 그림과 같이 $\angle BED=\angle a,$

$\angle CEF=\angle b$라 하면

$\triangle BED$에서 $\overline{BD}=\overline{BE}$이므로

$\angle BDE=\angle BED=\angle a$

$\therefore \angle B=180°-2\angle a$ ······ 20%

$\triangle CFE$에서 $\overline{CE}=\overline{CF}$이므로

$\angle CFE=\angle CEF=\angle b$

$\therefore \angle C=180°-2\angle b$ ······ 20%

$\triangle ABC$에서 $\angle A+\angle B+\angle C=180°$이므로

$60°+(180°-2\angle a)+(180°-2\angle b)=180°$

$2\angle a+2\angle b=240°$ $\therefore \angle a+\angle b=120°$ ······ 30%

$\therefore \angle DEF=180°-(\angle a+\angle b)$

$=180°-120°=60°$ ······ 30%

04 `Action` △BDE≡△CFD(SAS 합동)임을 이용한다.

△BDE와 △CFD에서

$\overline{BE}=\overline{CD}$, ∠B=∠C, $\overline{BD}=\overline{CF}$

이므로 △BDE≡△CFD(SAS 합동)

∴ $\overline{DE}=\overline{FD}$

즉 △DFE는 이등변삼각형이므로

$\angle x=\dfrac{1}{2}\times(180°-64°)=58°$

이때 ∠BDE=∠CFD=∠a, ∠BED=∠CDF=∠b

라 하면 ∠a+64°+∠b=180°

∴ ∠a+∠b=116°

△BDE와 △CFD에서

∠B=∠C=180°-(∠a+∠b)

　　　=180°-116°=64°

∴ ∠y=180°-(64°+64°)=52°

05 `Action` 두 내각의 크기가 같은 삼각형은 이등변삼각형임을 이용한다.

△ABC에서 $\overline{AB}=\overline{AC}$이므로 ∠B=∠C

△DEC에서

∠CDE=90°-∠C=90°-∠B=∠BFE

이때 ∠BFE=∠DFA(맞꼭지각)이므로 △ADF는 이등변삼각형이다.

$\overline{AD}=x$ cm라 하면 $\overline{AF}=\overline{AD}=x$ cm

따라서 $\overline{AB}=\overline{AC}$이므로 $x+5=11-x$

$2x=6$ ∴ $x=3$

∴ $\overline{AD}=3$ cm

06 `Action` $\overline{AE}=a$, $\overline{BD}=b$로 놓고 문제를 해결한다.

$\overline{AE}=a$라 하면 $\overline{AC}=\overline{AB}=3\overline{AE}=3a$

$\overline{AD}$는 $\overline{BC}$의 수직이등분선이므로 $\overline{BD}=b$라 하면

$\overline{BC}=2\overline{BD}=2b$

$\overline{AE}+\overline{BC}=17$이므로 $a+2b=17$ …… ㉠

$\overline{BD}+\overline{AC}=21$이므로 $b+3a=21$ …… ㉡

㉠, ㉡을 연립하여 풀면

$a=5$, $b=6$

∴ $\overline{BE}=\overline{AB}-\overline{AE}=3a-a$

　　　$=2a=2\times5=10$

07 `Action` △APD≡△CQD(RHS 합동)임을 이용한다.

△APD와 △CQD에서

∠DAP=∠DCQ=90°, $\overline{DP}=\overline{DQ}$, $\overline{AD}=\overline{CD}$

이므로 △APD≡△CQD(RHS 합동)

∴ ∠CQD=∠APD=90°-20°=70°

이때

∠PDQ=∠PDC+∠CDQ=∠PDC+∠ADP

　　　=∠ADC=90°

즉 △DPQ는 직각이등변삼각형이므로

∠DQP=∠DPQ=45°

∴ ∠PQB=∠CQD-∠DQP

　　　=70°-45°=25°

08 `Action` △ADE≡△ACE(RHA 합동)임을 이용한다.

△ADE와 △ACE에서

∠ADE=∠ACE=90°, $\overline{AE}$는 공통,

∠DAE=∠CAE

∴ △ADE≡△ACE(RHA 합동)

즉 $\overline{AD}=\overline{AC}=6$ cm이므로

$\overline{BD}=\overline{AB}-\overline{AD}=10-6=4$ (cm)

$\overline{DE}=\overline{CE}=x$ cm라 하면

△ABC=△ABE+△ACE이므로

$\dfrac{1}{2}\times8\times6=\dfrac{1}{2}\times10\times x+\dfrac{1}{2}\times x\times6$

$24=5x+3x$, $24=8x$ ∴ $x=3$

∴ $\triangle BED=\dfrac{1}{2}\times\overline{BD}\times\overline{DE}$

　　　$=\dfrac{1}{2}\times4\times3=6$ (cm²)

최고
수준 **뛰어넘기** `P 11~P 12`

01 1	**02** 3 cm	**03** 16	**04** 6 cm²
05 24	**06** 18°		

01 `Action` 이등변삼각형의 꼭짓점에서 밑변에 내린 수선은 밑변을 수직이등분함을 이용한다.

오른쪽 그림과 같이 점 C를 지나고 $\overline{AB}$에 평행한 직선이 $\overline{AH}$의 연장선과 만나는 점을 E라 하면

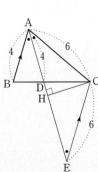

∠CED=∠BAD(엇각)

즉 △CAE는 이등변삼각형이므로

$\overline{CE}=\overline{AC}=6$

또 △ABD는 이등변삼각형이므로

∠ADB=∠B

이때 ∠EDC=∠ADB(맞꼭지각),

∠ECD=∠ABD(엇각)이므로

∠ECD=∠EDC

즉 △ECD는 이등변삼각형이므로

$\overline{ED}=\overline{CE}=6$

따라서 $\overline{AH}=\dfrac{1}{2}\overline{AE}=\dfrac{1}{2}\times(4+6)=5$이므로

$\overline{DH}=\overline{AH}-\overline{AD}=5-4=1$

02 `Action` △ABF와 △FDG가 이등변삼각형임을 이용한다.

$\overline{AB}\,/\!/\,\overline{DE}$이므로 ∠BAF=∠D(엇각)

△ADE는 △ABC를 회전시킨 것이므로

∠B=∠D

∴ ∠B=∠BAF

즉 △ABF는 $\overline{AF}=\overline{BF}$인 이등변삼각형이다.

또 ∠B=∠DGF(엇각)이므로

∠D=∠DGF

즉 △FDG는 $\overline{FD}=\overline{FG}$인 이등변삼각형이므로

$\overline{BG}=\overline{BF}+\overline{FG}=\overline{AF}+\overline{FD}=\overline{AD}=\overline{AB}=10$ cm

∴ $\overline{CG}=\overline{BC}-\overline{BG}=13-10=3$ (cm)

03 `Action` 점 D에서 $\overline{AB},\overline{AC}$에 수선의 발을 내린 후 합동인 두 삼각형을 찾는다.

오른쪽 그림과 같이 점 D에서
$\overline{AB},\overline{AC}$에 내린 수선의 발을 각
각 E, F라 하자.

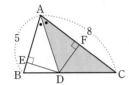

△AED와 △AFD에서

∠AED=∠AFD=90°,

$\overline{AD}$는 공통,

∠EAD=∠FAD

∴ △AED≡△AFD(RHA 합동)

이때 △ABD의 넓이가 10이므로

$\dfrac{1}{2}\times\overline{AB}\times\overline{DE}=\dfrac{5}{2}\overline{DE}=10$

∴ $\overline{DE}=4$

즉 $\overline{DF}=\overline{DE}=4$이므로

△ADC=$\dfrac{1}{2}\times\overline{AC}\times\overline{DF}=\dfrac{1}{2}\times8\times4=16$

04 `Action` 점 G에서 $\overline{AB}$에 내린 수선의 발을 H라 하면
△GHD≡△DBE(RHA 합동)임을 이용한다.

오른쪽 그림과 같이 점 G에서 $\overline{AB}$
에 내린 수선의 발을 H라 하자.

△GHD와 △DBE에서

∠GHD=∠DBE=90°,

$\overline{GD}=\overline{DE}$,

∠GDH=90°−∠EDB

$\qquad\quad$=∠DEB

이므로 △GHD≡△DBE(RHA 합동)

∴ $\overline{HD}=\overline{BE}$, $\overline{GH}=\overline{DB}$ $\qquad\qquad$……㉠

△AHG는 직각이등변삼각형이므로

$\overline{AH}=\overline{GH}$ $\qquad\qquad\qquad\qquad\qquad$……㉡

㉠, ㉡에서 $\overline{AH}=\overline{GH}=\overline{DB}$

이때 $\overline{HB}=\overline{BD}+\overline{HD}=\overline{BD}+\overline{BE}=8$ cm이므로

$\overline{BD}=\overline{AH}=\overline{AB}-\overline{HB}=\overline{BC}-\overline{HB}=14-8=6$ (cm)

∴ $\overline{BE}=8-\overline{BD}=8-6=2$ (cm)

∴ △DBE=$\dfrac{1}{2}\times\overline{BD}\times\overline{BE}=\dfrac{1}{2}\times6\times2=6$ (cm²)

05 `Action` 점 G에서 $\overline{EA}$의 연장선에 내린 수선의 발을 H라 하면
△ABC≡△AHG(RHA 합동)임을 이용한다.

오른쪽 그림과 같이 점 G에서
$\overline{EA}$의 연장선에 내린 수선의 발
을 H라 하자.

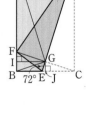

△ABC와 △AHG에서

∠ABC=∠AHG=90°,

$\overline{AC}=\overline{AG}$,

∠BAC=90°−∠HAC

$\qquad\quad$=∠HAG

이므로 △ABC≡△AHG(RHA 합동)

∴ $\overline{HG}=\overline{BC}=8$

사각형 AEDB는 정사각형이므로

$\overline{AE}=\overline{AB}=6$

∴ △AGE=$\dfrac{1}{2}\times\overline{AE}\times\overline{HG}=\dfrac{1}{2}\times6\times8=24$

06 `Action` 점 G에서 $\overline{AB},\overline{BC}$에 각각 수선을 그은 후 합동인 삼각형을 찾는다.

오른쪽 그림과 같이 점 G에서 $\overline{AB},\overline{BC}$
에 내린 수선의 발을 각각 I, J라 하자.

△FIG와 △GJC에서

∠FIG=∠GJC=90°,

$\overline{FG}=\overline{GC}$,

∠FGI=∠GCJ(동위각)

이므로 △FIG≡△GJC(RHA 합동)

∴ $\overline{FI}=\overline{GJ}$

△FIG와 △BIG에서

$\overline{FI}=\overline{GJ}=\overline{BI}$, $\overline{IG}$는 공통,

∠FIG=∠BIG=90°

이므로 △FIG≡△BIG(SAS 합동)

∴ $\overline{FG}=\overline{BG}$

△ABG와 △DFG에서

$\overline{AB}=\overline{CD}=\overline{DF}$, $\overline{BG}=\overline{FG}$,

∠ABG=∠IFG=∠GCD=∠DFG

이므로 △ABG≡△DFG(SAS 합동)

∴ ∠BAG=∠FDG

따라서 △DFE에서

∠FDG=180°−(90°+72°)=18°이므로

∠BAG=∠FDG=18°

2. 삼각형의 외심과 내심

최고 수준	입문하기			ⓟ14~ⓟ15
01 ③	**02** 14°	**03** 124°	**04** 18°	
05 60°	**06** 37°	**07** ③	**08** 64°	
09 267°	**10** 28 cm	**11** 24 cm		
12 (1) 5 cm (2) 2 cm (3) 21π cm²				

01 **Action** 점 O는 △ABC의 외심임을 이용한다.
③ $\overline{OD}=\overline{OF}$인지 알 수 없다.

Lecture

삼각형의 외심

오른쪽 그림에서 점 O가 △ABC의 외심
일 때,
△OAD≡△OBD
△OBE≡△OCE
△OCF≡△OAF

02 **Action** 점 O는 △ABC의 외심이므로 $\overline{OA}=\overline{OB}=\overline{OC}$임을 이용한다.
점 O는 △ABC의 외심이므로
$\overline{OA}=\overline{OB}=\overline{OC}$
△OAC에서 ∠OAC=∠C=38°이므로
∠AOH=∠OAC+∠C
$\qquad =38°+38°=76°$
따라서 △OAH에서
∠OAH=180°−(90°+76°)=14°

03 **Action** ∠OAB+∠OBC+∠OCA=90°임을 이용한다.
점 O는 △ABC의 외심이므로
34°+28°+∠OCA=90°
∠OCA+62°=90°
∴ ∠OCA=28°
△OAC에서 ∠OAC=∠OCA=28°이므로
∠AOC=180°−(28°+28°)=124°

04 **Action** 점 O는 △ABC의 외심이고, 점 O′은 △OBC의 외심이므로 ∠BOC=2∠A, ∠BO′C=2∠BOC임을 이용한다.
점 O는 △ABC의 외심이므로
∠BOC=2∠A=2×36°=72°
점 O′은 △OBC의 외심이므로
∠BO′C=2∠BOC=2×72°=144°
△O′BC에서 $\overline{O′B}=\overline{O′C}$이므로
$∠O′BC=\frac{1}{2}×(180°−144°)=18°$

05 **Action** $∠BAC=\frac{1}{2}∠BOC$임을 이용한다.
∠AOB : ∠BOC : ∠COA=3 : 4 : 5이므로
$∠BOC=360°×\frac{4}{3+4+5}=360°×\frac{4}{12}=120°$
$∴ ∠BAC=\frac{1}{2}∠BOC=\frac{1}{2}×120°=60°$

06 **Action** $∠BAC=\frac{1}{2}∠BOC$임을 이용한다.
점 O는 △ABC의 외심이므로
$∠BAC=\frac{1}{2}∠BOC=\frac{1}{2}×110°=55°$ …… 30%

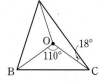

오른쪽 그림과 같이 $\overline{OA}$를 그으면
∠OAC=∠OCA=18°이므로
∠OAB=∠BAC−∠OAC
$\qquad =55°−18°$
$\qquad =37°$ …… 40%
△OAB에서 $\overline{OA}=\overline{OB}$이므로
∠OBA=∠OAB=37° …… 30%

07 **Action** 점 I는 △ABC의 내심임을 이용한다.
③ $\overline{BE}=\overline{BD}, \overline{CE}=\overline{CF}$

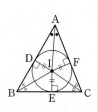

Lecture

삼각형의 내심

오른쪽 그림에서 점 I가 △ABC의 내심
일 때,
△IAD≡△IAF
△IBD≡△IBE
△ICE≡△ICF
$∴ \overline{AD}=\overline{AF}, \overline{BD}=\overline{BE}, \overline{CE}=\overline{CF}$

08 **Action** ∠IAB+∠IBA+∠ICB=90°임을 이용한다.
오른쪽 그림과 같이 $\overline{IA}$를 그으면
∠IAB+24°+34°=90°이므로
∠IAB+58°=90°
∴ ∠IAB=32°
∴ ∠BAC=2∠IAB=2×32°
$\qquad =64°$

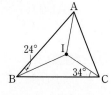

09 **Action** $∠BIC=90°+\frac{1}{2}∠A, ∠BI′C=90°+\frac{1}{2}∠BIC$임을 이용한다.
점 I는 △ABC의 내심이므로
$∠BIC=90°+\frac{1}{2}∠A=90°+\frac{1}{2}×56°=118°$
점 I′은 △IBC의 내심이므로
$∠BI′C=90°+\frac{1}{2}∠BIC=90°+\frac{1}{2}×118°=149°$
$∴ ∠BIC+∠BI′C=118°+149°=267°$

10 Action 점 I는 △ABC의 내심이므로 ∠DBI=∠IBC,
∠ECI=∠ICB임을 이용한다.

점 I가 △ABC의 내심이므로
∠DBI=∠IBC, ∠ECI=∠ICB
$\overline{DE} /\!/ \overline{BC}$이므로
∠DIB=∠IBC(엇각), ∠EIC=∠ICB(엇각)
∴ ∠DBI=∠DIB, ∠ECI=∠EIC
즉 △DBI와 △ECI는 이등변삼각형이므로
$\overline{DI}=\overline{DB}$, $\overline{EI}=\overline{EC}$
이때 △ADE의 둘레의 길이가 17 cm이므로

$$\overline{AD}+\overline{DE}+\overline{AE}=\overline{AD}+\overline{DI}+\overline{EI}+\overline{AE}$$
$$=\overline{AD}+\overline{DB}+\overline{EC}+\overline{AE}$$
$$=\overline{AB}+\overline{AC}$$
$$=17 \text{ cm}$$

∴ (△ABC의 둘레의 길이)$=\overline{AB}+\overline{AC}+\overline{BC}$
$$=17+11$$
$$=28 \text{ (cm)}$$

11 Action △IAD≡△IAF, △IBE≡△IBD이므로 $\overline{AD}=\overline{AF}$,
$\overline{BE}=\overline{BD}$임을 이용한다.

오른쪽 그림과 같이 $\overline{IF}$, $\overline{ID}$,
$\overline{IA}$, $\overline{IB}$를 그으면 사각형
IECF는 정사각형이므로
$\overline{EC}=\overline{CF}=\overline{IE}=4$ cm
△IAD와 △IAF에서
∠IDA=∠IFA=90°,
$\overline{IA}$는 공통, $\overline{ID}=\overline{IF}$
이므로 △IAD≡△IAF(RHS 합동)
∴ $\overline{AD}=\overline{AF}=\overline{AC}-\overline{CF}=10-4=6$ (cm)
같은 방법으로 △IBE≡△IBD(RHS 합동)이므로
$\overline{BE}=\overline{BD}=\overline{AB}-\overline{AD}=26-6=20$ (cm)
∴ $\overline{BC}=\overline{BE}+\overline{EC}=20+4=24$ (cm)

12 Action 점 O는 △ABC의 외심이고 점 I는 △ABC의 내심임을 이용한다.

(1) 직각삼각형의 외심은 빗변의 중점이므로
$$\overline{OB}=\frac{1}{2}\overline{BC}=\frac{1}{2}\times 10=5 \text{ (cm)}$$
따라서 △ABC의 외접원의 반지름의 길이는 5 cm이다.
...... 30%

(2) △ABC의 내접원의 반지름의 길이를 r cm라 하면
$$\triangle ABC=\frac{1}{2}r\times(6+10+8)=\frac{1}{2}\times 6\times 8$$
$12r=24$ ∴ $r=2$
따라서 △ABC의 내접원의 반지름의 길이는 2 cm이다.
...... 50%

(3) (색칠한 부분의 넓이)$=\pi \times 5^2 - \pi \times 2^2$
$$=25\pi - 4\pi$$
$$=21\pi \text{ (cm}^2) \qquad ...... 20\%$$

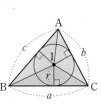

Lecture

삼각형의 내심과 삼각형의 넓이

오른쪽 그림에서 점 I가 △ABC의 내심
일 때,
$$\triangle ABC=\triangle IBC+\triangle ICA+\triangle IAB$$
$$=\frac{1}{2}ar+\frac{1}{2}br+\frac{1}{2}cr$$
$$=\frac{1}{2}r(a+b+c)$$

최고수준 **완성하기** ❷ 16- ❷ 18

01 31°	02 52 cm²	03 60°	04 24 cm
05 3π cm	06 165°	07 14 cm	08 71°
09 1 cm	10 4π cm²	11 12°	12 147°

01 Action ∠ACB=∠x로 놓고 점 O는 △ABC의 외심임을 이용한다.

△OAB에서 $\overline{OA}=\overline{OB}$이므로
∠OAB=∠OBA=24°+35°=59°
△OBC에서 $\overline{OB}=\overline{OC}$이므로
∠OCB=∠OBC=24°
∠ACB=∠x라 하면 △OAC에서 $\overline{OA}=\overline{OC}$이므로
∠OAC=∠OCA=24°+∠x
△ABC에서 (59°+24°+∠x)+35°+∠x=180°
2∠x+118°=180°, 2∠x=62° ∴ ∠x=31°
∴ ∠ACB=∠x=31°

02 Action 점 O는 △ABC의 외심이므로 △OAD≡△OBD,
△OBE≡△OCE, △OAF≡△OCF임을 이용한다.

오른쪽 그림과 같이 $\overline{OA}$, $\overline{OB}$,
$\overline{OC}$를 그으면 점 O는 △ABC의
외심이므로
△OAD≡△OBD
△OBE≡△OCE
△OAF≡△OCF
∴ △OAB+△OBC
$$=\triangle OAD+\triangle OBD+\triangle OBE+\triangle OCE$$
$$=2(\triangle OBD+\triangle OBE)$$
$$=2\times(\text{사각형 DBEO의 넓이})$$
$$=2\times 16$$
$$=32 \text{ (cm}^2)$$

이때

$$\triangle OAC = \triangle OAF + \triangle OCF = 2\triangle OAF$$
$$= 2 \times \left(\frac{1}{2} \times 5 \times 4\right) = 20 \,(cm^2)$$

이므로

$$\triangle ABC = \triangle OAB + \triangle OBC + \triangle OAC$$
$$= 32 + 20$$
$$= 52 \,(cm^2)$$

03 Action 점 O는 △ABC의 외심이므로 ∠OBC=∠OCB, ∠OAC=∠OCA임을 이용한다.

오른쪽 그림과 같이 $\overline{OC}$를 긋고 ∠OCB=∠x, ∠OCA=∠y라 하자.

△OBC에서 $\overline{OB}=\overline{OC}$이므로
∠OBC=∠OCB=∠x

△OCA에서 $\overline{OA}=\overline{OC}$이므로
∠OAC=∠OCA=∠y

△ADC에서 85°=∠y+(∠x+∠y)이므로
∠x+2∠y=85° ······ ㉠

△BCE에서 95°=∠x+(∠x+∠y)이므로
2∠x+∠y=95° ······ ㉡

㉠, ㉡을 변끼리 더하면 3∠x+3∠y=180°
3(∠x+∠y)=180° ∴ ∠x+∠y=60°
∴ ∠C=∠x+∠y=60°

04 Action 직각삼각형의 외심은 빗변의 중점임을 이용한다.

△ABC는 $\overline{AB}=\overline{AC}$인 이등변삼각형이므로
$\overline{BD}=\overline{CD}$

점 D는 직각삼각형 EBC의 빗변의 중점이므로 △EBC의 외심이다.

즉 $\overline{BD}=\overline{CD}=\overline{DE}=3\,cm$이므로
$\overline{BC}=2\overline{BD}=2 \times 3 = 6 \,(cm)$

이때 $\overline{AB}:\overline{BD}=3:1$이므로 $\overline{AB}:3=3:1$
∴ $\overline{AB}=9\,(cm)$

$\overline{AC}=\overline{AB}=9\,cm$이므로
(△ABC의 둘레의 길이)$=\overline{AB}+\overline{BC}+\overline{AC}$
$=9+6+9$
$=24\,(cm)$

05 Action ∠BOC=2∠BAC임을 이용한다.

오른쪽 그림과 같이 $\overline{OA}$를 그으면
△OAB에서 $\overline{OA}=\overline{OB}$이므로
∠OAB=∠OBA=20°
△OCA에서 $\overline{OA}=\overline{OC}$이므로
∠OAC=∠OCA=25°

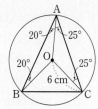

즉 ∠BAC=20°+25°=45°이므로 ······ **40%**
∠BOC=2∠BAC=2×45°=90° ······ **30%**
∴ $\overset{\frown}{BC}=2\pi \times 6 \times \dfrac{90}{360}=3\pi \,(cm)$ ······ **30%**

06 Action ∠CAD=∠a, ∠CBE=∠b로 놓고 삼각형의 세 내각의 크기의 합은 180°임을 이용한다.

오른쪽 그림과 같이
∠CAD=∠a, ∠CBE=∠b라 하면
∠CAB=2∠CAD=2∠a,
∠ABC=2∠CBE=2∠b
△ABC에서
2∠a+2∠b+50°=180°
2∠a+2∠b=130°
∴ ∠a+∠b=65°
△BCE에서 ∠x=∠b+50°
△ADC에서 ∠y=∠a+50°
∴ ∠x+∠y=(∠b+50°)+(∠a+50°)
$= ∠a+∠b+100°$
$= 65°+100°=165°$

07 Action $\overline{BD}=\overline{BE}=x$ cm로 놓고 문제를 해결한다.

점 I는 △ABC의 내심이므로 $\overline{BD}=\overline{BE}=x$ cm라 하면
$\overline{AF}=\overline{AD}=10-x$ (cm), $\overline{CF}=\overline{CE}=13-x$ (cm)
∴ $\overline{AC}=\overline{AF}+\overline{CF}$
$=(10-x)+(13-x)$
$=23-2x$ (cm)

이때 $\overline{AC}=9$ cm이므로 $23-2x=9$
$2x=14$ ∴ $x=7$
∴ $\overline{BD}=\overline{BE}=7$ cm

또 $\overline{GP}=\overline{GD}, \overline{HP}=\overline{HE}$이므로 △GBH의 둘레의 길이는
$\overline{BG}+\overline{BH}+\overline{GH}=\overline{BG}+\overline{BH}+\overline{GP}+\overline{HP}$
$=\overline{BG}+\overline{BH}+\overline{GD}+\overline{HE}$
$=\overline{BG}+\overline{GD}+\overline{BH}+\overline{HE}$
$=\overline{BD}+\overline{BE}$
$=7+7=14$ (cm)

📢 *Lecture*

접선의 길이

오른쪽 그림에서 두 점 B, C는 점 A에서
원 O에 그은 두 접선의 접점이라 하자.
△OAB와 △OAC에서
∠OBA=∠OCA=90°
$\overline{OA}$는 공통
$\overline{OB}=\overline{OC}$(반지름의 길이)
이므로 △OAB≡△OAC(RHS 합동)
∴ $\overline{AB}=\overline{AC}$

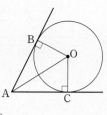

08 `Action` 점 I는 △ABC의 내심이므로 ∠IAB=∠IAC,
∠ICA=∠ICB임을 이용한다.

△ABC에서
∠BAC=180°−(66°+38°)=76°

$\angle IAB=\angle IAC=\dfrac{1}{2}\angle BAC=\dfrac{1}{2}\times76°=38°$

△ABH에서 ∠BAH=180°−(66°+90°)=24°

∴ ∠x=∠IAB−∠BAH=38°−24°=14°

한편 $\angle ICA=\angle ICB=\dfrac{1}{2}\angle ACB=\dfrac{1}{2}\times38°=19°$이므로

△AIC에서 ∠y=38°+19°=57°

∴ ∠x+∠y=14°+57°=71°

09 `Action` △ABC의 내접원의 반지름의 길이를 r cm라 하면
$\triangle ABC=\dfrac{1}{2}r(\overline{AB}+\overline{BC}+\overline{CA})$임을 이용한다.

점 I는 △ABC의 내심이므로 ∠IAB=∠IAC
즉 $\overline{AD}$는 이등변삼각형 ABC의 꼭지각의 이등분선이므로
$\overline{AD}\perp\overline{BC}$

∴ $\triangle ABC=\dfrac{1}{2}\times\overline{BC}\times\overline{AD}=\dfrac{1}{2}\times6\times4=12\ (\text{cm}^2)$

이때 △ABC의 내접원의 반지름의 길이를 r cm라 하면

$\triangle ABC=\dfrac{1}{2}r(\overline{AB}+\overline{BC}+\overline{CA})$

$=\dfrac{1}{2}r\times(5+6+5)$

$=8r\ (\text{cm}^2)$

즉 $8r=12$이므로 $r=\dfrac{3}{2}$

∴ $\overline{AE}=\overline{AD}-\overline{DE}=\overline{AD}-2r$

$=4-2\times\dfrac{3}{2}=1\ (\text{cm})$

10 `Action` 점 I는 △ABC의 내심이므로 ∠DBI=∠IBC,
∠ECI=∠ICB임을 이용한다.

점 I가 △ABC의 내심이므로
∠DBI=∠IBC, ∠ECI=∠ICB
$\overline{DE}\,/\!/\,\overline{BC}$이므로
∠DIB=∠IBC(엇각), ∠EIC=∠ICB(엇각)
∴ ∠DBI=∠DIB, ∠ECI=∠EIC
즉 △DBI와 △ECI는 이등변삼각형이므로
$\overline{DI}=\overline{DB},\ \overline{EI}=\overline{EC}$

∴ (△ADE의 둘레의 길이)$=\overline{AD}+\overline{DE}+\overline{AE}$

$=\overline{AD}+\overline{DI}+\overline{EI}+\overline{AE}$

$=\overline{AD}+\overline{DB}+\overline{EC}+\overline{AE}$

$=\overline{AB}+\overline{AC}$

$=12+10$

$=22\ (\text{cm})$

이때 △ADE의 내접원의 반지름의 길이를 r cm라 하면
$\triangle ADE=\dfrac{1}{2}r\times(\triangle ADE$의 둘레의 길이)이므로

$22=\dfrac{1}{2}r\times22$ ∴ $r=2$

따라서 △ADE의 내접원의 넓이는
$\pi\times2^2=4\pi\ (\text{cm}^2)$

11 `Action` 점 O는 △ABC의 외심이고 점 I는 △ABC의 내심임을 이용한다.

∠BAC=180°−(38°+62°)=80°

점 I는 △ABC의 내심이므로

$\angle IAB=\angle IAC=\dfrac{1}{2}\angle BAC=\dfrac{1}{2}\times80°=40°$

오른쪽 그림과 같이 $\overline{OB}$를 그
으면 점 O는 △ABC의 외심
이므로
∠AOB=2∠C=2×62°
$=124°$

△OAB에서 $\overline{OA}=\overline{OB}$이므로

$\angle OAB=\angle OBA=\dfrac{1}{2}\times(180°-124°)=28°$

∴ ∠IAO=∠IAB−∠OAB=40°−28°=12°

12 `Action` 직각삼각형의 외심은 빗변의 중점임을 이용한다.
△ABC의 외심이 $\overline{AC}$ 위에 있으므로 △ABC는
∠ABC=90°인 직각삼각형이다.

∴ ∠ACB=180°−(90°+68°)=22°

점 I는 △ABC의 내심이므로

$\angle ICB=\dfrac{1}{2}\angle ACB=\dfrac{1}{2}\times22°=11°$

점 O는 △ABC의 외심이므로
∠OBC=∠ACB=22°
따라서 △PBC에서
∠BPC=180°−(∠ICB+∠OBC)

$=180°-(11°+22°)$

$=147°$

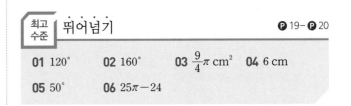

01 Action $\angle DBE=\angle a$, $\angle ECD=\angle b$로 놓고 $\angle BOC=2\angle A$임을 이용한다.

오른쪽 그림과 같이 $\overline{OA}$를 긋고
$\angle DBE=\angle a$, $\angle ECD=\angle b$라
하자.

$\triangle DBE$에서 $\overline{BD}=\overline{DE}$이므로
$\angle DEB=\angle DBE=\angle a$
$\triangle EDC$에서 $\overline{DE}=\overline{CE}$이므로
$\angle EDC=\angle ECD=\angle b$
$\triangle OAB$에서 $\overline{OA}=\overline{OB}$이므로
$\angle OAB=\angle OBA=\angle a$
$\triangle OCA$에서 $\overline{OA}=\overline{OC}$이므로
$\angle OAC=\angle OCA=\angle b$
$\triangle DBE$에서
$\angle ADE=\angle DBE+\angle DEB=\angle a+\angle a=2\angle a$
$\triangle EDC$에서
$\angle AED=\angle EDC+\angle ECD=\angle b+\angle b=2\angle b$
$\triangle ADE$에서 $(\angle a+\angle b)+2\angle a+2\angle b=180°$이므로
$3\angle a+3\angle b=180°$ ∴ $\angle a+\angle b=60°$
∴ $\angle BOC=2\angle A=2(\angle a+\angle b)=2\times 60°=120°$

02 Action $\angle OMN=\angle x$로 놓고 $\angle BOC=2\angle BAC$, $\angle AOC=2\angle ABC$임을 이용한다.

$\angle OMN=\angle x$라 하면
$\angle ABC=5\angle OMN=5\angle x$, $\angle ACB=7\angle OMN=7\angle x$
∴ $\angle BAC=180°-(5\angle x+7\angle x)=180°-12\angle x$
점 O는 $\triangle ABC$의 외심이므로 $\angle BOC=2\angle BAC$
이때 $\triangle OBN\equiv\triangle OCN$이므로
$\angle NOC=\dfrac{1}{2}\angle BOC=\dfrac{1}{2}\times 2\angle BAC$
$=\angle BAC=180°-12\angle x$
또 $\angle AOC=2\angle ABC=10\angle x$이므로
$\angle MON=\angle AOC+\angle NOC$
$=10\angle x+(180°-12\angle x)$
$=180°-2\angle x$
$\triangle ONM$에서 $(180°-2\angle x)+10°+\angle x=180°$이므로
$190°-\angle x=180°$ ∴ $\angle x=10°$
∴ $\angle MON=180°-2\angle x=180°-2\times 10°=160°$

03 Action $\angle AIC=90°+\dfrac{1}{2}\angle ABC$임을 이용한다.

점 I가 $\triangle ABC$의 내심이므로
$\angle AIC=90°+\dfrac{1}{2}\angle ABC=90°+\dfrac{1}{2}\times 90°=135°$
이때 $\angle DIF=\angle AIC=135°$(맞꼭지각)이므로 색칠한 부채
꼴의 중심각의 크기의 합은
$360°-2\times 135°=90°$

$\triangle ABC$의 내접원의 반지름의 길이를 r cm라 하면
$\triangle ABC=\dfrac{1}{2}r\times(12+9+15)=\dfrac{1}{2}\times 12\times 9$
$18r=54$ ∴ $r=3$
따라서 색칠한 부분의 넓이는
$\pi\times 3^2\times\dfrac{90}{360}=\dfrac{9}{4}\pi\ (\text{cm}^2)$

04 Action 점 I는 $\triangle ABC$의 내심이고 $\triangle ABI\equiv\triangle AEI$임을 이용한다.

오른쪽 그림과 같이 $\overline{IA}$, $\overline{IB}$,
$\overline{IE}$를 그으면 점 I가 $\triangle ABC$의
내심이므로
$\angle IAB=\angle IAC$,
$\angle IBA=\angle IBC$ ……㉠

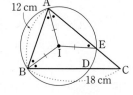

$\overline{IA}=\overline{IB}$이므로 $\angle IAB=\angle IBA$ ……㉡
㉠, ㉡에서 $\angle IAB=\angle IAC=\angle IBA=\angle IBC$이므로
$\angle CAB=\angle CBA$
즉 $\triangle ABC$는 이등변삼각형이므로 $\overline{AC}=\overline{BC}=18$ cm
이때 $\triangle ABI$와 $\triangle AEI$에서
$\overline{IB}=\overline{IE}$, $\angle AIB=\angle AIE$, $\overline{IA}$는 공통
이므로 $\triangle ABI\equiv\triangle AEI$(SAS 합동)
따라서 $\overline{AE}=\overline{AB}=12$ cm이므로
$\overline{EC}=\overline{AC}-\overline{AE}=18-12=6\ (\text{cm})$

05 Action 삼각형의 내심은 세 내각의 이등분선의 교점임을 이용한다.

$\overline{AD}\parallel\overline{BC}$이므로 $\angle ADB=\angle DBC=20°$(엇각)
$\triangle ABD$에서 $\overline{AB}=\overline{AD}$이므로
$\angle ABD=\angle ADB=20°$
∴ $\angle BAD=180°-(20°+20°)=140°$
점 I가 $\triangle ABD$의 내심이므로
$\angle DAO=\dfrac{1}{2}\angle BAD=\dfrac{1}{2}\times 140°=70°$
또 $\triangle BCD$에서 $\overline{BD}=\overline{BC}$이므로
$\angle BDC=\angle C=\dfrac{1}{2}\times(180°-20°)=80°$
점 I′은 $\triangle BCD$의 내심이므로
$\angle BDO=\dfrac{1}{2}\angle BDC=\dfrac{1}{2}\times 80°=40°$
따라서 $\triangle AOD$에서
$\angle IOI′=180°-(\angle DAO+\angle ADB+\angle BDO)$
$=180°-(70°+20°+40°)=50°$

06 Action 직각삼각형의 외심은 빗변의 중점이고, $\triangle ABC$의 내접원의
반지름의 길이를 r라 하면 $\triangle ABC=\dfrac{1}{2}r(\overline{AB}+\overline{BC}+\overline{CA})$임을
이용한다.

직각삼각형의 외심은 빗변의 중점이므로 외접원의 반지름의
길이는 $\dfrac{1}{2}\overline{AB}=\dfrac{1}{2}\times 10=5$

오른쪽 그림과 같이 △ABC의 내심을 I라 하면 내심에서 $\overline{AB}$에 이르는 거리는 $\overline{IF}$이므로 $\overline{IF}=2$

즉 $\overline{ID}=\overline{IE}=\overline{IF}=2$이고

사각형 IDCE는 정사각형이므로

$\overline{CD}=\overline{CE}=2$

이때 $\overline{BF}=x$, $\overline{AF}=y$라 하면

$x+y=10$, $\overline{BD}=\overline{BF}=x$, $\overline{AE}=\overline{AF}=y$

즉 $\overline{BC}=x+2$, $\overline{AC}=y+2$이므로

$$\triangle ABC=\frac{1}{2}\times 2\times\{10+(x+2)+(y+2)\}$$
$$=14+x+y$$
$$=14+10=24$$

따라서 색칠한 부분의 넓이는

$\pi\times 5^2-24=25\pi-24$

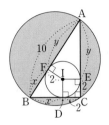

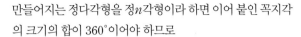

만들어지는 정다각형을 정n각형이라 하면 이어 붙인 꼭지각의 크기의 합이 $360°$이어야 하므로

$n\times 20°=360°$ $\therefore n=18$

따라서 만들어지는 정다각형은 정십팔각형이므로 대각선의 총 개수는

$$\frac{18\times(18-3)}{2}=135(개)$$

◢》Lecture

다각형의 대각선의 총 개수

(n각형의 대각선의 총 개수)$=\dfrac{n(n-3)}{2}$(개) (단, $n\geq 4$)

교과서 속 창의 사고력 **Ⓟ21-Ⓟ22**

01 135개	**02** 풀이 참조
03 108°	**04** ㉠, ㉡, ㉢

---

01 **Action** 이등변삼각형의 두 밑각의 크기가 같음을 이용한다.

$\overline{AD}=\overline{DE}=\overline{EF}=\overline{FC}=\overline{CB}$이므로

△ADE, △DFE, △EFC, △FBC는 모두 이등변삼각형이다.

∠A=∠a라 하면

△ADE에서

∠DEA=∠A=∠a

∠EDF=∠A+∠DEA=2∠a

△DFE에서 ∠EFD=∠EDF=2∠a

△AFE에서

∠FEC=∠A+∠EFA=3∠a

△EFC에서 ∠FCE=∠FEC=3∠a

△AFC에서

∠CFB=∠A+∠FCA=4∠a

△FBC에서 ∠B=∠CFB=4∠a

이때 △ABC에서 $\overline{AB}=\overline{AC}$이므로

∠ACB=∠B=4∠a

△ABC의 세 내각의 크기의 합이 180°이므로

∠a+4∠a+4∠a=180°

9∠a=180° $\therefore$ ∠a=20°

02 **Action** 직각삼각형의 합동 조건을 이용한다.

㉠ 옳다.

㉡ 옳지 않다.

그 이유는 직각삼각형에서 한 예각의 크기가 정해지면 다른 예각의 크기도 정해진다. 이때 빗변의 길이가 같을 때에는 항상 그 양 끝 각의 크기가 각각 같아지지만 빗변이 아닌 다른 한 변의 길이가 같을 때에는 다음 그림과 같이 양 끝 각의 크기가 다른 경우가 있을 수 있으므로 서로 합동이라 말할 수 없다.

 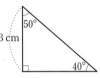

03 **Action** $\overline{AH}=\overline{BH}=\overline{CH}$이므로 점 H는 △ABC의 외심임을 이용한다.

∠B=$180°-(82°+44°)=54°$

물결이 퍼지는 속력이 모두 같으므로

$\overline{AH}=\overline{BH}=\overline{CH}$

즉 점 H는 △ABC의 외심이므로

∠AHC=2∠B=$2\times 54°=108°$

04 **Action** 삼각형의 내접원의 반지름의 길이를 r cm라 하면 삼각형의 넓이는 $\frac{1}{2}r\times$(삼각형의 둘레의 길이)임을 이용한다.

(직각삼각형의 넓이)$=\dfrac{1}{2}\times 70\times 24=840$ (cm²)

직각삼각형의 내접원의 반지름의 길이를 r cm라 하면

(직각삼각형의 넓이)$=\dfrac{1}{2}r\times$(직각삼각형의 둘레의 길이)

$$=\frac{1}{2}r\times(24+70+74)$$
$$=84r \text{ (cm}^2)$$

즉 $84r=840$이므로 $r=10$

따라서 내접원의 지름의 길이가 $2\times 10=20$ (cm)이므로 지름의 길이가 20 cm 이하인 ㉠, ㉡, ㉢을 걸 수 있다.

Ⅱ. 사각형의 성질

1. 평행사변형

입문하기   ❷ 25- ❷ 27

01 $\angle x=26°$, $\angle y=44°$	**02** 68°	**03** 14	
04 4 cm	**05** 3 cm	**06** 4 cm	**07** 74°
08 44°	**09** 18 cm	**10** ③	**11** ③
12 120°	**13** 40°	**14** 10 cm	**15** 6 cm²
16 60 cm²	**17** 28 cm²	**18** 25	

01 Action 평행사변형의 두 쌍의 대변은 각각 평행함을 이용한다.

$\overline{AB} /\!/ \overline{DC}$이므로 $\angle x=\angle ODA=26°$(엇각)

△OBC에서 외각의 성질에 의하여

$\angle x+\angle y=70°$, $26°+\angle y=70°$

∴ $\angle y=44°$

📢 *Lecture*

삼각형의 외각의 성질

삼각형에서 한 외각의 크기는 그와 이웃하지 않는 두 내각의 크기
의 합과 같다.

02 Action 평행사변형의 두 쌍의 대각의 크기는 각각 같음을 이용한다.

$\overline{AE} /\!/ \overline{DC}$이므로 $\angle CDE=\angle AED=34°$(엇각)

즉 $\angle ADC=2\angle CDE=2\times34°=68°$이므로

$\angle x=\angle ADC=68°$

03 Action 평행사변형의 두 대각선은 서로 다른 것을 이등분함을 이용한다.

$\overline{AD}=\overline{BC}$이므로 $5x-3=2x+6$

$3x=9$ ∴ $x=3$

∴ $\overline{OA}=3\times3-2=7$

이때 $\overline{OA}=\overline{OC}$이므로

$\overline{AC}=2\overline{OA}=2\times7=14$

04 Action 평행한 두 직선이 다른 한 직선과 만날 때 생기는 엇각의 크기가 같음을 이용한다.

▱ABCD는 평행사변형이므로

$\overline{CD}=\overline{AB}=8$ cm

$\overline{AD} /\!/ \overline{BC}$이므로 $\angle CED=\angle ADE$(엇각)

$\angle ADE=\angle CDE$이므로 $\angle CED=\angle CDE$

즉 △CDE는 이등변삼각형이므로

$\overline{CE}=\overline{CD}=8$ cm

이때 $\overline{BC}=\overline{AD}=12$ cm이므로

$\overline{BE}=\overline{BC}-\overline{CE}=12-8=4$ (cm)

05 Action 평행한 두 직선이 다른 한 직선과 만날 때 생기는 엇각의 크기가 같음을 이용한다.

$\overline{AD} /\!/ \overline{BC}$이므로 $\angle BEA=\angle DAE$(엇각)

이때 $\angle DAE=\angle BAE$이므로 $\angle BEA=\angle BAE$

즉 △BEA는 이등변삼각형이므로

$\overline{BE}=\overline{BA}=6$ cm

또 $\overline{AD} /\!/ \overline{BC}$이므로 $\angle CFD=\angle ADF$(엇각)

이때 $\angle ADF=\angle CDF$이므로

$\angle CFD=\angle CDF$

즉 △CDF는 이등변삼각형이므로

$\overline{CF}=\overline{CD}=\overline{AB}=6$ cm

이때 $\overline{BC}=\overline{AD}=9$ cm이므로

$\overline{BF}=\overline{BC}-\overline{CF}=9-6=3$ (cm)

∴ $\overline{EF}=\overline{BE}-\overline{BF}=6-3=3$ (cm)

06 Action 평행한 두 직선이 다른 한 직선과 만날 때 생기는 동위각, 엇각의 크기가 각각 같음을 이용한다.

$\overline{AB} /\!/ \overline{FC}$이므로 $\angle DFE=\angle ABF$(엇각)

$\overline{AD} /\!/ \overline{BC}$이므로 $\angle DEF=\angle CBF$(동위각)

이때 $\angle ABF=\angle CBF$이므로

$\angle DFE=\angle DEF$

즉 △DFE는 $\overline{DE}=\overline{DF}$인 이등변삼각형이다. …… 30%

또 $\angle CBF=\angle CFB$이므로 △CFB는 $\overline{CF}=\overline{CB}$인 이등변삼각형이다. …… 30%

즉 $\overline{CF}=\overline{CB}=8$ cm이고 $\overline{CD}=\overline{AB}=6$ cm이므로

$\overline{DE}=\overline{DF}=\overline{CF}-\overline{CD}=8-6=2$ (cm) …… 30%

∴ $\overline{DE}+\overline{DF}=2+2=4$ (cm) …… 10%

07 Action 접은 각의 크기가 같고, 평행한 두 직선이 다른 한 직선과 만날 때 생기는 엇각의 크기가 같음을 이용한다.

$\angle EDB=\angle BDC=53°$(접은 각)

$\overline{AB} /\!/ \overline{DC}$이므로 $\angle EBD=\angle BDC=53°$(엇각)

즉 △EBD는 이등변삼각형이므로

$\angle x=180°-2\times53°=74°$

08 Action 평행사변형의 두 쌍의 대각의 크기는 각각 같음을 이용한다.

$\overline{AD} /\!/ \overline{BE}$이므로 $\angle DAE=\angle AEB=32°$(엇각)

∴ $\angle DAC=2\angle DAE=2\times32°=64°$

▱ABCD는 평행사변형이므로

$\angle D=\angle B=72°$

△ACD에서

$\angle DAC+\angle ACD+\angle D=180°$이므로

$64°+\angle x+72°=180°$ ∴ $\angle x=44°$

09 `Action` 평행사변형의 두 대각선은 서로 다른 것을 이등분함을 이용한다.

□ABCD는 평행사변형이므로

$\overline{OA}=\overline{OC}=\dfrac{1}{2}\overline{AC}$

$\overline{OB}=\overline{OD}=\dfrac{1}{2}\overline{BD}$

이때 $\overline{AC}+\overline{BD}=22$ cm이므로

$\overline{OA}+\overline{OB}=\dfrac{1}{2}\overline{AC}+\dfrac{1}{2}\overline{BD}=\dfrac{1}{2}(\overline{AC}+\overline{BD})$

$=\dfrac{1}{2}\times22=11$ (cm)

∴ (△OAB의 둘레의 길이)$=\overline{AB}+\overline{OA}+\overline{OB}$

$=7+11$

$=18$ (cm)

10 `Action` 평행사변형이 되는 다섯 가지 조건 중 어느 하나를 만족하는지 확인한다.

③ $\angle CDA=360°-(110°+70°+110°)=70°$

즉 □ABCD는 두 쌍의 대각의 크기가 각각 같으므로 평행사변형이다.

11 `Action` □AECF는 평행사변형임을 이용한다.

□ABCD는 평행사변형이므로

$\overline{OA}=\overline{OC}$ ······ ㉠

또 $\overline{OB}=\overline{OD}$이므로

$\overline{OE}=\dfrac{1}{2}\overline{OB}=\dfrac{1}{2}\overline{OD}=\overline{OF}$ ······ ㉡

㉠, ㉡에서 □AECF는 평행사변형이므로

$\overline{AF}=\overline{CE}$ (①), $\overline{AE}=\overline{CF}$ (②), $\overline{AE}/\!/\overline{CF}$ (④)

$\angle OEC=\angle OFA$ (엇각) (⑤)

따라서 옳지 않은 것은 ③이다.

12 `Action` □ANCM과 □MBND는 평행사변형임을 이용한다.

□ABCD가 평행사변형이므로 $\overline{AD}=\overline{BC}$

∴ $\overline{AM}=\overline{MD}=\overline{BN}=\overline{NC}$

$\overline{AM}/\!/\overline{NC}$이고 $\overline{AM}=\overline{NC}$이므로 □ANCM은 평행사변형이다.

∴ $\angle MCN=\angle MAN=65°$

$\overline{MD}/\!/\overline{BN}$이고 $\overline{MD}=\overline{BN}$이므로 □MBND는 평행사변형이다.

즉 $\overline{MB}/\!/\overline{DN}$이므로

$\angle DNC=\angle MBN=55°$ (동위각)

△FNC에서 외각의 성질에 의하여

$\angle MFN=\angle FCN+\angle FNC=65°+55°=120°$

13 `Action` □EBFD는 평행사변형임을 이용한다.

$\angle BEF=\angle DFE=90°$이므로 $\overline{BE}/\!/\overline{DF}$ ······ ㉠

△ABE와 △CDF에서

$\angle AEB=\angle CFD=90°$,

$\overline{AB}=\overline{CD}$,

$\angle BAE=\angle DCF$(엇각)

이므로 △ABE≡△CDF(RHA 합동)

∴ $\overline{BE}=\overline{DF}$ ······ ㉡

㉠, ㉡에서 □EBFD는 평행사변형이다.

△DEF에서

$\angle EDF=180°-(90°+50°)=40°$이므로

$\angle x=\angle EDF=40°$

14 `Action` □AODE는 평행사변형임을 이용한다.

□AODE에서 $\overline{AO}/\!/\overline{ED}$이고 $\overline{OA}=\overline{OC}=\overline{ED}$이므로

□AODE는 평행사변형이다. ······ 30%

즉 $\overline{AF}=\overline{FD}$, $\overline{OF}=\overline{FE}$이므로

$\overline{AF}=\dfrac{1}{2}\overline{AD}=\dfrac{1}{2}\overline{BC}=\dfrac{1}{2}\times12=6$ (cm) ······ 30%

$\overline{OF}=\dfrac{1}{2}\overline{OE}=\dfrac{1}{2}\overline{CD}=\dfrac{1}{2}\overline{AB}$

$=\dfrac{1}{2}\times8=4$ (cm) ······ 30%

∴ $\overline{AF}+\overline{OF}=6+4=10$ (cm) ······ 10%

15 `Action` △OAE≡△OCF(ASA 합동)임을 이용한다.

△OAE와 △OCF에서

$\overline{OA}=\overline{OC}$,

$\angle AOE=\angle COF$(맞꼭지각),

$\angle OAE=\angle OCF$(엇각)

이므로 △OAE≡△OCF(ASA 합동)

∴ △OAE+△ODF=△OCF+△ODF=△OCD

$=\dfrac{1}{4}$□ABCD$=\dfrac{1}{4}\times24$

$=6$ (cm²)

16 `Action` 평행사변형의 넓이는 두 대각선에 의해 사등분됨을 이용한다.

□ABFE는 평행사변형이므로

$\triangle BFE=\triangle ABF=15$ cm²

이때 □BCDE는 평행사변형이므로

□BCDE$=4\triangle BFE=4\times15=60$ (cm²)

17 `Action` $\triangle PAD+\triangle PBC=\dfrac{1}{2}$□ABCD임을 이용한다.

$\triangle PAD+\triangle PBC=\dfrac{1}{2}$□ABCD이므로

$22+\triangle PBC=\dfrac{1}{2}\times100$

$22+\triangle PBC=50$

∴ $\triangle PBC=28$ (cm²)

18 Action $\triangle$PDA$=2k$, $\triangle$PCD$=3k$, $\triangle$PAB$=4k$로 놓고 문제를 해결한다.

$\triangle$PDA : $\triangle$PCD : $\triangle$PAB$=2:3:4$이므로
$\triangle$PDA$=2k$, $\triangle$PCD$=3k$, $\triangle$PAB$=4k$라 하자.

$\triangle$PAB$+\triangle$PCD$=\dfrac{1}{2}\square$ABCD이므로

$4k+3k=\dfrac{1}{2}\times70$, $7k=35$

$\therefore k=5$

이때 $\triangle$PBC$+\triangle$PDA$=\dfrac{1}{2}\square$ABCD이므로

$\triangle$PBC$+2k=35$, $\triangle$PBC$+2\times5=35$

$\therefore \triangle$PBC$=25$

---

01 Action 평행사변형의 두 쌍의 대각의 크기는 각각 같음을 이용한다.

$\square$ABCD는 평행사변형이므로 $\angle$ADC$=\angle$B$=45°$

$\angle$EDC$=\dfrac{1}{2}\angle$ADE이므로

$\angle$ADC$=\angle$ADE$+\angle$EDC$=\angle$ADE$+\dfrac{1}{2}\angle$ADE

$\qquad\quad=\dfrac{3}{2}\angle$ADE

$\therefore \angle$ADE$=\dfrac{2}{3}\angle$ADC$=\dfrac{2}{3}\times45°=30°$

$\triangle$AED에서

$\angle$DAE$=180°-(\angle$AED$+\angle$ADE$)$
$\qquad\quad=180°-(75°+30°)=75°$

이때 $\overline{\text{AD}}$∥$\overline{\text{BC}}$이므로
$\angle$AEB$=\angle$DAE$=75°$(엇각)

02 Action $\square$AFED는 두 쌍의 대변이 각각 평행하므로 평행사변형이다.

$\square$AFED에서 $\overline{\text{AF}}$∥$\overline{\text{DE}}$, $\overline{\text{AD}}$∥$\overline{\text{FE}}$이므로 $\square$AFED는 평행사변형이다.

$\therefore \overline{\text{AF}}=\overline{\text{DE}}$, $\overline{\text{AD}}=\overline{\text{FE}}$

$\triangle$ABC에서 $\overline{\text{AB}}=\overline{\text{AC}}$이므로 $\angle$B$=\angle$C $\quad\cdots\cdots$ ㉠

이때 $\overline{\text{AC}}$∥$\overline{\text{FE}}$이므로 $\angle$FEB$=\angle$C(동위각) $\quad\cdots\cdots$ ㉡

㉠, ㉡에서 $\angle$B$=\angle$FEB

즉 $\triangle$FBE는 이등변삼각형이므로 $\overline{\text{FE}}=\overline{\text{FB}}$

$\therefore$ ($\square$AFED의 둘레의 길이)$=\overline{\text{AF}}+\overline{\text{FE}}+\overline{\text{DE}}+\overline{\text{AD}}$
$\qquad\qquad\qquad\qquad\qquad=2(\overline{\text{AF}}+\overline{\text{FE}})$
$\qquad\qquad\qquad\qquad\qquad=2(\overline{\text{AF}}+\overline{\text{FB}})=2\overline{\text{AB}}$
$\qquad\qquad\qquad\qquad\qquad=2\times9=18\,(\text{cm})$

03 Action $\square$ABCD가 평행사변형임을 이용하여 점 D의 좌표를 구한다.

$\square$ABCD는 평행사변형이므로
$\overline{\text{AD}}=\overline{\text{BC}}=5-(-3)=8$

즉 점 D의 좌표는 $(8,6)$이다.

이때 두 점 C$(5,0)$, D$(8,6)$을 지나는 직선의 방정식을 구하면 $y=2x-10$

직선 $y=2x-10$의 x절편은 5, y절편은 -10이므로 그래프는 오른쪽 그림과 같다.

따라서 구하는 도형의 넓이는 오른쪽 그림에서 색칠한 부분의 넓이와 같으므로

$\dfrac{1}{2}\times5\times10=25$

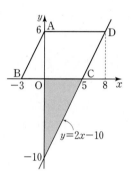

Lecture

일차함수의 식

서로 다른 두 점 (x_1, y_1), (x_2, y_2)를 지나는 직선을 그래프로 하는 일차함수의 식은 다음과 같은 순서로 구한다.

① 기울기 $a=\dfrac{y_2-y_1}{x_2-x_1}$을 구한다.

② $y=ax+b$에 $x=x_1$, $y=y_1$ 또는 $x=x_2$, $y=y_2$를 대입하여 b의 값을 구한다.

04 Action 평행한 두 직선이 다른 한 직선과 만날 때 생기는 엇각의 크기가 같음을 이용한다.

$\overline{\text{AD}}$∥$\overline{\text{BC}}$이므로 $\angle$CED$=\angle$ADE(엇각)

이때 $\angle$CDE$=\angle$ADE이므로 $\angle$CED$=\angle$CDE

즉 $\triangle$CDE는 이등변삼각형이므로
$\overline{\text{CE}}=\overline{\text{CD}}=\overline{\text{AB}}=6\,\text{cm}$

오른쪽 그림과 같이 $\overline{\text{AF}}$와 $\overline{\text{DE}}$가 만나는 점을 H라 하고, $\overline{\text{AF}}$의 연장선이 $\overline{\text{DC}}$의 연장선과 만나는 점을 G라 하면

$\angle$DGH$=90°-\angle$GDH
$\qquad\quad=90°-\angle$ADH
$\qquad\quad=\angle$DAH

즉 $\triangle$DAG는 이등변삼각형이므로
$\overline{\text{DG}}=\overline{\text{DA}}=8\,\text{cm}$

$\therefore \overline{\text{CG}}=\overline{\text{DG}}-\overline{\text{DC}}=8-6=2\,(\text{cm})$

∠AFB=∠DAF(엇각), ∠CFG=∠AFB(맞꼭지각)이
므로 ∠CFG=∠DAF=∠CGF
즉 △CFG는 이등변삼각형이므로
$\overline{CF}=\overline{CG}=2$ cm
∴ $\overline{EF}=\overline{CE}-\overline{CF}=6-2=4$ (cm)

05 Action 평행한 두 직선이 다른 한 직선과 만날 때 생기는 엇각의 크기가 같음을 이용한다.

$\overline{AD}\,/\!/\,\overline{BC}$이므로 ∠BEA=∠DAE(엇각)
이때 ∠BAE=∠DAE이므로 ∠BAE=∠BEA
즉 △ABE는 이등변삼각형이므로
$\overline{BE}=\overline{AB}=9$ cm
이때 $\overline{BE}:\overline{EC}=3:2$이므로 $9:\overline{EC}=3:2$
$3\overline{EC}=18$ ∴ $\overline{EC}=6$ (cm)
∠CEF=∠BEA(맞꼭지각), ∠CFE=∠BAE(엇각)이
므로 ∠CEF=∠CFE
따라서 △CEF는 이등변삼각형이므로
$\overline{CF}=\overline{CE}=6$ cm

06 Action □EDCF는 평행사변형임을 이용한다.

□EDCF에서 $\overline{EF}\,/\!/\,\overline{DC}$, $\overline{DE}\,/\!/\,\overline{CF}$이므로 □EDCF는 평행사변형이다.
∴ $\overline{DE}=\overline{CF}=6$ cm
$\overline{ED}\,/\!/\,\overline{AC}$이므로 ∠EDA=∠CAD(엇각)
이때 ∠EAD=∠CAD이므로 ∠EAD=∠EDA
즉 △EDA는 이등변삼각형이므로
$\overline{AE}=\overline{DE}=6$ cm
∴ $\overline{AE}+\overline{DE}=6+6=12$ (cm)

07 Action $\overline{AQ}\,/\!/\,\overline{PC}$가 되려면 □AQCP는 평행사변형이 되어야 한다.

$\overline{AQ}\,/\!/\,\overline{PC}$가 되려면 □AQCP는 평행사변형이 되어야 한다.
이때 □AQCP에서 $\overline{AP}\,/\!/\,\overline{QC}$이므로 □AQCP가 평행사변형이 되려면 $\overline{AP}=\overline{CQ}$이어야 한다.
$\overline{AQ}\,/\!/\,\overline{PC}$가 되는 것이 점 Q가 출발한 지 x초 후라 하면
$\overline{AP}=2(5+x)=10+2x$ (m), $\overline{CQ}=4x$ (m)이므로
$10+2x=4x$ ∴ $x=5$
따라서 점 Q가 출발한 지 5초 후에 $\overline{AQ}\,/\!/\,\overline{PC}$가 된다.

08 Action △ABC와 합동인 삼각형을 찾는다.

△FEC와 △ABC에서
$\overline{FC}=\overline{AC}$, $\overline{EC}=\overline{BC}$,
∠FCE=60°−∠ACE=∠ACB
이므로 △FEC≡△ABC(SAS 합동)
∴ $\overline{FE}=\overline{AB}$

이때 $\overline{AD}=\overline{AB}$이므로
$\overline{AD}=\overline{FE}$ ······ ㉠ ······ 30%
△DBE와 △ABC에서
$\overline{DB}=\overline{AB}$,
$\overline{BE}=\overline{BC}$,
∠DBE=60°−∠ABE=∠ABC
이므로 △DBE≡△ABC(SAS 합동)
∴ $\overline{DE}=\overline{AC}$
이때 $\overline{AF}=\overline{AC}$이므로
$\overline{AF}=\overline{DE}$ ······ ㉡ ······ 30%
㉠, ㉡에서 □AFED는 평행사변형이므로 ······ 20%
∠DAF+∠AFE=180° ······ 20%

09 Action △OBQ≡△ODP(ASA 합동)임을 이용한다.

△OBQ와 △ODP에서
$\overline{OB}=\overline{OD}$,
∠BOQ=∠DOP(맞꼭지각),
∠OBQ=∠ODP(엇각)
이므로 △OBQ≡△ODP(ASA 합동)
∴ △OBQ=△ODP=28 cm²
이때 △OBQ : △OCQ=7 : 5이므로
$28:\triangle OCQ=7:5$, $7\triangle OCQ=140$
∴ △OCQ=20 (cm²)
즉 △OBC=△OBQ+△OCQ=28+20=48 (cm²)
이므로
□ABCD=4△OBC=4×48=192 (cm²)

10 Action $\triangle PAB+\triangle PCD=\dfrac{1}{2}$□ABCD임을 이용한다.

$\triangle PAB+\triangle PCD=\dfrac{1}{2}$□ABCD이므로
$40+\triangle PCD=\dfrac{1}{2}\times 120$
$40+\triangle PCD=60$
∴ △PCD=20 (cm²)
$\overline{EF}\,/\!/\,\overline{DC}$, $\overline{ED}\,/\!/\,\overline{PG}\,/\!/\,\overline{FC}$이므로 □EPGD, □PFCG는 모두 평행사변형이다.
따라서 △EPD=△DPG, △PFC=△PCG이므로
$\triangle EPD+\triangle PFC=\triangle DPG+\triangle PCG$
$\qquad\qquad\qquad\;\; =\triangle PCD$
$\qquad\qquad\qquad\;\; =20$ (cm²)

♪) Lecture

평행사변형과 넓이

평행사변형 ABCD의 한 변 위의 점 P에 대하여
$\triangle PAB+\triangle PCD=\triangle APD$
$\qquad\qquad\qquad\;\; =\dfrac{1}{2}$□ABCD

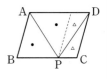

11 `Action` □ABNM, □MNCD는 평행사변형임을 이용한다.

$$□ABNM=□MNCD=\frac{1}{2}□ABCD$$

$$=\frac{1}{2}\times72=36\ (cm^2)$$

이때 □ABNM은 평행사변형이므로

$$△OAB=△ONM=\frac{1}{4}□ABNM=\frac{1}{4}\times36=9\ (cm^2)$$

△ABN과 △QCN에서

$\overline{BN}=\overline{CN}$, ∠ANB=∠QNC(맞꼭지각),

∠ABN=∠QCN(엇각)

이므로 △ABN≡△QCN(ASA 합동)

$$∴△QCN=△ABN=\frac{1}{2}□ABNM$$

$$=\frac{1}{2}\times36=18\ (cm^2)$$

같은 방법으로 △ABM≡△DPM(ASA 합동)

$$∴△DPM=△ABM=\frac{1}{2}□ABNM$$

$$=\frac{1}{2}\times36=18\ (cm^2)$$

따라서 색칠한 부분의 넓이는

△OAB+△ONM+□MNCD+△QCN+△DPM

$=9+9+36+18+18=90\ (cm^2)$

12 `Action` 평행사변형의 넓이는 한 대각선에 의해 이등분됨을 이용한다.

오른쪽 그림과 같이 $\overline{EF}$를 긋고, 두 점 G, H를 각각 지나고 $\overline{AD}$에 평행한 두 직선이 $\overline{EF}$와 만나는 점을 각각 P, Q라 하면 $\overline{AB}\,/\!/\,\overline{EF}\,/\!/\,\overline{DC}$이므로 □AGPE, □GBFP, □QFCH, □EQHD는 모두 평행사변형이다.

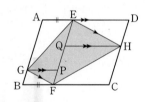

$$∴□EGFH=△PEG+△PGF+△QFH+△QHE$$

$$=\frac{1}{2}□AGPE+\frac{1}{2}□GBFP+\frac{1}{2}□QFCH$$

$$+\frac{1}{2}□EQHD$$

$$=\frac{1}{2}□ABCD=\frac{1}{2}\times30=15\ (cm^2)$$

---

01 `Action` $\overline{AD}$의 연장선과 $\overline{BE}$의 연장선의 교점을 F라 하고 △EBC≡△EFD(ASA 합동)임을 이용한다.

다음 그림과 같이 $\overline{AD}$의 연장선이 $\overline{BE}$의 연장선과 만나는 점을 F라 하자.

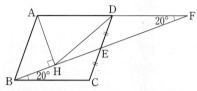

$\overline{AF}\,/\!/\,\overline{BC}$이므로 ∠F=∠EBC=20°(엇각)

△EBC와 △EFD에서

$\overline{EC}=\overline{ED}$,

∠BEC=∠FED(맞꼭지각),

∠ECB=∠EDF(엇각)

이므로 △EBC≡△EFD(ASA 합동)

$∴\overline{FD}=\overline{BC}$

□ABCD는 평행사변형이므로 $\overline{BC}=\overline{AD}$

$∴\overline{FD}=\overline{AD}$

이때 점 D는 직각삼각형 AHF의 빗변인 $\overline{AF}$의 중점이므로 점 D는 직각삼각형 AHF의 외심이다.

$∴\overline{DH}=\overline{FD}$

즉 △DHF는 이등변삼각형이므로

∠DHF=∠F=20°

따라서 △DHF에서

∠ADH=∠DHF+∠F

$=20°+20°=40°$

📣 Lecture

삼각형의 외심의 성질과 위치

(1) 삼각형의 외심의 성질

① 삼각형의 세 변의 수직이등분선의 교점이다.

② 삼각형의 세 꼭짓점에 이르는 거리가 같은 점이다.

(2) 삼각형의 외심의 위치

① 예각삼각형 : 삼각형의 내부

② 직각삼각형 : 빗변의 중점

③ 둔각삼각형 : 삼각형의 외부

02 `Action` △ABP와 △CDQ가 삼각형이 되려면 점 P는 $\overline{BC}$ 위에, 점 Q는 $\overline{AD}$ 위에 있어야 한다.

다음 그림과 같이 △ABP와 △CDQ가 삼각형이 되려면 점 P는 $\overline{BC}$ 위에, 점 Q는 $\overline{AD}$ 위에 있어야 한다.

또 △ABP와 △CDQ가 합동이 되려면 $\overline{BP}=\overline{DQ}$이어야 한다.

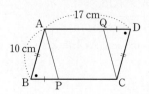

두 점 P, Q가 점 A에서 출발한 지 x초 후에 $\triangle$ABP와 $\triangle$CDQ가 합동이 된다고 하면

$\overline{BP}=0.4x-10$ (cm) $(25<x\leq67.5)$

$\overline{DQ}=17-0.5x$ (cm) $(0\leq x<34)$

이때 $\overline{BP}=\overline{DQ}$이어야 하므로

$0.4x-10=17-0.5x$

$0.9x=27$ $\therefore x=30$

따라서 $\triangle$ABP와 $\triangle$CDQ가 합동이 되는 것은 30초 후이다.

---

03 점 P가 $\overline{BC}$ 위를 움직이므로 점 P가 점 B에 위치하는 경우와 점 C에 위치하는 경우로 나누어 생각한다.

(i) 점 P가 점 B에 위치하는 경우

오른쪽 그림에서

$\angle$PAQ$=\angle$DAQ

$\overline{AD}\,/\!/\,\overline{BC}$이므로

$\angle$PQA$=\angle$DAQ(엇각)

$\therefore \angle$PAQ$=\angle$PQA

즉 $\triangle$PQA는 이등변삼각형이므로

$\overline{PQ}=\overline{PA}=6$ cm

$\therefore \overline{QC}=\overline{PC}-\overline{PQ}=9-6=3$ (cm)

(ii) 점 P가 점 C에 위치하는 경우

오른쪽 그림에서

$\angle$PAQ$=\angle$DAQ

$\overline{AD}\,/\!/\,\overline{BQ}$이므로

$\angle$PQA$=\angle$DAQ(엇각)

$\therefore \angle$PAQ$=\angle$PQA

즉 $\triangle$PQA는 이등변삼각형이므로

$\overline{PQ}=\overline{PA}=7$ cm

$\therefore \overline{QC}=\overline{PQ}=7$ cm

(i), (ii)에서 점 Q가 움직인 거리는

$3+7=10$ (cm)

---

04 $\triangle$ABD$=\triangle$APD$+\triangle$PBC$=\dfrac{1}{2}\square$ABCD임을 이용한다.

오른쪽 그림과 같이 대각선 BD와 $\overline{AP}$의 교점을 Q라 하면

$\triangle$ABD$=\dfrac{1}{2}\square$ABCD,

$\triangle$APD$+\triangle$PBC

$=\dfrac{1}{2}\square$ABCD

이므로

$\triangle$ABD$=\triangle$APD$+\triangle$PBC

즉 $\triangle$ABQ$+\triangle$AQD$=(\triangle$AQD$+\triangle$QPD$)+\triangle$PBC

이므로

$\triangle$ABQ$=\triangle$QPD$+\triangle$PBC

또 $\triangle$ABQ$=\triangle$ABP$-\triangle$QBP이므로

$\triangle$ABP$-\triangle$QBP$=\triangle$QPD$+\triangle$PBC

$\therefore \triangle$BPD$=\triangle$QBP$+\triangle$QPD

$\qquad =\triangle$ABP$-\triangle$PBC

$\qquad =26-12$

$\qquad =14$ (cm^2)

---

05 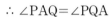 두 평행사변형의 높이가 같으면 넓이의 비는 밑변의 길이의 비와 같다.

$\overline{AD}\,/\!/\,\overline{EF}$, $\overline{AE}\,/\!/\,\overline{HP}\,/\!/\,\overline{DF}$이므로

$\square$AEPH : $\square$HPFD$=\overline{AH}:\overline{HD}=7:3$

이때 $\square$HPFD$=2\triangle$HPD$=2\times6=12$ (cm^2)이므로

$\square$AEPH : $12=7:3$

$3\square$AEPH$=84$

$\therefore \square$AEPH$=28$ (cm^2)

$\therefore \square$AEFD$=\square$AEPH$+\square$HPFD

$\qquad =28+12$

$\qquad =40$ (cm^2)

또 $\overline{AB}\,/\!/\,\overline{DC}$, $\overline{AD}\,/\!/\,\overline{EF}\,/\!/\,\overline{BC}$이므로

$\square$AEFD : $\square$EBCF$=\overline{AE}:\overline{EB}=1:2$

$40:\square$EBCF$=1:2$

$\therefore \square$EBCF$=80$ (cm^2)

$\therefore \square$ABCD$=\square$AEFD$+\square$EBCF

$\qquad =40+80$

$\qquad =120$ (cm^2)

---

06 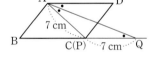 $\triangle$BCE$=\triangle$DFC$=\dfrac{1}{2}\square$ABCD이므로

$\triangle$BCE$+\triangle$DFC$=\square$ABCD임을 이용한다.

오른쪽 그림과 같이 평행사변형 ABCD에서 나누어진 부분의 넓이를 각각 a, b, c, d, e, f라 하고, 색칠한 부분의 넓이를 x라 하면

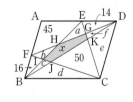

$\triangle$EBC$=a+x+c+d+50=\dfrac{1}{2}\square$ABCD

$\triangle$DFC$=b+x+50+e+f=\dfrac{1}{2}\square$ABCD

$\therefore \triangle$EBC$+\triangle$DFC

$=a+b+c+d+e+f+2x+100$

$=\square$ABCD

$x+100=\square$ABCD$-(a+b+c+d+e+f+x)$

$\qquad =\square$AFHE$+\triangle$FBI$+\triangle$JCK$+\triangle$DEG

$\qquad =45+16+50+14$

$\qquad =125$

$\therefore x=25$

따라서 색칠한 부분의 넓이는 25이다.

2. 여러 가지 사각형

01 28	**02** 60°	**03** ③, ⑤	**04** 96 cm²
05 55°	**06** ㉠, ㉣, ㉤	**07** 75°	**08** 35°
09 15°	**10** ②	**11** 32 cm	**12** 5 cm
13 ④	**14** ㉡, ㉢, ㉣	**15** ④	**16** 100 cm²
17 18 cm²	**18** 20 cm²		

01 Action 직사각형의 두 대각선은 서로 다른 것을 이등분함을 이용한다.

$\overline{OB}=\overline{OD}$이므로 $3x-1=4x-6$

∴ $x=5$

즉 $\overline{OB}=3x-1=3\times5-1=14$이므로

$\overline{AC}=\overline{BD}=2\overline{OB}=2\times14=28$

02 Action 이등변삼각형의 성질과 평행선의 성질을 이용하여 크기가 같은 각을 찾는다.

△DBE에서 $\overline{BE}=\overline{DE}$이므로 ∠EBD=∠EDB

$\overline{AD}\,/\!/\,\overline{BC}$이므로 ∠ADB=∠EBD(엇각)

즉 ∠ADB=∠EDB=∠EDC이므로

∠EDC=$\frac{1}{3}$∠ADC=$\frac{1}{3}\times90°=30°$

따라서 △DEC에서

∠DEC=$180°-(90°+30°)=60°$

03 Action 평행사변형이 직사각형이 되는 조건을 생각해 본다.

③ 두 대각선의 길이가 같다.

⑤ 한 내각의 크기가 90°이다.

따라서 평행사변형 ABCD가 직사각형이 되는 조건은 ③, ⑤이다.

04 Action 마름모의 두 대각선은 서로 다른 것을 수직이등분함을 이용한다.

마름모의 두 대각선은 서로 다른 것을 수직이등분하므로

∠AOB=90°

이때 △OAB≡△OCB≡△OCD≡△OAD이므로

□ABCD=4△OAB=$4\times\left(\frac{1}{2}\times8\times6\right)=96\,(\text{cm}^2)$

05 Action 마름모는 네 변의 길이가 모두 같으므로 △BCD는 이등변삼각형임을 이용한다.

△BCD에서 $\overline{CB}=\overline{CD}$이므로

∠CDB=$\frac{1}{2}\times(180°-110°)=35°$

△EFD에서

∠DEF=$180°-(90°+35°)=55°$

∴ ∠AEB=∠DEF=55°(맞꼭지각)

06 Action 평행사변형이 마름모가 되는 조건을 생각해 본다.

㉠ 이웃하는 두 변의 길이가 같다.

㉣ 두 대각선이 서로 수직이다.

㉤ $\overline{AB}\,/\!/\,\overline{DC}$이므로 ∠CDO=∠ABO(엇각)

이때 ∠ABO=∠CBO이므로 ∠CDO=∠CBO

△BCD는 이등변삼각형이므로 $\overline{BC}=\overline{CD}$

즉 이웃하는 두 변의 길이가 같다.

따라서 평행사변형 ABCD가 마름모가 되는 조건은 ㉠, ㉣, ㉤이다.

07 Action 합동인 두 삼각형을 찾은 후 이를 이용하여 각의 크기를 구한다.

△AED와 △CED에서

$\overline{AD}=\overline{CD}$,

∠ADE=∠CDE=45°,

$\overline{DE}$는 공통

이므로 △AED≡△CED(SAS 합동)

∴ ∠DCE=∠DAE=30°

따라서 △CED에서

∠BEC=∠CDE+∠DCE

$=45°+30°=75°$

08 Action △ADE와 △ABE는 이등변삼각형임을 이용한다.

△ADE는 $\overline{AD}=\overline{AE}$인 이등변삼각형이므로

∠DAE=$180°-2\times80°=20°$

∴ ∠BAE=$90°+20°=110°$

이때 △ABE는 $\overline{AB}=\overline{AE}$인 이등변삼각형이므로

∠ABE=$\frac{1}{2}\times(180°-110°)=35°$

09 Action △PBC는 정삼각형이고 △CDP는 이등변삼각형임을 이용한다.

△PBC는 정삼각형이므로 ∠PCB=60°

∴ ∠PCD=$90°-60°=30°$ ······ 30%

이때 $\overline{CP}=\overline{BC}$, $\overline{CD}=\overline{BC}$이므로

$\overline{CP}=\overline{CD}$

즉 △CDP는 이등변삼각형이므로

∠CDP=$\frac{1}{2}\times(180°-30°)=75°$ ······ 40%

∴ ∠ADP=∠ADC-∠CDP

$=90°-75°$

$=15°$ ······ 30%

10 Action 평행사변형이 정사각형이 되려면 직사각형이 되는 조건과 마름모가 되는 조건을 모두 만족해야 한다.

①, ③ 직사각형이 되는 조건
④, ⑤ 마름모가 되는 조건
따라서 평행사변형 ABCD가 정사각형이 되는 조건은 ②이다.

11 Action 점 D를 지나고 $\overline{AB}$에 평행한 직선을 그어 본다.

오른쪽 그림과 같이 점 D를 지나고 $\overline{AB}$에 평행한 직선이 $\overline{BC}$와 만나는 점을 E라 하면
$\angle DEC = \angle ABE = 60°$ (동위각)

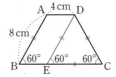

이때 $\angle DCE = \angle ABC = 60°$이므로 $\triangle DEC$는 정삼각형이다.
$\therefore \overline{EC} = \overline{DC} = \overline{AB} = 8$ cm
또 $\square ABED$는 평행사변형이므로 $\overline{BE} = \overline{AD} = 4$ cm
따라서 $\square ABCD$의 둘레의 길이는
$\overline{AB} + \overline{BC} + \overline{CD} + \overline{AD} = 8 + (4+8) + 8 + 4$
$= 32$ (cm)

🔊 **Lecture**

등변사다리꼴의 성질의 활용

(1)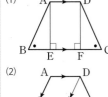
① $\triangle ABE \equiv \triangle DCF$
　(RHA 합동)
② $\square AEFD$는 직사각형이다.

(2)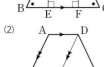
① $\square ABED$는 평행사변형이다.
② $\triangle DEC$는 이등변삼각형이다.
③ $\overline{AB} = \overline{DE} = \overline{DC}$

12 Action 꼭짓점 A에서 $\overline{BC}$에 내린 수선의 발을 F로 놓고 $\triangle ABF$와 $\triangle DCE$가 합동임을 이용한다.

오른쪽 그림과 같이 꼭짓점 A에서 $\overline{BC}$에 내린 수선의 발을 F라 하자.
$\triangle ABF$와 $\triangle DCE$에서
$\angle AFB = \angle DEC = 90°$,

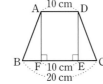

$\overline{AB} = \overline{DC}$, $\angle B = \angle C$
이므로 $\triangle ABF \equiv \triangle DCE$(RHA 합동)
$\therefore \overline{BF} = \overline{CE}$
이때 $\overline{FE} = \overline{AD} = 10$ cm이므로
$\overline{EC} = \frac{1}{2} \times (\overline{BC} - \overline{FE}) = \frac{1}{2} \times (20 - 10) = 5$ (cm)

13 Action 여러 가지 사각형의 뜻과 성질을 이용한다.

④ 직사각형에서 이웃하는 두 변의 길이가 같거나 두 대각선이 서로 수직이면 정사각형이 된다.
따라서 알맞은 조건이 아닌 것은 ④이다.

14 Action 여러 가지 사각형의 뜻과 성질을 이용한다.

㉠ $\overline{AC} = \overline{BD}$인 평행사변형 ABCD는 직사각형이다.
㉣ $\overline{AB} = \overline{BC}$인 평행사변형 ABCD는 마름모이다.
따라서 옳은 것은 ㉡, ㉢, ㉣이다.

15 Action 먼저 $\square EFGH$가 어떤 사각형인지 알아본다.

$\angle A + \angle B = 180°$이므로 $\angle EAB + \angle EBA = 90°$
$\triangle ABE$에서
$\angle AEB = 180° - (\angle EAB + \angle EBA) = 180° - 90° = 90°$
$\therefore \angle HEF = \angle AEB = 90°$(맞꼭지각)
같은 방법으로 $\angle EFG = \angle FGH = \angle GHE = 90°$이므로
$\square EFGH$는 직사각형이다.
④ 마름모 또는 정사각형의 성질이다.

16 Action $\overline{AE}$를 그은 후 $\triangle ACD$와 넓이가 같은 삼각형을 찾는다.

오른쪽 그림과 같이 $\overline{AE}$를 그으면
$\overline{AC} /\!/ \overline{DE}$이므로
$\triangle ACD = \triangle ACE$
$\therefore \square ABCD$

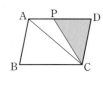

$= \triangle ABC + \triangle ACD$
$= \triangle ABC + \triangle ACE$
$= \triangle ABE$
$= \frac{1}{2} \times (14 + 6) \times 10$
$= 100$ (cm²)

17 Action $\triangle ACP : \triangle PCD = \overline{AP} : \overline{PD}$임을 이용한다.

오른쪽 그림과 같이 $\overline{AC}$를 그으면
$\triangle ACD = \frac{1}{2} \square ABCD$
$= \frac{1}{2} \times 60$
$= 30$ (cm²)

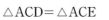

이때 $\triangle ACD$에서
$\triangle ACP : \triangle PCD = \overline{AP} : \overline{PD} = 2 : 3$이므로
$\triangle PCD = \frac{3}{2+3} \times \triangle ACD$
$= \frac{3}{5} \times 30 = 18$ (cm²)

18 Action $\overline{AD} /\!/ \overline{BC}, \overline{BD} /\!/ \overline{EF}$임을 이용하여 $\triangle DBF$와 넓이가 같은 삼각형을 찾는다.

오른쪽 그림과 같이 $\overline{DE}$를 그으면
$\overline{BD} /\!/ \overline{EF}$이므로
$\triangle DBF = \triangle DBE$
$\overline{AD} /\!/ \overline{BC}$이므로
$\triangle DBE = \triangle ABE$
$\therefore \triangle DBF = \triangle ABE = 20$ cm²

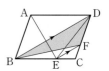

완성하기 ⓟ 37~ ⓟ 40

01 12 cm	**02** 55°	**03** 45°	**04** 1 : 4
05 66°	**06** 150°	**07** 60	**08** $\dfrac{96}{5}$
09 30°	**10** 100 cm²	**11** 45°	**12** 60°
13 120°	**14** 16 cm²	**15** 10 cm²	**16** 12 cm²

01 Action 직사각형의 두 대각선의 길이는 서로 같음을 이용한다.

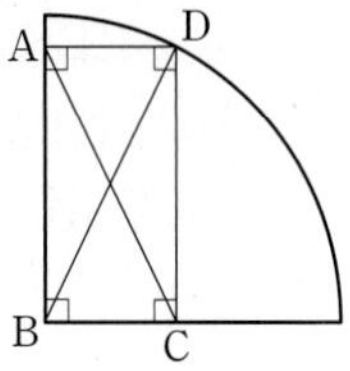

오른쪽 그림과 같이 $\overline{BD}$를 그으면 직사각형의 두 대각선의 길이는 서로 같으므로 $\overline{AC}=\overline{BD}$
이때 $\overline{BD}$는 사분원의 반지름의 길이이므로 $\overline{BD}=r$ cm라 하면
$\pi \times r^2 \times \dfrac{1}{4}=36\pi$ ∴ $r=12$ (∵ $r>0$)
∴ $\overline{AC}=\overline{BD}=12$ (cm)

02 Action △AFE는 이등변삼각형임을 이용한다.

$\overline{AD} \parallel \overline{BC}$이므로 ∠AEF=∠EFC(엇각)
또 ∠AFE=∠EFC(접은 각)이므로
∠AEF=∠AFE
따라서 △AFE는 $\overline{AF}=\overline{AE}$인 이등변삼각형이다.
이때 ∠EAF=∠D′AF−∠D′AE=90°−20°=70°이므로
∠AEF=$\dfrac{1}{2}\times(180°-70°)=55°$

03 Action $\overline{DQ}$를 그은 후 △PBQ≡△QCD(SAS 합동)임을 이용한다.

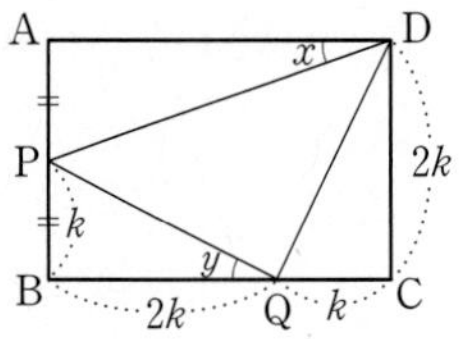

오른쪽 그림과 같이 $\overline{DQ}$를 긋고 $\overline{AB}=2k$라 하면
$\overline{AP}=\overline{BP}=k$
$\overline{AB} : \overline{BC}=2 : 3$이므로
$\overline{BC}=3k$
$\overline{BQ} : \overline{QC}=2 : 1$이므로
$\overline{BQ}=2k, \overline{QC}=k$
△PBQ와 △QCD에서
∠B=∠C=90°, $\overline{BQ}=\overline{CD}=2k$, $\overline{PB}=\overline{QC}=k$
∴ △PBQ≡△QCD(SAS 합동)
이때 $\overline{PQ}=\overline{QD}$, ∠QDC=∠PQB=∠$y$이므로
∠PQD=180°−(∠PQB+∠DQC)
=180°−(∠PQB+∠QPB)
=180°−90°=90°
즉 △PQD는 직각이등변삼각형이므로
∠PDQ=45°
따라서 ∠ADC=90°이므로 ∠x+45°+∠y=90°
∴ ∠x+∠y=45°

04 Action 직사각형은 평행사변형이고, 네 내각의 크기가 모두 90°이다.

$\overline{AD} \parallel \overline{BC}$이므로 ∠CPD=∠ADP(엇각)
이때 ∠ADP=∠CDP이므로 ∠CDP=∠CPD
즉 △CDP는 직각이등변삼각형이므로
$\overline{CP}=\overline{CD}=\overline{AB}=4$ cm
∴ △CDP=$\dfrac{1}{2}\times 4 \times 4=8$ (cm²)
$\overline{BP}=\overline{BC}-\overline{CP}=10-4=6$ (cm)이므로
□ABPD=$\dfrac{1}{2}\times(10+6)\times 4=32$ (cm²)
∴ △CDP : □ABPD=8 : 32=1 : 4

05 Action △ABP≡△ADQ(RHA 합동)임을 이용한다.

△ABP와 △ADQ에서
∠APB=∠AQD=90°,
$\overline{AB}=\overline{AD}$,
∠ABP=∠ADQ
이므로 △ABP≡△ADQ(RHA 합동) …… 40%
∴ $\overline{AP}=\overline{AQ}$, ∠DAQ=∠BAP=90°−48°=42°
□ABPD는 마름모이므로
∠BAD=180°−∠B=180°−48°=132°
∴ ∠PAQ=132°−(42°+42°)=48° …… 30%
△APQ는 $\overline{AP}=\overline{AQ}$인 이등변삼각형이므로
∠AQP=$\dfrac{1}{2}\times(180°-48°)=66°$ …… 30%

06 Action □ABCD는 마름모이고 △ABP는 정삼각형이므로 $\overline{AB}=\overline{BP}=\overline{AP}=\overline{BC}=\overline{CD}=\overline{AD}$이다.

△ABP는 정삼각형이므로
∠BAP=∠ABP=∠APB=60°
∴ ∠PAD=∠BAD−∠BAP=110°−60°=50°
이때 $\overline{AD}=\overline{AB}=\overline{AP}$이므로 △APD는 이등변삼각형이다.
∴ ∠APD=$\dfrac{1}{2}\times(180°-50°)=65°$
□ABCD는 마름모이므로
∠ABC=180°−∠BAD=180°−110°=70°
∴ ∠PBC=70°−60°=10°
이때 $\overline{BC}=\overline{AB}=\overline{BP}$이므로 △BCP는 이등변삼각형이다.
∴ ∠BPC=$\dfrac{1}{2}\times(180°-10°)=85°$
∴ ∠CPD=360°−(∠APD+∠APB+∠BPC)
=360°−(65°+60°+85°)=150°

07 Action △ABP : △APC=$\overline{BP} : \overline{PC}$임을 이용한다.

$\overline{AC} \perp \overline{BD}$이므로
□ABCD=$\dfrac{1}{2}\times\overline{BD}\times\overline{AC}=\dfrac{1}{2}\times 20 \times 16=160$
∴ △ABC=$\dfrac{1}{2}\times$□ABCD=$\dfrac{1}{2}\times 160=80$

이때 △ABC에서 $\overline{BP}:\overline{PC}=1:3$이므로

$\triangle ABP:\triangle APC=1:3$

$\therefore \triangle APC=\dfrac{3}{1+3}\times\triangle ABC=\dfrac{3}{4}\times80=60$

08 Action $\overline{PA},\overline{PB},\overline{PC},\overline{PD}$를 긋고

$\qquad \square ABCD=\triangle PAB+\triangle PBC+\triangle PCD+\triangle PDA$

임을 이용한다.

오른쪽 그림과 같이 $\overline{PA}$, $\overline{PB}$,
$\overline{PC}$, $\overline{PD}$를 긋고, 점 P에서 각
변에 내린 수선의 발을 각각 E,
F, G, H라 하자.

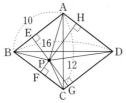

$\square ABCD$

$=\triangle PAB+\triangle PBC+\triangle PCD+\triangle PDA$

$=\dfrac{1}{2}\times10\times\overline{PE}+\dfrac{1}{2}\times10\times\overline{PF}$

$\qquad\qquad +\dfrac{1}{2}\times10\times\overline{PG}+\dfrac{1}{2}\times10\times\overline{PH}$

$=5(\overline{PE}+\overline{PF}+\overline{PG}+\overline{PH})$

이때 $\square ABCD$는 마름모이므로

$\square ABCD=\dfrac{1}{2}\times\overline{BD}\times\overline{AD}=\dfrac{1}{2}\times16\times12=96$

즉 $5(\overline{PE}+\overline{PF}+\overline{PG}+\overline{PH})=96$이므로

$\overline{PE}+\overline{PF}+\overline{PG}+\overline{PH}=\dfrac{96}{5}$

따라서 점 P에서 네 변에 이르는 거리의 합은 $\dfrac{96}{5}$이다.

09 Action $\triangle ABE\equiv\triangle CBE$(SAS 합동)임을 이용한다.

$\triangle ABF$에서

$\angle BAE=180°-(90°+30°)=60°$

$\triangle ABE$와 $\triangle CBE$에서

$\overline{AB}=\overline{CB}$,

$\angle ABE=\angle CBE=45°$,

$\overline{BE}$는 공통

이므로 $\triangle ABE\equiv\triangle CBE$(SAS 합동)

$\therefore \angle BCE=\angle BAE=60°$

$\triangle CEF$에서 $\angle BCE=\angle CEF+\angle F$이므로

$60°=\angle CEF+30°$ $\therefore \angle CEF=30°$

10 Action $\triangle AEO\equiv\triangle DFO$(ASA 합동)임을 이용한다.

$\triangle AEO$와 $\triangle DFO$에서

$\overline{OA}=\overline{OD}$,

$\angle OAE=\angle ODF=45°$,

$\angle EOA=90°-\angle AOF=\angle FOD$

이므로 $\triangle AEO\equiv\triangle DFO$(ASA 합동)

즉 $\overline{FD}=\overline{EA}=4$ cm이므로

$\overline{AD}=\overline{AF}+\overline{FD}=6+4=10$ (cm)

$\therefore \square ABCD=10\times10=100$ (cm²)

11 Action $\overline{AD}=\overline{DC}=\overline{DE}$이므로 $\triangle AED$와 $\triangle DCE$는 이등변삼
각형임을 이용한다.

$\overline{AD}=\overline{DC}=\overline{DE}$이므로 $\triangle AED$는 $\overline{DA}=\overline{DE}$인 이등변삼
각형이다.

$\angle DAE=\angle DEA=\angle a$라 하면

$\angle CDE=180°-(90°+\angle a+\angle a)=90°-2\angle a$

$\triangle DCE$는 $\overline{DC}=\overline{DE}$인 이등변삼각형이므로

$\angle DCE=\angle DEC=\angle a+\angle x$

$\triangle DCE$에서 $\angle CDE+\angle DCE+\angle DEC=180°$이므로

$(90°-2\angle a)+(\angle a+\angle x)+(\angle a+\angle x)=180°$

$90°+2\angle x=180°$ $\therefore \angle x=45°$

12 Action $\triangle ABP$와 합동인 $\triangle ADE$를 그려 본다.

오른쪽 그림과 같이 $\overline{CD}$의 연장선 위
에 $\overline{BP}=\overline{DE}$인 점을 E라 하자.

$\triangle ABP$와 $\triangle ADE$에서

$\overline{AB}=\overline{AD}$, $\overline{BP}=\overline{DE}$,

$\angle ABP=\angle ADE=90°$

$\therefore \triangle ABP\equiv\triangle ADE$(SAS 합동)

즉 $\overline{AP}=\overline{AE}$, $\angle PAB=\angle EAD$이므로

$\angle EAQ=\angle EAD+\angle DAQ$

$\qquad =\angle PAB+\angle DAQ$

$\qquad =90°-45°=45°$

$\triangle APQ$와 $\triangle AEQ$에서

$\overline{AP}=\overline{AE}$, $\overline{AQ}$는 공통,

$\angle PAQ=\angle EAQ=45°$

이므로 $\triangle APQ\equiv\triangle AEQ$(SAS 합동)

$\therefore \angle AQD=\angle AQP=180°-(45°+75°)=60°$

13 Action 점 A를 지나고 $\overline{DC}$와 평행한 선이 $\overline{BC}$와 만나는 점을 E로
놓는다.

점 A를 지나고 $\overline{DC}$와 평행한 선이 $\overline{BC}$와 만나는 점을 E라
하면 $\square AECD$는 평행사변형이므로

$\overline{AE}=\overline{DC}=\overline{AB}$

이때 $\overline{EC}=\overline{AD}$, $\overline{BC}=2\overline{AD}$이므로 $\overline{EC}=\overline{AD}=\overline{BE}$

$\therefore \overline{AB}=\overline{BE}=\overline{AE}$

즉 $\triangle ABE$는 정삼각형이므로 $\angle B=60°$

$\therefore \angle A=180°-\angle B=180°-60°=120°$

14 Action $\overline{AB}\,/\!/\,\overline{DC}$이므로 $\triangle ABD=\triangle DEC$임을 이용한다.

$\triangle ABD=\triangle AED+\triangle DEF+\triangle BFE$

$\qquad\quad =\triangle AED+\triangle DEF+10$

$\triangle DEC=\triangle DEF+\triangle CDF=\triangle DEF+26$

이때 $\triangle ABD=\triangle DEC$이므로

$\triangle AED+\triangle DEF+10=\triangle DEF+26$

$\therefore \triangle AED=26-10=16$ (cm²)

15 [Action] 높이가 같은 두 삼각형의 넓이의 비는 밑변의 길이의 비와 같음을 이용한다.

오른쪽 그림과 같이 $\overline{BD}$를 그으면 $\overline{AD} /\!/ \overline{BC}$이므로

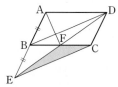

$$\triangle ABD = \triangle AFD$$
$$= 20 \text{ cm}^2$$

$\overline{AE} /\!/ \overline{DC}$, $\overline{AB} = \overline{BE}$이므로

$$\triangle BEC = \triangle BED = \triangle ABD = 20 \text{ cm}^2$$

$\triangle BEF$와 $\triangle CDF$에서

$\overline{BE} = \overline{AB} = \overline{CD}$,

$\angle BEF = \angle CDF$(엇각),

$\angle EBF = \angle DCF$(엇각)

$\therefore \triangle BEF \equiv \triangle CDF$(ASA 합동)

따라서 $\overline{BF} = \overline{CF}$이므로

$$\triangle FEC = \frac{1}{2} \triangle BEC = \frac{1}{2} \times 20 = 10 \text{ (cm}^2)$$

16 [Action] $\overline{BD}$를 그은 후 넓이가 같은 삼각형을 찾는다.

오른쪽 그림과 같이 $\overline{BD}$를 그으면 $\overline{AF} /\!/ \overline{BC}$이므로

$$\triangle DBF = \triangle DCF$$
$$\therefore \triangle DBE = \triangle DBF - \triangle DEF$$
$$= \triangle DCF - \triangle DEF$$
$$= \triangle CFE \qquad \cdots\cdots ㉠$$

또 $\overline{AB} /\!/ \overline{DC}$이므로 $\triangle AED = \triangle DBE \qquad \cdots\cdots ㉡$

㉠, ㉡에서 $\triangle AED = \triangle CFE = \triangle DBE$

이때 $\overline{DE} : \overline{EC} = 2 : 5$이므로

$$\triangle DBE = \frac{2}{2+5} \times \triangle BCD$$
$$= \frac{2}{7} \times \frac{1}{2} \square ABCD$$
$$= \frac{2}{7} \times \frac{1}{2} \times 42 = 6 \text{ (cm}^2)$$

따라서 색칠한 부분의 넓이는

$$\triangle AED + \triangle CFE = 2\triangle DBE = 2 \times 6 = 12 \text{ (cm}^2)$$

최고수준 뛰어넘기　　　　　　　　　　　Ⓟ41~Ⓟ42

01 45 cm² 　**02** $\dfrac{24}{5}$ 　**03** 11 cm 　**04** 20

05 9 　　　**06** 36 cm²

01 [Action] $\square EBFD$는 평행사변형임을 이용한다.

$\overline{EB} = \overline{DF}$, $\overline{EB} /\!/ \overline{DF}$이므로 $\square EBFD$는 평행사변형이다.

오른쪽 그림과 같이 $\overline{AC}$와 $\overline{BD}$의 교점을 O라 하자.

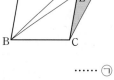

$\triangle OBH$와 $\triangle ODG$에서

$\overline{OB} = \overline{OD}$,

$\angle OBH = \angle ODG$(엇각),

$\angle BOH = \angle DOG$(맞꼭지각)

이므로 $\triangle OBH \equiv \triangle ODG$(ASA 합동)

$$\therefore \square EBHG = \square EBOG + \triangle OBH$$
$$= \square EBOG + \triangle ODG$$
$$= \triangle EBD = \frac{1}{2} \triangle ABD$$
$$= \frac{1}{2} \times \left(\frac{1}{2} \times 10 \times 18 \right)$$
$$= 45 \text{ (cm}^2)$$

02 [Action] $\square NQOP$는 직사각형이므로 $\overline{PQ} = \overline{NO}$임을 이용한다.

$\square NQOP$는 직사각형이므로 $\overline{PQ} = \overline{NO}$

$\overline{PQ}$의 길이가 가장 짧은 경우는 $\overline{NO}$의 길이가 가장 짧은 경우이므로 $\overline{NO} \perp \overline{AB}$일 때이다.

이때 $\triangle OAB = \frac{1}{2} \overline{OA} \times \overline{OB} = \frac{1}{2} \overline{AB} \times \overline{NO}$이므로

$$\frac{1}{2} \times 6 \times 8 = \frac{1}{2} \times 10 \times \overline{NO}$$
$$5\overline{NO} = 24 \qquad \therefore \overline{NO} = \frac{24}{5}$$

03 [Action] $\overline{DC}$의 연장선 위에 $\overline{CC'} = \overline{AE}$가 되도록 점 C'을 정하면 $\triangle ABE \equiv \triangle CBC'$(SAS 합동)임을 이용한다.

오른쪽 그림과 같이 $\overline{DC}$의 연장선 위에 $\overline{CC'} = \overline{AE}$가 되도록 점 C'을 잡으면

$\triangle ABE$와 $\triangle CBC'$에서

$\overline{AB} = \overline{CB}$,

$\angle BAE = \angle BCC' = 90°$,

$\overline{AE} = \overline{CC'}$

이므로 $\triangle ABE \equiv \triangle CBC'$(SAS 합동)

$\therefore \angle ABE = \angle CBC'$, $\angle AEB = \angle CC'B$

$\angle AEB = \angle EBC$(엇각)이므로

$$\angle EBC = \angle CC'B \qquad \cdots\cdots ㉠$$

이때

$$\angle FBC' = \angle FBC + \angle CBC'$$
$$= \angle FBC + \angle EBF$$
$$= \angle EBC \qquad \cdots\cdots ㉡$$

㉠, ㉡에서 $\angle FBC' = \angle CC'B$이므로 $\triangle FBC'$은 이등변삼각형이다.

$$\therefore \overline{BF} = \overline{FC'} = \overline{CF} + \overline{CC'} = 3 + 8 = 11 \text{ (cm)}$$

04 Action □ABCD를 점 B를 중심으로 하여 시계 반대 방향으로 90°만큼 회전시킨다.

오른쪽 그림과 같이 □ABCD를 점 B를 중심으로 하여 시계 반대 방향으로 90°만큼 회전시키면

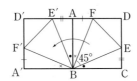

$\angle E'BF = \angle E'BA + \angle ABF$
$\qquad = \angle EBC + \angle ABF$
$\qquad = 90° - 45° = 45°$

$\triangle E'BF$와 $\triangle EBF$에서
$\overline{E'B} = \overline{EB}$,
$\angle E'BF = \angle EBF = 45°$,
$\overline{BF}$는 공통
$\therefore \triangle E'BF \equiv \triangle EBF$ (SAS 합동)
따라서 $\overline{E'F} = \overline{EF}$이므로
($\triangle DFE$의 둘레의 길이) $= \overline{DF} + \overline{FE} + \overline{ED}$
$\qquad = \overline{DF} + \overline{FE'} + \overline{E'D'}$
$\qquad = \overline{D'D} = 2\overline{AD}$
$\qquad = 2 \times 10 = 20$

05 Action 점 D를 지나고 $\overline{AC}$와 평행한 직선이 $\overline{BC}$의 연장선과 만나는 점을 E로 놓고 □ACED는 평행사변형임을 이용한다.

오른쪽 그림과 같이 점 D를 지나고 $\overline{AC}$와 평행한 직선이 $\overline{BC}$의 연장선과 만나는 점을 E라 하자.

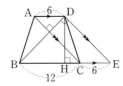

$\overline{AC} /\!/ \overline{DE}$이므로 $\angle BDE = 90°$
□ACED는 평행사변형이므로
$\overline{CE} = \overline{AD} = 6$, $\overline{AC} = \overline{DE}$
□ABCD는 등변사다리꼴이므로 $\overline{AC} = \overline{DB}$
$\therefore \overline{DB} = \overline{DE}$
즉 $\triangle DBE$는 직각이등변삼각형이다.
이때 $\overline{BE} \perp \overline{DH}$이므로 $\overline{BH} = \overline{EH}$
따라서 점 H는 직각이등변삼각형 DBE의 외심이므로
$\overline{DH} = \overline{BH} = \overline{EH} = \frac{1}{2}\overline{BE} = \frac{1}{2}(\overline{BC} + \overline{CE})$
$\qquad = \frac{1}{2} \times (12 + 6) = 9$

06 Action $\triangle SBT$와 $\triangle STD$의 높이를 각각 a cm, b cm라 한 후 $\triangle SBD$의 넓이를 구한다.

$\triangle SBT$와 $\triangle STD$의 높이를 각각 a cm, b cm라 하면
$\overline{ST} = \frac{1}{3}\overline{PQ}$이므로
$\triangle SBT = \frac{1}{2}\overline{ST} \times a = \frac{1}{2} \times \frac{1}{3}\overline{PQ} \times a = \frac{\overline{PQ}}{6} \times a$
$\triangle STD = \frac{1}{2}\overline{ST} \times b = \frac{1}{2} \times \frac{1}{3}\overline{PQ} \times b = \frac{\overline{PQ}}{6} \times b$

$\therefore \triangle SBD = \triangle SBT + \triangle STD$
$\qquad = \frac{\overline{PQ}}{6} \times a + \frac{\overline{PQ}}{6} \times b$
$\qquad = \frac{\overline{PQ}}{6}(a+b)$
$\qquad = \frac{1}{6}\square ABCD$
$\qquad = \frac{1}{6} \times 216$
$\qquad = 36 \, (\text{cm}^2)$

교과서 속 **창의 사고력** ● 43– ● 44

> **01** $(0, -3), (-2, 1), (2, 3)$
> **02** 24 **03** 55°
> **04** (1) $\triangle OCH$, ASA 합동 (2) 풀이 참조 (3) 36 cm²

01 Action 평행사변형은 두 쌍의 대변이 각각 평행하고, 그 길이가 각각 같음을 이용한다.

(i) 오른쪽 [그림 1]과 같이 □ADCB가 평행사변형이 되도록 점 D를 잡으면
$\triangle AHD \equiv \triangle BOC$ (RHA 합동)
$\therefore \overline{HD} = \overline{OC} = 1$, $\overline{AH} = \overline{BO} = 2$
따라서 점 D의 좌표는 $(0, -3)$이다.

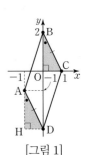

[그림 1]

(ii) (i)과 같은 방법으로 [그림 2], [그림 3]에서 □ACBD, □ACDB가 각각 평행사변형이 되도록 하는 점 D의 좌표는 각각 $(-2, 1), (2, 3)$이다.

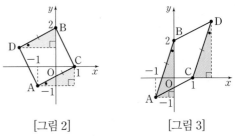

[그림 2]　　　[그림 3]

(i), (ii)에서 가능한 점 D의 좌표는 $(0, -3), (-2, 1), (2, 3)$이다.

02 Action 높이가 같은 두 삼각형의 넓이의 비는 밑변의 길이의 비와 같음을 이용한다.

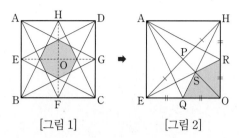

[그림 1]   [그림 2]

위의 [그림 1]과 같이 $\overline{EG}$와 $\overline{HF}$의 교점을 O라 하면
□AEOH, □EBFO, □OFCG, □HOGD는 모두 합동인 정사각형이다.

□AEOH를 확대한 [그림 2]에서 두 대각선의 교점을 P라 하고 $\overline{EO}$와 $\overline{AF}$, $\overline{HO}$와 $\overline{AG}$, $\overline{ED}$와 $\overline{HB}$의 교점을 각각 Q, R, S라 하면

$$□SQOR = \frac{1}{4} \times 4 = 1$$

△SHE에서 $\overline{EP} = \overline{PH}$이므로
△SPE = △SHP
△SEO에서 $\overline{EQ} = \overline{QO}$이므로
△SEQ = △SQO
△SOH에서 $\overline{OR} = \overline{RH}$이므로
△SOR = △SRH
△SQO와 △SRO에서
$\overline{OS}$는 공통,
∠SOQ = ∠SOR = 45°,
$\overline{OQ} = \overline{OR}$
이므로 △SQO ≡ △SRO(SAS 합동)
∴ △SEQ = △SQO = △SOR = △SRH
△HEO에서 △HEQ = △HQO이므로
△SHE + △SEQ = △SQO + △SOR + △SRH
2△SHP + △SQO = 3△SQO

2△SHP = 2△SQO   ∴ △SHP = △SQO
∴ △SHP = △SPE = △SEQ = △SQO
     = △SOR = △SRH
□AEOH = 2△HEO = 2 × 3□SQOR
      = 6□SQOR = 6 × 1 = 6
∴ □ABCD = 4□AEOH = 4 × 6 = 24

03 Action □ABCD는 마름모이므로 $\overline{AB} /\!/ \overline{DC}$이다.

△CEP는 직각삼각형이므로
∠ECP = 180° − (90° + 35°) = 55°
∴ ∠ACD = ∠ECP = 55°(맞꼭지각)
이때 $\overline{AB} /\!/ \overline{DC}$이므로
∠x = ∠ACD = 55°(엇각)

04 Action 먼저 합동인 두 삼각형을 찾는다.

(1) △ODI와 △OCH에서
    $\overline{OD} = \overline{OC}$,
    ∠ODI = ∠OCH = 45°,
    ∠DOI = 90° − ∠COI = ∠COH
    ∴ △ODI ≡ △OCH(ASA 합동)

(2) 겹쳐진 부분 중 △OCH는 △ODI와 서로 합동이므로
    □OHCI = △OCH + △OCI
          = △ODI + △OCI
          = △OCD
    따라서 두 정사각형의 겹쳐진 모양과 상관없이 겹쳐진 부분의 넓이는 △OCD의 넓이와 같으므로 항상 일정하다.

(3) (겹쳐진 부분의 넓이) = △OCD
$$= \frac{1}{4}□ABCD$$
$$= \frac{1}{4} \times 12 \times 12$$
$$= 36 \, (cm^2)$$

Ⅲ. 도형의 닮음

1. 도형의 닮음

P 47- **P** 49

01 ①, ④	**02** (1) 3 : 2 (2) 9 cm (3) 82°		**03** 60 cm
04 ⑤	**05** 2 : 3	**06** 9 cm	**07** ①
08 9 cm	**09** $\dfrac{7}{3}$ cm	**10** 9	**11** $\dfrac{14}{3}$ cm
12 5	**13** $\dfrac{14}{3}$	**14** 9 cm	**15** $\dfrac{15}{8}$
16 52 cm²	**17** 40 cm²	**18** $\dfrac{24}{5}$ cm	

01 Action 닮음의 성질을 이해한다.
① 중심각의 크기가 같지 않으면 두 부채꼴은 닮은 도형이 아니다.
④ 한 내각의 크기가 같아도 이웃하는 두 변의 길이의 비가 같지 않으면 두 평행사변형은 닮은 도형이 아니다.
따라서 항상 닮은 도형이라고 할 수 없는 것은 ①, ④이다.

02 Action 닮음의 성질을 이해한다.
(1) □ABCD와 □A′B′C′D′의 닮음비는
$\overline{BC} : \overline{B'C'} = 12 : 8 = 3 : 2$
(2) $\overline{AB} : \overline{A'B'} = 3 : 2$에서 $\overline{AB} : 6 = 3 : 2$
$2\overline{AB} = 18$ ∴ $\overline{AB} = 9$ (cm)
(3) $\angle D = \angle D' = 82°$

03 Action 닮음비를 이용하여 □EFGH의 둘레의 길이를 구한다.
□ABCD와 □EFGH의 닮음비가 2 : 3이므로
$\overline{AD} : \overline{EH} = 2 : 3$에서 $6 : \overline{EH} = 2 : 3$
$2\overline{EH} = 18$ ∴ $\overline{EH} = 9$ (cm)
$\overline{AB} : \overline{EF} = 2 : 3$에서 $10 : \overline{EF} = 2 : 3$
$2\overline{EF} = 30$ ∴ $\overline{EF} = 15$ (cm)
$\overline{BC} : \overline{FG} = 2 : 3$에서 $12 : \overline{FG} = 2 : 3$
$2\overline{FG} = 36$ ∴ $\overline{FG} = 18$ (cm)
따라서 □EFGH의 둘레의 길이는
$9 + 15 + 18 + 18 = 60$ (cm)

04 Action 입체도형에서 닮음의 성질을 이해한다.
② 닮음비는 $\overline{FG} : \overline{F'G'} = 6 : 12 = 1 : 2$
④ $\overline{DH} = \overline{BF} = 4$이고, 두 사각기둥의 닮음비가 1 : 2이므로
$\overline{DH} : \overline{D'H'} = 1 : 2$에서 $4 : \overline{D'H'} = 1 : 2$
∴ $\overline{D'H'} = 8$

⑤ 두 사각기둥의 닮음비가 1 : 2이므로
$\overline{GH} : \overline{G'H'} = 1 : 2$에서 $3 : \overline{G'H'} = 1 : 2$
∴ $\overline{G'H'} = 6$
따라서 옳지 않은 것은 ⑤이다.

05 Action 닮음인 두 원기둥의 닮음비는 두 원기둥의 높이의 비와 같다.
두 원기둥의 닮음비는 $6 : 9 = 2 : 3$이므로 두 원기둥의 밑면의 둘레의 길이의 비는 2 : 3이다.

06 Action 원뿔 모양의 그릇과 물이 채워진 부분은 서로 닮은 도형임을 이용한다.
원뿔 모양의 그릇과 물이 채워진 부분은 서로 닮은 도형이고
닮음비는 $1 : \dfrac{3}{4} = 4 : 3$이다.
수면의 반지름의 길이를 r cm라 하면
$12 : r = 4 : 3$
$4r = 36$ ∴ $r = 9$
따라서 수면의 반지름의 길이는 9 cm이다.

♪》 Lecture
닮음인 두 원기둥 또는 두 원뿔의 닮음비
닮음인 두 원기둥 또는 두 원뿔의 닮음비는 다음과 같다.
① 밑면의 반지름의 길이의 비
② 밑면의 둘레의 길이의 비
③ 높이의 비
④ 모선의 길이의 비

07 Action 삼각형의 닮음 조건을 이용한다.
① △ABC에서 $\angle A = 76°$이면
$\angle C = 180° - (42° + 76°) = 62°$
따라서 $\angle B = \angle E = 42°$, $\angle C = \angle F = 62°$이므로
△ABC ∽ △DEF (AA 닮음)

08 Action △ABC ∽ △DAC (AA 닮음)임을 이용한다.
△ABC와 △DAC에서
$\angle B = \angle DAC$,
$\angle C$는 공통
∴ △ABC ∽ △DAC (AA 닮음)
즉 $\overline{AB} : \overline{DA} = \overline{BC} : \overline{AC}$이므로
$8 : 6 = 12 : \overline{AC}$
$8\overline{AC} = 72$ ∴ $\overline{AC} = 9$ (cm)

09 Action △ABC ∽ △AED (AA 닮음)임을 이용한다.
△ABC와 △AED에서
$\angle C = \angle ADE$,
$\angle A$는 공통
∴ △ABC ∽ △AED (AA 닮음)

즉 $\overline{AB}:\overline{AE}=\overline{AC}:\overline{AD}$이므로 $8:3=\overline{AC}:2$

$3\overline{AC}=16$ $\therefore \overline{AC}=\dfrac{16}{3}$ (cm)

$\therefore \overline{EC}=\overline{AC}-\overline{AE}=\dfrac{16}{3}-3=\dfrac{7}{3}$ (cm)

10 `Action` $\triangle ABC \backsim \triangle EBD$(SAS 닮음)임을 이용한다.

$\triangle ABC$와 $\triangle EBD$에서

$\angle B$는 공통

$\overline{AB}:\overline{EB}=(6+6):8=3:2$

$\overline{BC}:\overline{BD}=(8+1):6=3:2$

$\therefore \triangle ABC \backsim \triangle EBD$(SAS 닮음)

즉 $\overline{AC}:\overline{ED}=3:2$이므로 $\overline{AC}:6=3:2$

$2\overline{AC}=18$ $\therefore \overline{AC}=9$

11 `Action` $\triangle AFD \backsim \triangle EFB$(AA 닮음)임을 이용한다.

$\triangle AFD$와 $\triangle EFB$에서

$\angle AFD=\angle EFB$(맞꼭지각)

$\overline{AD}/\!/\overline{BC}$이므로 $\angle ADF=\angle EBF$(엇각)

$\therefore \triangle AFD \backsim \triangle EFB$(AA 닮음)

$\overline{BF}=x$ cm라 하면 $\overline{DF}=(10-x)$ cm

이때 $\overline{AD}:\overline{EB}=\overline{DF}:\overline{BF}$이므로 $8:7=(10-x):x$

$8x=70-7x,\ 15x=70$ $\therefore x=\dfrac{14}{3}$

$\therefore \overline{BF}=\dfrac{14}{3}$ cm

12 `Action` $\triangle FDA \backsim \triangle FEB$(AA 닮음)임을 이용한다.

$\triangle FDA$와 $\triangle FEB$에서

$\angle F$는 공통

$\overline{AD}/\!/\overline{BC}$이므로 $\angle FDA=\angle FEB$(동위각)

$\therefore \triangle FDA \backsim \triangle FEB$(AA 닮음)

즉 $\overline{FA}:\overline{FB}=\overline{AD}:\overline{BE}$이므로 $12:7=12:\overline{BE}$

$12\overline{BE}=84$ $\therefore \overline{BE}=7$

$\square ABCD$는 평행사변형이므로 $\overline{BC}=\overline{AD}=12$

$\therefore \overline{CE}=\overline{BC}-\overline{BE}=12-7=5$

13 `Action` $\triangle BDE \backsim \triangle CEF$(AA 닮음)임을 이용한다.

$\triangle ABC$는 정삼각형이므로

$\overline{AB}=\overline{BC}=\overline{AC}=\overline{AF}+\overline{FC}=\overline{EF}+\overline{FC}$

$\quad =7+3=10$

$\therefore \overline{BE}=\overline{BC}-\overline{EC}=10-8=2$ 30%

$\triangle BDE$와 $\triangle CEF$에서

$\angle B=\angle C=60°$

$\angle BDE+\angle BED=120°,\ \angle BED+\angle CEF=120°$이므로

$\angle BDE=\angle CEF$

$\therefore \triangle BDE \backsim \triangle CEF$(AA 닮음) 40%

즉 $\overline{DE}:\overline{EF}=\overline{BE}:\overline{CF}$이므로 $\overline{DE}:7=2:3$

$3\overline{DE}=14$ $\therefore \overline{DE}=\dfrac{14}{3}$

$\therefore \overline{AD}=\overline{DE}=\dfrac{14}{3}$ 30%

14 `Action` $\triangle ADC \backsim \triangle BDF$(AA 닮음)임을 이용한다.

$\triangle ADC$와 $\triangle BDF$에서

$\angle ADC=\angle BDF=90°$

$\angle CAD=90°-\angle AFE=90°-\angle BFD=\angle FBD$

$\therefore \triangle ADC \backsim \triangle BDF$(AA 닮음)

즉 $\overline{AD}:\overline{BD}=\overline{DC}:\overline{DF}$이므로 $\overline{AD}:6=6:3$

$3\overline{AD}=36$ $\therefore \overline{AD}=12$ (cm)

$\therefore \overline{AF}=\overline{AD}-\overline{FD}=12-3=9$ (cm)

15 `Action` $\triangle PBQ \backsim \triangle DBE$(AA 닮음)임을 이용한다.

$\overline{AD}/\!/\overline{BC}$이므로 $\angle PDB=\angle DBC$(엇각)

이때 $\angle PBD=\angle DBC$(접은 각)이므로

$\angle PBD=\angle PDB$

따라서 $\triangle PBD$는 이등변삼각형이므로

$\overline{BQ}=\dfrac{1}{2}\overline{BD}=\dfrac{1}{2}\times 5=\dfrac{5}{2}$

$\triangle PBQ$와 $\triangle DBE$에서

$\angle BQP=\angle BED=90°,$

$\angle PBQ=\angle DBE$

$\therefore \triangle PBQ \backsim \triangle DBE$(AA 닮음)

즉 $\overline{PQ}:\overline{DE}=\overline{BQ}:\overline{BE}$이므로 $\overline{PQ}:3=\dfrac{5}{2}:4$

$4\overline{PQ}=\dfrac{15}{2}$ $\therefore \overline{PQ}=\dfrac{15}{8}$

16 `Action` $\overline{AD}^2=\overline{BD}\times\overline{CD},\ \overline{AC}^2=\overline{CD}\times\overline{CB}$임을 이용한다.

$\overline{AD}^2=\overline{BD}\times\overline{CD}$에서 $6^2=9\times\overline{CD}$

$9\overline{CD}=36$ $\therefore \overline{CD}=4$ (cm)

$\therefore \overline{AC}^2=\overline{CD}\times\overline{CB}=4\times(4+9)=52$

따라서 $\square ACFE$의 넓이는 $52\ \text{cm}^2$이다.

17 `Action` $\overline{AH}^2=\overline{BH}\times\overline{DH}$임을 이용하여 $\overline{AH}$의 길이를 구한다.

$\triangle ABD$에서

$\overline{AH}^2=\overline{BH}\times\overline{DH}=2\times 8=16$이므로

$\overline{AH}=4$ (cm)$(\because \overline{AH}>0)$

$\therefore \square ABCD=2\triangle ABD=2\times\left(\dfrac{1}{2}\times 10\times 4\right)=40\ (\text{cm}^2)$

18 `Action` 점 M은 $\triangle ABC$의 외심임을 이용한다.

점 M은 $\triangle ABC$의 외심이므로

$\overline{AM}=\overline{BM}=\overline{CM}=\dfrac{1}{2}\overline{BC}$

$\quad =\dfrac{1}{2}\times 15=\dfrac{15}{2}$ (cm) 30%

△ABC에서

$\overline{AD}^2=\overline{BD}\times\overline{CD}=12\times3=36$이므로

$\overline{AD}=6\,(cm)\,(\because\overline{AD}>0)$ ······ 40%

또 △AMD에서 $\overline{AD}^2=\overline{AH}\times\overline{AM}$이므로

$6^2=\overline{AH}\times\dfrac{15}{2}$ $\therefore\overline{AH}=\dfrac{24}{5}\,(cm)$ ······ 30%

최고수준 완성하기 ⓟ 50– ⓟ 52

01 5 : 2	**02** 56 cm	**03** 4 : 6 : 9	**04** 36
05 45°	**06** 2 cm	**07** ⑤	**08** 2 : 3
09 252	**10** 36	**11** 9 : 16	**12** $\dfrac{16}{5}$ cm

01 Action 닮음인 두 원의 닮음비는 두 원의 반지름의 길이의 비와 같음을 이용한다.

△ABC는 직각삼각형이므로 외접원 O의 반지름의 길이를 R라 하면

$R=\dfrac{1}{2}\overline{AC}=\dfrac{1}{2}\times30=15$

내접원 I의 반지름의 길이를 r라 하면

$\dfrac{1}{2}\times18\times24=\dfrac{1}{2}r\times(18+24+30)$

$36r=216$ $\therefore r=6$

따라서 두 원 O, I의 닮음비는

$R:r=15:6=5:2$

02 Action 세 삼각형 ABC, CBE, ADF가 서로 닮은 도형임을 이용하여 $\overline{CE}$, $\overline{AB}$, $\overline{DF}$, $\overline{BE}$의 길이를 각각 구한다.

△CBE∽△ADF이므로 $\overline{CE}:\overline{AF}=\overline{CB}:\overline{AD}$

$\overline{CE}:10=18:12$, $12\overline{CE}=180$

$\therefore\overline{CE}=15\,(cm)$

△ABC∽△ADF이므로 $\overline{AB}:\overline{AD}=\overline{AC}:\overline{AF}$

$\overline{AB}:12=30:10$, $10\overline{AB}=360$

$\therefore\overline{AB}=36\,(cm)$

또 $\overline{BC}:\overline{DF}=\overline{AC}:\overline{AF}$이므로 $18:\overline{DF}=30:10$

$30\overline{DF}=180$ $\therefore\overline{DF}=6\,(cm)$

△ABC∽△CBE이므로 $\overline{BC}:\overline{BE}=\overline{AB}:\overline{CB}$

$18:\overline{BE}=36:18$, $36\overline{BE}=324$

$\therefore\overline{BE}=9\,(cm)$

$\therefore\overline{EF}=\overline{AB}-(\overline{AF}+\overline{BE})=36-(10+9)=17\,(cm)$

따라서 □CDFE의 둘레의 길이는

$18+6+17+15=56\,(cm)$

03 Action 세 점 P, Q, R의 y좌표를 각각 a,b,c로 놓고 x좌표를 각각 a,b,c를 이용하여 나타낸다.

세 점 P, Q, R의 y좌표를 각각 a,b,c라 하면 x좌표는 각각 $2a-4, 2b-4, 2c-4$이다.

정사각형 A의 한 변의 길이는 a이므로

$(2b-4)-(2a-4)=a$

$2b=3a$ $\therefore a=\dfrac{2}{3}b$

정사각형 B의 한 변의 길이는 b이므로

$(2c-4)-(2b-4)=b$

$2c=3b$ $\therefore c=\dfrac{3}{2}b$

따라서 세 정사각형 A, B, C의 닮음비는

$a:b:c=\dfrac{2}{3}b:b:\dfrac{3}{2}b=4:6:9$

04 Action $\overline{CD}=x$, $\overline{CB}=y$로 놓고 △ABC∽△BDC임을 이용하여 x,y의 값을 각각 구한다.

$\overline{CD}=x$, $\overline{CB}=y$라 하면 △ABC∽△BDC이므로

$\overline{AB}:\overline{BD}=\overline{BC}:\overline{DC}$에서 $8:6=y:x$

$6y=8x$ $\therefore y=\dfrac{4}{3}x$ ······ ㉠

$\overline{AB}:\overline{BD}=\overline{AC}:\overline{BC}$에서 $8:6=(x+7):y$

$6(x+7)=8y$ $\therefore y=\dfrac{3}{4}(x+7)$ ······ ㉡

㉠, ㉡을 연립하여 풀면

$x=9, y=12$

따라서 △ABC의 둘레의 길이는

$8+12+(7+9)=36$

05 Action △ACD∽△BCE(SAS 닮음)임을 이용한다.

△ABC∽△DEC이므로

$\overline{AC}:\overline{DC}=\overline{BC}:\overline{EC}$,

$\angle ACB=\angle DCE$

즉 △ACD와 △BCE에서

$\overline{AC}:\overline{BC}=\overline{CD}:\overline{CE}$ ······ ㉠

$\angle ACD=\angle ACE+\angle DCE$

$\qquad=\angle ACE+\angle ACB$

$\qquad=\angle BCE$ ······ ㉡

㉠, ㉡에서 △ACD∽△BCE(SAS 닮음)

$\therefore\angle CAD=\angle CBE$

이때 $\angle ABC=\angle DEC=180°-(35°+65°)=80°$이므로

$\angle CAD=\angle CBE=\angle ABC-\angle ABE$

$\qquad=80°-35°=45°$

06 `Action` △APE≡△ACE, △CEM∽△CPB임을 이용한다.

오른쪽 그림과 같이 $\overline{CE}$의 연장
선이 $\overline{AB}$와 만나는 점을 P라 하
자.

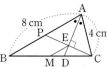

△APE와 △ACE에서
∠PAE=∠CAE,
$\overline{AE}$는 공통,
∠AEP=∠AEC=90°
∴ △APE≡△ACE(ASA 합동) ····· 20%
즉 $\overline{AP}=\overline{AC}$=4 cm이므로
$\overline{PB}=\overline{AB}-\overline{AP}$=8-4=4 (cm) ····· 30%
△CEM과 △CPB에서
∠ECM=∠PCB
$\overline{CE}:\overline{CP}=\overline{CM}:\overline{CB}$=1:2
∴ △CEM∽△CPB(SAS 닮음) ····· 20%
즉 $\overline{EM}:\overline{PB}$=1:2이므로 $\overline{EM}$:4=1:2
$2\overline{EM}$=4 ∴ $\overline{EM}$=2 (cm) ····· 30%

07 `Action` △ABE∽△ACD(AA 닮음)임을 이용하여 △ABC와
닮음인 삼각형을 찾는다.

△ABE∽△ACD(AA 닮음)이므로
$\overline{AB}:\overline{AC}=\overline{AE}:\overline{AD}$ ······ ㉠
△ABC와 △AED에서
$\overline{AB}:\overline{AE}=\overline{AC}:\overline{AD}$(∵ ㉠)
∠BAC=∠BAE+∠EAF
     =∠CAD+∠EAF
     =∠EAD
∴ △ABC∽△AED(SAS 닮음)
따라서 △ABC와 닮은 도형인 것은 ⑤이다.

08 `Action` △ABC∽△ADE, △EFD∽△BDC임을 이용한다.

△ABC와 △ADE에서
∠A는 공통,
∠ACB=∠AED(동위각)
이므로 △ABC∽△ADE(AA 닮음)
∴ $\overline{BC}:\overline{DE}=\overline{AC}:\overline{AE}$=(2+1):2=3:2 ······ ㉠
△EFD와 △BDC에서
∠FED=∠FCB(동위각), ∠FCB=∠DBC이므로
∠FED=∠DBC ······ ㉡
∠EDC=∠BCD(엇각), ∠EDC=∠EDF이므로
∠EDF=∠BCD ······ ㉢
㉡, ㉢에서 △EFD∽△BDC(AA 닮음)
∴ $\overline{EF}:\overline{BD}=\overline{DE}:\overline{CB}$=2:3(∵ ㉠)
이때 $\overline{CE}=\overline{BD}$이므로
$\overline{EF}:\overline{CE}=\overline{EF}:\overline{BD}$=2:3

09 `Action` △DEB∽△ADC, △AED∽△ADB임을 이용한다.

△ABC는 정삼각형이므로 $\overline{AB}=\overline{AC}=\overline{BC}$=12+6=18
△DEB와 △ADC에서
∠B=∠C=60°,
∠BED=180°-60°-∠BDE=∠CDA
∴ △DEB∽△ADC(AA 닮음)
즉 $\overline{BE}:\overline{CD}=\overline{DB}:\overline{AC}$이므로 $\overline{BE}$:6=12:18
$18\overline{BE}$=72 ∴ $\overline{BE}$=4
∴ $\overline{AE}=\overline{AB}-\overline{BE}$=18-4=14
△AED와 △ADB에서
∠ADE=∠ABD=60°, ∠EAD=∠DAB
∴ △AED∽△ADB(AA 닮음)
즉 $\overline{AE}:\overline{AD}=\overline{AD}:\overline{AB}$이므로 14:$\overline{AD}=\overline{AD}$:18
∴ $\overline{AD}^2$=252

10 `Action` △FCD=$\frac{1}{2}\times\overline{DF}\times\overline{CE}$이므로 $\overline{DF}$의 길이를 구한다.

▱ABCD는 평행사변형이므로 $\overline{AD}=\overline{BC}$=6
△FEB와 △FDA에서
∠BFE=∠AFD(맞꼭지각),
∠EBF=∠DAF(엇각)
∴ △FEB∽△FDA(AA 닮음)
즉 $\overline{EF}:\overline{DF}=\overline{BE}:\overline{AD}$이므로 3:$\overline{DF}$=2:6
$2\overline{DF}$=18 ∴ $\overline{DF}$=9
∴ △FCD=$\frac{1}{2}\times\overline{DF}\times\overline{CE}=\frac{1}{2}\times9\times(2+6)$=36

11 `Action` △ABD:△ADC=$\overline{BD}:\overline{CD}$임을 이용한다.

△ABD와 △CAD에서
∠ADB=∠CDA=90°,
∠ABD=90°-∠BAD=∠CAD
∴ △ABD∽△CAD(AA 닮음)
즉 $\overline{BD}:\overline{AD}=\overline{AB}:\overline{CA}$=9:12=3:4이므로
$\overline{BD}=3a, \overline{AD}=4a(a>0)$라 하자.
이때 △ABC에서 $\overline{AD}^2=\overline{BD}\times\overline{CD}$이므로
$(4a)^2=3a\times\overline{CD}$ ∴ $\overline{CD}=\frac{16}{3}a$
∴ △ABD:△ADC=$\overline{BD}:\overline{CD}$
               =$3a:\frac{16}{3}a$
               =9:16

12 `Action` △EBF∽△FCD(AA 닮음)을 이용한다.

$\overline{BF}=\overline{BC}-\overline{FC}$=10-6=4 (cm)
△EBF와 △FCD에서
∠EBF=∠FCD=90°,
∠FEB=90°-∠BFE=∠DFC
∴ △EBF∽△FCD(AA 닮음) ····· 30%

즉 $\overline{BE}:\overline{CF}=\overline{BF}:\overline{CD}$이므로 $\overline{BE}:6=4:8$

$8\overline{BE}=24$ $\therefore \overline{BE}=3\,(\text{cm})$ …… 30%

$\therefore \overline{EF}=\overline{AE}=\overline{AB}-\overline{BE}=8-3=5\,(\text{cm})$ …… 20%

$\triangle EBF$에서 $\overline{BF}^2=\overline{FH}\times\overline{FE}$이므로

$4^2=\overline{FH}\times5$ $\therefore \overline{FH}=\dfrac{16}{5}\,(\text{cm})$ …… 20%

$\triangle APB$와 $\triangle EDC$에서

$\angle APB=\angle EDC$,

$\angle ABP=180°-\angle ABC=180°-\angle DCB=\angle ECD$

$\therefore \triangle APB\backsim\triangle EDC\,(\text{AA 닮음})$ …… ㉠

즉 $\overline{BP}:\overline{CD}=\overline{AB}:\overline{EC}$이므로 $4:\overline{CD}=\overline{AB}:\overline{EC}$

$\therefore \overline{AB}\times\overline{CD}=4\overline{EC}$

$\triangle APB$와 $\triangle EPD$에서

$\angle P$는 공통,

$\angle PAB=\angle PED\,(\because ㉠)$

$\therefore \triangle APB\backsim\triangle EPD\,(\text{AA 닮음})$

즉 $\overline{PA}:\overline{PE}=\overline{PB}:\overline{PD}$이므로 $6:(8+\overline{EC})=4:10$

$4(8+\overline{EC})=60,\ 32+4\overline{EC}=60$

$4\overline{EC}=28$ $\therefore \overline{EC}=7$

$\therefore \overline{AB}\times\overline{CD}=4\overline{EC}=4\times7=28$

최고수준 뛰어넘기   ⓟ 53~ ⓟ 54

01 $1:8$	**02** 28	**03** $3\,\text{cm}$	**04** $144\,\text{cm}^2$
05 $\dfrac{8}{3}$	**06** $\dfrac{1}{5}$		

01 **Action** $\triangle BCD\backsim\triangle DEC(\text{AA 닮음})$임을 이용한다.

$\overline{AB}:\overline{BC}=1:3$이므로 $\overline{AB}=a\,(a>0)$라 하면

$\overline{BC}=3a$

$\triangle BCD$와 $\triangle DEC$에서

$\angle ABC=\angle BCD$, $\angle ABC=\angle DEC$(동위각)이므로

$\angle BCD=\angle DEC$ …… ㉠

$\overline{BD}=\overline{BC}$이므로 $\angle BDC=\angle DCE$ …… ㉡

㉠, ㉡에서 $\triangle BCD\backsim\triangle DEC\,(\text{AA 닮음})$

$\therefore \overline{BC}:\overline{DE}=\overline{CD}:\overline{EC}$

이때 $\triangle DEC$에서 $\angle DEC=\angle DCE$이므로

$\overline{DE}=\overline{CD}=\overline{AB}=a$

$\overline{BC}:\overline{DE}=\overline{CD}:\overline{EC}$에서 $3a:a=a:\overline{EC}$

$3a\overline{EC}=a^2$ $\therefore \overline{EC}=\dfrac{a}{3}$

$\therefore \overline{EC}:\overline{BE}=\dfrac{a}{3}:\left(3a-\dfrac{a}{3}\right)=\dfrac{a}{3}:\dfrac{8}{3}a=1:8$

02 **Action** $\angle CDE=\angle P$가 되도록 $\overline{PC}$의 연장선 위에 점 E를 잡으면 $\triangle APB\backsim\triangle EDC$, $\triangle APB\backsim\triangle EPD$임을 이용한다.

다음 그림과 같이 $\angle CDE=\angle P$가 되도록 $\overline{PC}$의 연장선 위에 점 E를 잡자.

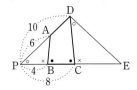

03 **Action** $\triangle ABE\backsim\triangle AQF$, $\triangle AEP\backsim\triangle AFD$임을 이용한다.

$\triangle ABE$와 $\triangle AQF$에서

$\angle ABE=\angle AQF=90°$,

$\angle BAE=45°-\angle EAP=\angle QAF$

이므로 $\triangle ABE\backsim\triangle AQF\,(\text{AA 닮음})$

$\therefore \overline{AB}:\overline{AQ}=\overline{AE}:\overline{AF}$ …… ㉠

$\triangle AEP$와 $\triangle AFD$에서

$\angle APE=\angle ADF=90°$,

$\angle EAP=45°-\angle PAF=\angle FAD$

이므로 $\triangle AEP\backsim\triangle AFD\,(\text{AA 닮음})$

$\therefore \overline{AE}:\overline{AF}=\overline{AP}:\overline{AD}$ …… ㉡

㉠, ㉡에서 $\overline{AB}:\overline{AQ}=\overline{AP}:\overline{AD}$이므로

$\overline{AB}:\overline{AQ}=6:\overline{AD}$ $\therefore \overline{AB}\times\overline{AD}=6\overline{AQ}$

이때 $\square ABCD=\overline{AB}\times\overline{AD}=54\,\text{cm}^2$이므로

$54=6\overline{AQ}$ $\therefore \overline{AQ}=9\,(\text{cm})$

$\therefore \overline{PQ}=\overline{AQ}-\overline{AP}=9-6=3\,(\text{cm})$

04 **Action** 두 사다리꼴 BCEF와 BCGD의 높이가 같음을 이용한다.

$\triangle ADE$와 $\triangle BDF$에서

$\angle ADE=\angle BDF$(맞꼭지각),

$\angle DAE=\angle DBF$(엇각)

$\therefore \triangle ADE\backsim\triangle BDF\,(\text{AA 닮음})$

즉 $\overline{AD}:\overline{BD}=\overline{AE}:\overline{BF}$이므로 $6:\overline{BD}=4:\overline{BF}$

$4\overline{BD}=6\overline{BF}$ $\therefore \overline{BD}=\dfrac{3}{2}\overline{BF}$

$\triangle ADE$와 $\triangle CGE$에서

$\angle AED=\angle CEG$(맞꼭지각),

$\angle DAE=\angle GCE$(엇각)

$\therefore \triangle ADE\backsim\triangle CGE\,(\text{AA 닮음})$

즉 $\overline{AD}:\overline{CG}=\overline{AE}:\overline{CE}$이므로 $6:\overline{CG}=4:\overline{CE}$

$4\overline{CG}=6\overline{CE}$ $\therefore \overline{CG}=\dfrac{3}{2}\overline{CE}$

이때 오른쪽 그림과 같이 두 점 B, C에서 $\overline{AC}$, $\overline{AB}$에 내린 수선의 발을 각각 P, Q라 하자.

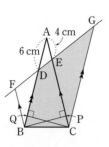

$\triangle ABP$와 $\triangle ACQ$에서

$\angle APB = \angle AQC = 90°$,

$\overline{AB} = \overline{AC}$,

$\angle A$는 공통

이므로 $\triangle ABP \equiv ACQ$ (RHA 합동)

$\therefore \overline{BP} = \overline{CQ}$

즉 사다리꼴 BCEF의 높이인 $\overline{BP}$의 길이와 사다리꼴 BCGD의 높이인 $\overline{CQ}$의 길이가 같으므로 $\overline{BP} = \overline{CQ} = h$ cm 라 하면

$$\square BCGD = \frac{1}{2}(\overline{BD} + \overline{CG})h$$
$$= \frac{1}{2}\left(\frac{3}{2}\overline{BF} + \frac{3}{2}\overline{CE}\right)h$$
$$= \frac{3}{2} \times \frac{1}{2}(\overline{BF} + \overline{CE})h$$
$$= \frac{3}{2}\square BCEF$$
$$= \frac{3}{2} \times 96$$
$$= 144 \ (\text{cm}^2)$$

05 [Action] 점 G에서 $\overline{CD}$에 내린 수선의 발을 J라 하면 $\triangle AHG \circ \triangle GJF$(AA 닮음)임을 이용한다.

$\overline{BE} = \overline{CF} = \overline{DF} = \frac{1}{2}\overline{AB} = \frac{1}{2} \times 8 = 4$

$\overline{BC} = a$, $\overline{BH} = x$, $\overline{BI} = y$라 하면

$\square ABCD \circ \square BCFE$이므로

$\overline{BC} : \overline{CF} = \overline{AB} : \overline{BC}$에서 $a : 4 = 8 : a$

$\therefore a^2 = 32$ ...... ㉠

이때 오른쪽 그림과 같이 점 G에서 $\overline{CD}$에 내린 수선의 발을 J라 하자.

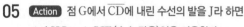

$\triangle AHG$와 $\triangle GJF$에서

$\angle AHG = \angle GJF = 90°$,

$\angle HAG = 90° - \angle HGA$
$\qquad = \angle JGF$

$\therefore \triangle AHG \circ \triangle GJF$ (AA 닮음)

즉 $\overline{HG} : \overline{JF} = \overline{AG} : \overline{GF}$이므로 $y : (4-x) = a : 4$

$4y = 4a - ax \quad \therefore y = a - \frac{a}{4}x$ ...... ㉡

또 $\overline{AH} : \overline{GJ} = \overline{AG} : \overline{GF}$에서 $(8-x):(a-y) = a:4$

$\therefore 32 - 4x = a^2 - ay$ ...... ㉢

㉡을 ㉢에 대입하면

$32 - 4x = a^2 - a\left(a - \frac{a}{4}x\right)$

$32 - 4x = \frac{a^2}{4}x$

위의 식에 ㉠을 대입하면 $32 - 4x = 8x$

$-12x = -32 \quad \therefore x = \frac{8}{3}$

$\therefore \overline{BH} = x = \frac{8}{3}$

06 [Action] $\triangle ABH$의 내접원의 반지름의 길이와 $\triangle AHC$의 내접원의 반지름의 길이를 각각 구한다.

$\overline{AB}^2 = \overline{BH} \times \overline{BC}$이므로 $4^2 = \overline{BH} \times 5$

$5\overline{BH} = 16 \quad \therefore \overline{BH} = \frac{16}{5}$

$\therefore \overline{CH} = \overline{BC} - \overline{BH} = 5 - \frac{16}{5} = \frac{9}{5}$

또 $\triangle ABC$에서

$\frac{1}{2} \times \overline{AB} \times \overline{AC} = \frac{1}{2} \times \overline{BC} \times \overline{AH}$이므로

$\frac{1}{2} \times 4 \times 3 = \frac{1}{2} \times 5 \times \overline{AH} \quad \therefore \overline{AH} = \frac{12}{5}$

이때 다음 그림과 같이 $\triangle ABH$와 $\triangle AHC$의 내접원의 반지름의 길이를 각각 R, r라 하자.

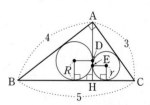

$\triangle ABH$에서

$\frac{1}{2} \times \overline{BH} \times \overline{AH} = \frac{1}{2}R \times (\overline{AB} + \overline{BH} + \overline{AH})$이므로

$\frac{1}{2} \times \frac{16}{5} \times \frac{12}{5} = \frac{1}{2}R \times \left(4 + \frac{16}{5} + \frac{12}{5}\right)$

$\frac{24}{5}R = \frac{96}{25} \quad \therefore R = \frac{4}{5}$

또 $\triangle AHC$에서

$\frac{1}{2} \times \overline{CH} \times \overline{AH} = \frac{1}{2}r \times (\overline{AH} + \overline{CH} + \overline{CA})$이므로

$\frac{1}{2} \times \frac{9}{5} \times \frac{12}{5} = \frac{1}{2}r \times \left(\frac{12}{5} + \frac{9}{5} + 3\right)$

$\frac{18}{5}r = \frac{54}{25} \quad \therefore r = \frac{3}{5}$

$\therefore \overline{DE} = R - r = \frac{4}{5} - \frac{3}{5} = \frac{1}{5}$

✎ Lecture

삼각형의 내심의 활용

오른쪽 그림에서 점 I가 $\triangle ABC$의 내심일 때,

$\triangle ABC = \frac{1}{2}r(a+b+c)$

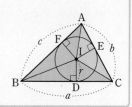

2. 닮음의 활용(1)

P 56- **P** 58

01 $x=15, y=12$	**02** 6 cm	**03** $\dfrac{18}{5}$
04 ㉠, ㉢	**05** 10 cm	**06** $\dfrac{15}{2}$ cm	**07** 5 cm
08 7 cm	**09** 48 cm	**10** $\dfrac{40}{9}$ cm	**11** 20 cm²
12 $\dfrac{36}{5}$	**13** 24	**14** 50	**15** 22 cm
16 6 cm	**17** 12 cm	**18** 8 cm

01 Action $\overline{BC} /\!/ \overline{GF}$이므로 $\overline{AB}:\overline{AF}=\overline{BC}:\overline{GF}$, $\overline{AB} /\!/ \overline{DE}$이므로
$\overline{CE}:\overline{CB}=\overline{DE}:\overline{AB}$임을 이용한다.

$\overline{BC} /\!/ \overline{GF}$이므로 $x:6=(4+16):8$
$8x=120$ ∴ $x=15$
$\overline{AB} /\!/ \overline{DE}$이므로 $16:(16+4)=y:15$
$20y=240$ ∴ $y=12$

02 Action $\overline{BC} /\!/ \overline{DE}$이므로 $\overline{DP}:\overline{BQ}=\overline{PE}:\overline{QC}$임을 이용한다.
$\overline{DP}:8=9:12$이므로 $12\overline{DP}=72$
∴ $\overline{DP}=6$ (cm)

> **Lecture**
> **삼각형에서 평행선과 선분의 길이의 비**
> △ABC에서 $\overline{BC} /\!/ \overline{DE}$일 때
> △ABQ에서
> $\overline{DP}:\overline{BQ}=\overline{AF}:\overline{AQ}$
> △AGC에서
> $\overline{AP}:\overline{AQ}=\overline{PE}:\overline{QC}$
> ∴ $\overline{DP}:\overline{BQ}=\overline{PE}:\overline{QC}$

03 Action $\overline{AC} /\!/ \overline{ED}$이므로 $\overline{BE}:\overline{EA}=\overline{BD}:\overline{DC}$, $\overline{AD} /\!/ \overline{EF}$이므로
$\overline{BF}:\overline{FD}=\overline{BE}:\overline{EA}$임을 이용한다.
$\overline{AC} /\!/ \overline{ED}$이므로
$\overline{BE}:\overline{EA}=\overline{BD}:\overline{DC}=6:4=3:2$
$\overline{AD} /\!/ \overline{EF}$이므로
$\overline{BF}:\overline{FD}=\overline{BE}:\overline{EA}=3:2$
∴ $\overline{BF}=\dfrac{3}{3+2}\times\overline{BD}=\dfrac{3}{5}\times6=\dfrac{18}{5}$

04 Action $\overline{AD}:\overline{DB}=\overline{AE}:\overline{EC}$이면 $\overline{BC} /\!/ \overline{DE}$임을 이용한다.
㉠ $\overline{AD}:\overline{DB}=3:4.5=2:3$
$\overline{AE}:\overline{EC}=2:3$
즉 $\overline{AD}:\overline{DB}=\overline{AE}:\overline{EC}$이므로
$\overline{BC} /\!/ \overline{DE}$

㉢ △ADE와 △ABC에서
$\overline{AD}:\overline{AB}=\overline{AE}:\overline{AC}=2:5$, ∠A는 공통
∴ △ADE∽△ABC(SAS 닮음)

05 Action $\overline{AD}=\overline{DB}$, $\overline{DE} /\!/ \overline{BC}$이므로 $\overline{BC}=2\overline{DE}$임을 이용한다.
$\overline{AD}=\overline{DB}$, $\overline{DE} /\!/ \overline{BC}$이므로
$\overline{BC}=2\overline{DE}=2\times10=20$ (cm)
이때 □DBFE는 평행사변형이므로
$\overline{BF}=\overline{DE}=10$ cm
∴ $\overline{CF}=\overline{BC}-\overline{BF}=20-10=10$ (cm)

> **Lecture**
> **삼각형의 두 변의 중점을 연결한 선분**
> △ABC에서
> $\overline{AM}=\overline{MB}$, $\overline{MN} /\!/ \overline{BC}$이면
> $\overline{AN}=\overline{NC}$, $\overline{MN}=\dfrac{1}{2}\overline{BC}$
>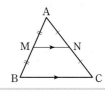

06 Action △BCF에서 $\overline{BD}=\overline{CD}$, $\overline{BF} /\!/ \overline{DG}$이므로 $\overline{BF}=2\overline{DG}$임을
이용한다.
△BCF에서 $\overline{BF}=2\overline{DG}=2\times5=10$ (cm)
△ADG에서 $\overline{EF}=\dfrac{1}{2}\overline{DG}=\dfrac{1}{2}\times5=\dfrac{5}{2}$ (cm)
∴ $\overline{BE}=\overline{BF}-\overline{EF}=10-\dfrac{5}{2}=\dfrac{15}{2}$ (cm)

07 Action $\overline{FD}=2\overline{EG}$, $\overline{EC}=2\overline{FD}$임을 이용한다.
△AFD에서 $\overline{AE}:\overline{EF}=\overline{AG}:\overline{GD}$이므로
$\overline{EG} /\!/ \overline{FD}$ ······ 30%
$\overline{EG}=x$ cm라 하면 $\overline{FD}=2\overline{EG}=2x$ (cm)
△BCE에서 $\overline{EC}=2\overline{FD}=2\times2x=4x$ (cm)
∴ $\overline{CG}=\overline{EC}-\overline{EG}=4x-x=3x$ (cm)
이때 $\overline{CG}=15$ cm이므로 $3x=15$ ∴ $x=5$ ······ 50%
∴ $\overline{EG}=5$ cm ······ 20%

08 Action 점 A를 지나고 $\overline{BC}$와 평행한 직선을 그은 후 삼각형의 합동
을 이용한다.
오른쪽 그림과 같이 점 A를 지나고
$\overline{BC}$와 평행한 직선이 $\overline{DE}$와 만나는
점을 F라 하자.
△DBE에서
$\overline{AF}=\dfrac{1}{2}\overline{BE}=\dfrac{1}{2}\times14=7$ (cm)
△AMF와 △CME에서
∠AMF=∠CME(맞꼭지각), $\overline{AM}=\overline{CM}$,
∠MAF=∠MCE(엇각)
이므로 △AMF≡△CME(ASA 합동)
∴ $\overline{CE}=\overline{AF}=7$ cm

09 **Action** $\overline{AB}, \overline{BC}, \overline{CA}$의 길이를 각각 $\overline{IG}, \overline{GH}, \overline{HI}$의 식으로 나타내
본다.

$\overline{AB}=2\overline{FE}=2\times2\overline{IG}=4\overline{IG}$

$\overline{BC}=2\overline{DF}=2\times2\overline{GH}=4\overline{GH}$

$\overline{CA}=2\overline{ED}=2\times2\overline{HI}=4\overline{HI}$

따라서 $\triangle ABC$의 둘레의 길이는

$$\overline{AB}+\overline{BC}+\overline{CA}=4\overline{IG}+4\overline{GH}+4\overline{HI}$$
$$=4(\overline{IG}+\overline{GH}+\overline{HI})$$
$$=4\times(\triangle GHI\text{의 둘레의 길이})$$
$$=4\times12=48\,(\text{cm})$$

10 **Action** $\overline{AB}:\overline{AC}=\overline{BD}:\overline{CD}$임을 이용한다.

$\overline{AB}:\overline{AC}=\overline{BD}:\overline{CD}$이므로

$\overline{BD}:\overline{CD}=8:10=4:5$

이때 $\overline{AB}/\!/\overline{ED}$이므로 $\overline{CD}:\overline{CB}=\overline{DE}:\overline{AB}$

$5:(5+4)=\overline{DE}:8$ $\therefore \overline{DE}=\dfrac{40}{9}\,(\text{cm})$

11 **Action** $\triangle ABD:\triangle ACD=\overline{BD}:\overline{CD}$임을 이용한다.

$\overline{AB}:\overline{AC}=\overline{BD}:\overline{CD}$이므로

$\overline{BD}:\overline{CD}=6:10=3:5$

즉 $\triangle ABD:\triangle ACD=\overline{BD}:\overline{CD}=3:5$이므로

$12:\triangle ACD=3:5, 3\triangle ACD=60$

$\therefore \triangle ACD=20\,(\text{cm}^2)$

12 **Action** $\overline{AC}:\overline{AB}=\overline{CD}:\overline{BD}$임을 이용한다.

$\overline{AC}:\overline{AB}=\overline{CD}:\overline{BD}$이므로

$\overline{AC}:9=(10+8):10, \overline{AC}:9=18:10$

$10\overline{AC}=162$ $\therefore \overline{AC}=\dfrac{81}{5}$

이때 $\overline{AD}/\!/\overline{EB}$이므로 $\overline{CE}:\overline{AC}=\overline{CB}:\overline{DC}$

$\overline{CE}:\dfrac{81}{5}=8:(10+8), \overline{CE}:\dfrac{81}{5}=8:18$

$18\overline{CE}=\dfrac{648}{5}$ $\therefore \overline{CE}=\dfrac{36}{5}$

13 **Action** $\overline{AB}:\overline{AC}=\overline{BD}:\overline{CD}, \overline{AB}:\overline{AC}=\overline{BE}:\overline{CE}$임을 이용한다.

$\overline{BD}:\overline{CD}=\overline{AB}:\overline{AC}=12:8=3:2$이므로

$\overline{CD}=\dfrac{2}{3+2}\times\overline{BC}=\dfrac{2}{5}\times10=4$ 30%

$\overline{CE}=x$라 하면 $\overline{AB}:\overline{AC}=\overline{BE}:\overline{CE}$이므로

$12:8=(10+x):x$

$80+8x=12x$ $\therefore x=20$ 40%

$\therefore \overline{DE}=\overline{CD}+\overline{CE}=4+20=24$ 30%

14 **Action** 평행선 사이의 선분의 길이의 비를 이용한다.

$q/\!/r/\!/s$이므로 $y:6=6:10$

$10y=36$ $\therefore y=3.6$

$p/\!/q/\!/r$이므로 $x:y=5:6$

$x:3.6=5:6, 6x=18$ $\therefore x=3$

$p/\!/r/\!/s$이므로 $(5+6):10=12.1:z$

$11:10=12.1:z, 11z=121$ $\therefore z=11$

$\therefore x+10y+z=3+10\times3.6+11$
$$=3+36+11=50$$

15 **Action** 점 A를 지나고 $\overline{DC}$와 평행한 직선이 $\overline{EF}, \overline{BC}$와 만나는 점을 각각 G, H로 놓는다.

$\overline{AE}=3\overline{EB}$이므로 $\overline{AE}:\overline{EB}=3:1$

$\therefore \overline{AE}:\overline{AB}=3:(3+1)=3:4$

오른쪽 그림과 같이 점 A를 지나고 $\overline{DC}$와 평행한 직선이 $\overline{EF}, \overline{BC}$와 만나는 점을 각각 G, H라 하면

$\overline{GF}=\overline{HC}=\overline{AD}=16\,\text{cm}$

$\therefore \overline{BH}=\overline{BC}-\overline{HC}$
$$=24-16$$
$$=8\,(\text{cm})$$

$\triangle ABH$에서 $\overline{EG}/\!/\overline{BH}$이므로 $\overline{EG}:\overline{BH}=\overline{AE}:\overline{AB}$

$\overline{EG}:8=3:4, 4\overline{EG}=24$

$\therefore \overline{EG}=6\,(\text{cm})$

$\therefore \overline{EF}=\overline{EG}+\overline{GF}=6+16=22\,(\text{cm})$

16 **Action** $\triangle ABC$에서 $\overline{EN}$의 길이를 구하고, $\triangle ABD$에서 $\overline{EM}$의 길이를 구한다.

$\overline{AE}:\overline{AB}=3:(3+2)=3:5$이고

$\triangle ABC$에서 $\overline{EN}/\!/\overline{BC}$이므로 $\overline{EN}:\overline{BC}=\overline{AE}:\overline{AB}$

$\overline{EN}:20=3:5$ $\therefore \overline{EN}=12\,(\text{cm})$

또 $\overline{BE}:\overline{BA}=2:(2+3)=2:5$이고

$\triangle ABD$에서 $\overline{EM}/\!/\overline{AD}$이므로 $\overline{EM}:\overline{AD}=\overline{BE}:\overline{BA}$

$\overline{EM}:15=2:5$ $\therefore \overline{EM}=6\,(\text{cm})$

$\therefore \overline{MN}=\overline{EN}-\overline{EM}=12-6=6\,(\text{cm})$

17 **Action** $\overline{AC}$와 $\overline{MN}$이 만나는 점을 E로 놓고 문제를 해결한다.

오른쪽 그림과 같이 $\overline{AC}$와 $\overline{MN}$이 만나는 점을 E라 하자.

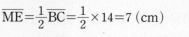

$\triangle ABC$에서

$\overline{ME}=\dfrac{1}{2}\overline{BC}=\dfrac{1}{2}\times14=7\,(\text{cm})$

$\triangle ACD$에서

$\overline{EN}=\dfrac{1}{2}\overline{AD}=\dfrac{1}{2}\times10=5\,(\text{cm})$

$\therefore \overline{MN}=\overline{ME}+\overline{EN}=7+5=12\,(\text{cm})$

18 Action 평행선 사이의 선분의 길이의 비를 이용한다.

$\overline{AB} // \overline{DC}$이므로

$\overline{PC} : \overline{PA} = \overline{DC} : \overline{AB} = 6 : 12 = 1 : 2$

이때 $\overline{AM} = \overline{MP}$이므로

$\overline{AM} : \overline{MP} : \overline{PC} = 1 : 1 : 1$ ...... ㉠

$\overline{PQ} // \overline{AB}$이므로

$\overline{CQ} : \overline{QB} = \overline{CP} : \overline{PA} = 1 : 2$

이때 $\overline{BN} = \overline{NQ}$이므로

$\overline{BN} : \overline{NQ} : \overline{QC} = 1 : 1 : 1$ ...... ㉡

㉠, ㉡에서 $\overline{CM} : \overline{CA} = \overline{CN} : \overline{CB} = 2 : 3$

즉 △CAB에서 $\overline{MN} // \overline{AB}$이므로

$\overline{CM} : \overline{CA} = \overline{MN} : \overline{AB}$

$2 : 3 = \overline{MN} : 12$ ∴ $\overline{MN} = 8$ (cm)

최고수준 **완성하기** ❷ 59~ ❷ 61

01 $\frac{45}{8}$ cm	02 15 cm	03 10 cm	04 $\frac{80}{3}$ cm
05 7 cm	06 3	07 $\frac{18}{5}$	08 $\frac{45}{8}$
09 $\frac{8}{3}$ cm	10 6 cm	11 $\frac{592}{5}$ cm²	12 18 cm²

---

01 Action △ABE에서 $\overline{GF} : \overline{AE} = \overline{BF} : \overline{BE}$임을 이용한다.

$\overline{AD} = \overline{BC} = 15$ cm이고, $\overline{AE} : \overline{DE} = 3 : 2$이므로

$\overline{AE} = \frac{3}{3+2} \times \overline{AD} = \frac{3}{5} \times 15 = 9$ (cm)

이때 $\overline{AE} // \overline{BC}$이므로 $\overline{FB} : \overline{FE} = \overline{BC} : \overline{AE} = 15 : 9 = 5 : 3$

∴ $\overline{BF} : \overline{BE} = 5 : (5+3) = 5 : 8$

△ABE에서 $\overline{GF} // \overline{AE}$이므로 $\overline{GF} : \overline{AE} = \overline{BF} : \overline{BE}$

$\overline{GF} : 9 = 5 : 8$ ∴ $\overline{GF} = \frac{45}{8}$ (cm)

---

02 Action 점 D를 지나고 $\overline{BC}$와 평행한 직선이 $\overline{AC}$와 만나는 점을 E로 놓는다.

오른쪽 그림과 같이 점 D를 지나고 $\overline{BC}$와 평행한 직선이 $\overline{AC}$와 만나는 점을 E라 하면

∠CDE = ∠BCD = 60°(엇각)

즉 △CED는 정삼각형이므로

$\overline{CE} = \overline{DE} = \overline{CD} = 6$ cm

△ABC에서 $\overline{DE} // \overline{BC}$이므로 $\overline{AE} : \overline{AC} = \overline{DE} : \overline{BC}$

$(\overline{AC} - 6) : \overline{AC} = 6 : 10$, $10\overline{AC} - 60 = 6\overline{AC}$

∴ $\overline{AC} = 15$ (cm)

---

03 Action 점 E를 지나고 $\overline{BC}$와 평행한 직선이 $\overline{AD}$와 만나는 점을 Q로 놓는다.

오른쪽 그림과 같이 점 E를 지나고 $\overline{BC}$와 평행한 직선이 $\overline{AD}$와 만나는 점을 Q라 하고, $\overline{EQ} = a$ cm라 하면 △ADC에서 $\overline{EQ} // \overline{CD}$이므로 $\overline{EQ} : \overline{CD} = \overline{AE} : \overline{AC}$

$a : \overline{CD} = 3 : (3+7)$

$3\overline{CD} = 10a$ ∴ $\overline{CD} = \frac{10}{3}a$ (cm) 30%

$\overline{BD} : \overline{CD} = 3 : 4$이므로 $\overline{BD} : \frac{10}{3}a = 3 : 4$

$4\overline{BD} = 10a$ ∴ $\overline{BD} = \frac{5}{2}a$ (cm) 20%

이때 $\overline{QE} // \overline{BD}$이므로

$\overline{BP} : \overline{EP} = \overline{BD} : \overline{EQ} = \frac{5}{2}a : a = 5 : 2$ 20%

∴ $\overline{BP} = \frac{5}{5+2} \times \overline{BE} = \frac{5}{7} \times 14 = 10$ (cm) 30%

---

04 Action 정사면체의 전개도를 이용한다.

$\overline{EC} = \overline{BC} - \overline{BE} = 30 - 6 = 24$ (cm)

정사면체 ABCD의 전개도의 일부를 나타내면 오른쪽 그림과 같다.

△B'BE에서 $\overline{AG} // \overline{BE}$, $\overline{B'A} = \overline{AB}$이므로

$\overline{AG} = \frac{1}{2}\overline{BE} = \frac{1}{2} \times 6 = 3$ (cm)

이때 $\overline{AG} // \overline{EC}$이므로

$\overline{CF} : \overline{AF} = \overline{CE} : \overline{AG} = 24 : 3 = 8 : 1$

∴ $\overline{CF} = \frac{8}{8+1} \times \overline{AC} = \frac{8}{9} \times 30 = \frac{80}{3}$ (cm)

---

05 Action 점 C를 지나고 $\overline{AD}$와 평행한 직선이 $\overline{BE}$의 연장선과 만나는 점을 H로 놓는다.

오른쪽 그림과 같이 점 C를 지나고 $\overline{AD}$와 평행한 직선이 $\overline{BE}$의 연장선과 만나는 점을 H라 하자.

△BCH에서 $\overline{EF} // \overline{HC}$이므로

$\overline{BE} : \overline{EH} = \overline{BF} : \overline{FC}$

$14 : \overline{EH} = 8 : 4$ ∴ $\overline{EH} = 7$ (cm)

이때 ∠BAD = ∠AEG = ∠AHC(동위각),

∠DAG = ∠AGE = ∠ACH(엇각), ∠BAD = ∠DAG이

므로 △AGE, △ACH는 이등변삼각형이다.

따라서 $\overline{AE} = \overline{AG}$, $\overline{AH} = \overline{AC}$이므로

$\overline{CG} = \overline{AC} - \overline{AG} = \overline{AH} - \overline{AE} = \overline{EH} = 7$ cm

06 Action $\overline{BD}$는 ∠B의 이등분선이다.

점 I는 △ABC의 내심이므로 $\overline{BD}$는 ∠B의 이등분선이다.

즉 $\overline{CD}:\overline{AD}=\overline{BC}:\overline{BA}=12:9=4:3$이므로

$$\overline{AD}=\frac{3}{4+3}\times\overline{AC}=\frac{3}{7}\times7=3$$

오른쪽 그림과 같이 $\overline{AI}$를 그으면 $\overline{AI}$는 ∠A의 이등분선이므로

△ABD에서

$\overline{BI}:\overline{DI}=\overline{AB}:\overline{AD}$

$\quad\quad\quad\quad=9:3$

$\quad\quad\quad\quad=3:1$

△DBC에서 $\overline{IE}\,/\!/\,\overline{BC}$이므로 $\overline{DI}:\overline{DB}=\overline{IE}:\overline{BC}$

$1:(1+3)=\overline{IE}:12$ ∴ $\overline{IE}=3$

07 Action △ABD∽△HBE(AA 닮음)임을 이용한다.

$\overline{BD}$가 ∠B의 이등분선이므로

$\overline{AD}:\overline{CD}=\overline{BA}:\overline{BC}=6:10=3:5$

∴ $\overline{AD}=\frac{3}{3+5}\times\overline{AC}=\frac{3}{8}\times8=3$

∴ $\triangle ABD=\frac{1}{2}\times\overline{AB}\times\overline{AD}$

$\quad\quad\quad\quad=\frac{1}{2}\times6\times3=9$

△ABC에서

$\overline{AB}^2=\overline{BH}\times\overline{BC}$이므로 $6^2=\overline{BH}\times10$

∴ $\overline{BH}=\frac{18}{5}$

△ABD와 △HBE에서

∠ABD=∠HBE,

∠BAD=∠BHE=90°

∴ △ABD∽△HBE(AA 닮음)

즉 $\overline{BD}:\overline{BE}=\overline{AB}:\overline{HB}=6:\frac{18}{5}=5:3$이므로

$\overline{BE}:\overline{ED}=3:(5-3)=3:2$

∴ $\triangle AED=\frac{2}{3+2}\times\triangle ABD$

$\quad\quad\quad\quad=\frac{2}{5}\times9=\frac{18}{5}$

08 Action $\overline{AD}$는 ∠A의 이등분선이고 $\overline{BE}$는 ∠B의 이등분선이다.

점 I는 △ABC의 내심이므로 $\overline{AD}$, $\overline{BE}$는 각각 ∠A, ∠B의 이등분선이다.

$\overline{AB}:\overline{AC}=\overline{BD}:\overline{CD}$이므로 $8:\overline{AC}=4:6$

$4\overline{AC}=48$ ∴ $\overline{AC}=12$ (cm)

$\overline{CE}:\overline{AE}=\overline{BC}:\overline{BA}=(4+6):8=5:4$이므로

$\triangle ABE=\frac{4}{5+4}\times\triangle ABC=\frac{4}{9}\triangle ABC$

$\overline{AE}=\frac{4}{5+4}\times\overline{AC}=\frac{4}{9}\times12=\frac{16}{3}$ (cm)

△ABE에서

$\overline{BI}:\overline{EI}=\overline{AB}:\overline{AE}=8:\frac{16}{3}=3:2$이므로

$\triangle AIE=\frac{2}{3+2}\times\triangle ABE=\frac{2}{5}\times\frac{4}{9}\triangle ABC$

$\quad\quad\quad\quad=\frac{8}{45}\triangle ABC$

∴ $\dfrac{\triangle ABC}{\triangle AIE}=\dfrac{45}{8}$

09 Action △ABD에서 $\overline{BE}$는 ∠ABD의 이등분선임을 이용한다.

△ABC와 △BDC에서

∠C는 공통, ∠BAC=∠DBC

∴ △ABC∽△BDC(AA 닮음)

즉 $\overline{AC}:\overline{BC}=\overline{BC}:\overline{DC}$이므로 $12:8=8:\overline{DC}$

$12\overline{DC}=64$ ∴ $\overline{DC}=\frac{16}{3}$ (cm)

∴ $\overline{AD}=\overline{AC}-\overline{DC}=12-\frac{16}{3}=\frac{20}{3}$ (cm)

또 △ABC∽△BDC이므로

또 $\overline{AB}:\overline{BD}=\overline{AC}:\overline{BC}=12:8=3:2$

이때 △ABD에서 $\overline{BE}$는 ∠ABD의 이등분선이므로

$\overline{AE}:\overline{DE}=\overline{AB}:\overline{BD}=3:2$

∴ $\overline{DE}=\frac{2}{3+2}\times\overline{AD}=\frac{2}{5}\times\frac{20}{3}=\frac{8}{3}$ (cm)

10 Action △ABD와 △ABC에서 평행선 사이의 선분의 길이의 비를 생각한다.

오른쪽 그림과 같이 $\overline{QP}$의 연장선이 $\overline{AB}$와 만나는 점을 E라 하자.

△ABD에서 $\overline{EP}\,/\!/\,\overline{AD}$이므로

$\overline{EP}:\overline{AD}=\overline{BP}:\overline{BD}$

$\overline{EP}:14=3:(3+4)$ ∴ $\overline{EP}=6$ (cm)

△ABC에서 $\overline{EQ}\,/\!/\,\overline{BC}$이므로

$\overline{EQ}:\overline{BC}=\overline{AQ}:\overline{AC}$

$\overline{EQ}:21=4:(4+3)$ ∴ $\overline{EQ}=12$ (cm)

∴ $\overline{PQ}=\overline{EQ}-\overline{EP}=12-6=6$ (cm)

11 Action $\overline{AC}$와 $\overline{FH}$를 그은 후 사다리꼴에서 평행선과 선분의 길이의 비를 이용하여 $\overline{FH}$의 길이를 구한다.

오른쪽 그림과 같이 $\overline{AC}$, $\overline{FH}$를 그은 후 $\overline{EG}$와 $\overline{FH}$의 교점을 O, $\overline{AC}$와 $\overline{FH}$의 교점을 P라 하면

$\overline{AF}:\overline{FB}=\overline{DH}:\overline{HC}=2:3$이므로 $\overline{AD}\,/\!/\,\overline{FH}\,/\!/\,\overline{BC}$

∴ $\overline{EO}\perp\overline{FH}$

△ABC에서 $\overline{FP}\,/\!/\,\overline{BC}$이므로

$\overline{AF}:\overline{AB}=\overline{FP}:\overline{BC}$

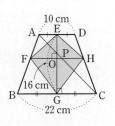

$2:(2+3)=\overline{FP}:22$ $\quad\therefore \overline{FP}=\dfrac{44}{5}$ (cm)

$\triangle ACD$에서 $\overline{PH}\,/\!/\,\overline{AD}$이므로

$\overline{CH}:\overline{CD}=\overline{PH}:\overline{AD}$

$3:(3+2)=\overline{PH}:10$ $\quad\therefore \overline{PH}=6$ (cm)

$\therefore \overline{FH}=\overline{FP}+\overline{PH}=\dfrac{44}{5}+6=\dfrac{74}{5}$ (cm)

$\therefore \square EFGH=\triangle EFH+\triangle GHF$

$\qquad =\dfrac{1}{2}\times\overline{FH}\times\overline{EO}+\dfrac{1}{2}\times\overline{FH}\times\overline{GO}$

$\qquad =\dfrac{1}{2}\times\overline{FH}\times(\overline{EO}+\overline{GO})$

$\qquad =\dfrac{1}{2}\times\overline{FH}\times\overline{EG}$

$\qquad =\dfrac{1}{2}\times\dfrac{74}{5}\times16$

$\qquad =\dfrac{592}{5}$ (cm²)

12 Action $\triangle AED=\triangle BCE$임을 이용한다.

오른쪽 그림과 같이 점 E에서
$\overline{BC}$에 내린 수선의 발을 F라 하
면 $\overline{AB}\,/\!/\,\overline{EF}\,/\!/\,\overline{DC}$
$\overline{AB}\,/\!/\,\overline{DC}$이므로
$\overline{BE}:\overline{DE}=\overline{AB}:\overline{CD}$
$\qquad\quad =12:6$
$\qquad\quad =2:1$
$\therefore \overline{BE}:\overline{BD}=2:(2+1)=2:3$
$\triangle BCD$에서 $\overline{EF}\,/\!/\,\overline{DC}$이므로
$\overline{EF}:\overline{DC}=\overline{BE}:\overline{BD}$
$\overline{EF}:6=2:3$ $\quad\therefore \overline{EF}=4$ (cm)
$\overline{AB}\,/\!/\,\overline{DC}$이므로 $\triangle ACD=\triangle BCD$
$\therefore \triangle AED=\triangle ACD-\triangle DEC=\triangle BCD-\triangle DEC$

$\qquad =\triangle BCE=\dfrac{1}{2}\times\overline{BC}\times\overline{EF}$

$\qquad =\dfrac{1}{2}\times9\times4=18$ (cm²)

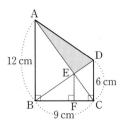

01 Action 점 E를 지나고 $\overline{BC}$와 평행한 직선이 $\overline{BD}$와 만나는 점을 G로 놓은 후 평행선 사이의 선분의 길이의 비를 이용한다.

$\angle DAE=\angle ABC=60°$이므로 $\overline{AD}\,/\!/\,\overline{BC}$
$\overline{AB}=\overline{AC}=18$, $\overline{AE}=\overline{AD}=12$이므로
$\overline{BE}=\overline{AB}-\overline{AE}=18-12=6$
오른쪽 그림과 같이 점 E를 지나
고 $\overline{BC}$와 평행한 직선이 $\overline{BD}$와
만나는 점을 G라 하면
$\triangle BAD$에서 $\overline{EG}\,/\!/\,\overline{AD}$이므로
$\overline{EG}:\overline{AD}=\overline{BE}:\overline{BA}$
$\overline{EG}:12=6:18$ $\quad\therefore \overline{EG}=4$
$\triangle FBC$에서 $\overline{EG}\,/\!/\,\overline{BC}$이므로
$\overline{FE}:\overline{FC}=\overline{EG}:\overline{BC}=4:18=2:9$
$\therefore \overline{EF}:\overline{CE}=2:(9-2)=2:7$

02 Action $\triangle CEF=S$로 놓고 $\square ADFE$의 넓이를 S를 사용하여 나타낸다.

오른쪽 그림과 같이 점 E를 지
나고 $\overline{CD}$와 평행한 직선이 $\overline{AB}$
와 만나는 점을 G라 하자.
$\overline{GE}=x$라 하면 $\triangle ADC$에서
$\overline{GE}\,/\!/\,\overline{DC}$이므로
$\overline{AE}:\overline{AC}=\overline{GE}:\overline{DC}$
$2:(2+1)=x:\overline{DC}$ $\quad\therefore \overline{DC}=\dfrac{3}{2}x$
$\overline{AG}:\overline{DG}=\overline{AE}:\overline{CE}=2:1$이고 $\overline{BD}=\overline{AD}$이므로
$\overline{BD}:\overline{DG}=(2+1):1=3:1$
$\triangle BEG$에서 $\overline{DF}\,/\!/\,\overline{GE}$이므로
$\overline{DF}:\overline{GE}=\overline{BD}:\overline{BG}$
$\overline{DF}:x=3:(3+1)$ $\quad\therefore \overline{DF}=\dfrac{3}{4}x$
$\therefore \overline{CF}=\overline{DC}-\overline{DF}=\dfrac{3}{2}x-\dfrac{3}{4}x=\dfrac{3}{4}x=\overline{DF}$
$\triangle CEF=S$라 하면
$\triangle CEF:\triangle AFE=\overline{CE}:\overline{EA}=1:2$이므로
$\triangle AFE=2\triangle CEF=2S$
$\therefore \triangle AFC=\triangle CEF+\triangle AFE=S+2S=3S$
이때 $\overline{DF}=\overline{CF}$이므로 $\triangle ADF=\triangle AFC=3S$
따라서 $\square ADFE=\triangle ADF+\triangle AFE=3S+2S=5S$이
므로
$\triangle CEF:\square ADFE=S:5S=1:5$

03 Action $\triangle PED=S$ cm²로 놓고 $\triangle PGF$의 넓이를 S를 사용하여 나타낸다.

$\triangle FDB$에서 $\overline{PG}\,/\!/\,\overline{BD}$이므로
$\overline{FP}:\overline{FD}=\overline{PG}:\overline{BD}=5:17$
$\therefore \overline{PF}:\overline{PD}=5:(17-5)=5:12$

$\triangle$PED$=S$ cm²라 하면

$\triangle$PFE : $\triangle$PED$=\overline{PF}:\overline{PD}=5:12$이므로

$\triangle$PFE$:S=5:12$ $\quad\therefore \triangle$PFE$=\dfrac{5}{12}S$ (cm²)

$\triangle$GCE에서 $\overline{PF}/\!/\overline{CE}$이므로

$\overline{GP}:\overline{GE}=\overline{PF}:\overline{CE}=5:13$

$\therefore \overline{PG}:\overline{PE}=5:(13-5)=5:8$

$\triangle$PGF$:\triangle$PFE$=\overline{PG}:\overline{PE}=5:8$이므로

$\triangle$PGF$:\dfrac{5}{12}S=5:8$ $\quad\therefore \triangle$PGF$=\dfrac{25}{96}S$ (cm²)

이때 $\triangle$PGF$=25$ cm²이므로

$\dfrac{25}{96}S=25$ $\quad\therefore S=96$

따라서 $\triangle$PED의 넓이는 96 cm²이다.

04 Action 주어진 직선을 좌표평면 위에 그려 본다.

다음 그림에서

$\overline{DE}=6-3=3,\ \overline{EF}=3-c$

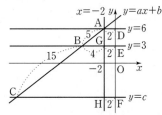

이때 세 직선 $y=6,\ y=3,\ y=c$가 평행하므로

$\overline{AB}:\overline{BC}=\overline{DE}:\overline{EF}$에서 $5:15=3:(3-c)$

$5(3-c)=45,\ 15-5c=45$

$5c=-30$ $\quad\therefore c=-6$

즉 점 C의 y좌표는 -6이다.

또 점 A를 지나고 y축에 평행한 직선 $x=-2$를 그으면

$\overline{BG}=6-2=4$

이때 $\overline{AB}:\overline{AC}=\overline{BG}:\overline{CH}$이므로 $5:(5+15)=4:\overline{CH}$

$5\overline{CH}=80$ $\quad\therefore \overline{CH}=16$

즉 점 C의 x좌표는 $-2-16=-18$이다.

따라서 점 C의 좌표는 $(-18,\ -6)$이다.

05 Action 점 O를 지나고 $\overline{BC}$와 평행한 직선이 $\overline{AB}$와 만나는 점을 G로 놓은 후 평행선 사이의 선분의 길이의 비를 이용한다.

$\overline{AD}/\!/\overline{BC}$이므로 $\overline{OD}:\overline{OB}=\overline{AD}:\overline{CB}=6:9=2:3$

$\therefore \overline{OB}=\dfrac{3}{2+3}\times\overline{BD}=\dfrac{3}{5}\times10=6$ (cm)

오른쪽 그림과 같이 점 O를 지나고 $\overline{BC}$와 평행한 직선이 $\overline{AB}$와 만나는 점을 G라 하면

$\triangle$ABD에서 $\overline{AD}/\!/\overline{GO}$이므로

$\overline{GO}:\overline{AD}=\overline{BO}:\overline{BD}$

$\overline{GO}:6=6:10$ $\quad\therefore \overline{GO}=\dfrac{18}{5}$ (cm)

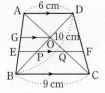

$\overline{OP}=x$ cm라 하면

$\overline{BP}=\overline{OB}-\overline{OP}=6-x$ (cm)

$\triangle$GBO에서 $\overline{EP}/\!/\overline{GO}$이므로

$\overline{GO}:\overline{EP}=\overline{BO}:\overline{BP}$

$\dfrac{18}{5}:\overline{EP}=6:(6-x)$

$\therefore \overline{EP}=\dfrac{3}{5}(6-x)$ (cm) ······ ㉠

$\triangle$OBC에서 $\overline{PQ}/\!/\overline{BC}$이므로

$\overline{PQ}:\overline{BC}=\overline{OP}:\overline{OB}$

$\overline{PQ}:9=x:6$ $\quad\therefore \overline{PQ}=\dfrac{3}{2}x$ (cm)

이때 $\overline{EP}:\overline{PQ}=2:3$이므로

$\overline{EP}:\dfrac{3}{2}x=2:3$

$\therefore \overline{EP}=x$ (cm) ······ ㉡

㉠, ㉡에서

$\dfrac{3}{5}(6-x)=x$이므로 $3(6-x)=5x$

$18-3x=5x$ $\quad\therefore x=\dfrac{9}{4}$

따라서 $\overline{OP}$의 길이는 $\dfrac{9}{4}$ cm이다.

06 Action 단면의 모양은 정사각형이므로 한 변의 길이를 a,b를 사용하여 나타낸다.

오른쪽 그림과 같이 $\overline{AE}$를 $3:1$로 나누는 점 I를 지나고 $\square$EFGH에 평행한 평면이 $\overline{BF},\overline{CG}$와 만나는 점을 각각 J, K라 하고 $\overline{BG}$와 $\overline{JK}$의 교점을 L이라 하자.

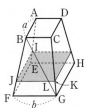

$\overline{AB}/\!/\overline{IJ}/\!/\overline{EF}$이므로

$\overline{BJ}:\overline{JF}=\overline{AI}:\overline{IE}=3:1$

$\triangle$BFG에서 $\overline{JL}/\!/\overline{FG}$이므로

$\overline{BJ}:\overline{BF}=\overline{JL}:\overline{FG}$

$3:(3+1)=\overline{JL}:b$ $\quad\therefore \overline{JL}=\dfrac{3}{4}b$

$\overline{BC}/\!/\overline{JK}/\!/\overline{FG}$이므로

$\overline{CK}:\overline{KG}=\overline{BJ}:\overline{JF}=3:1$

$\triangle$BGC에서 $\overline{LK}/\!/\overline{BC}$이므로

$\overline{GK}:\overline{GC}=\overline{LK}:\overline{BC}$

$1:(1+3)=\overline{LK}:a$ $\quad\therefore \overline{LK}=\dfrac{1}{4}a$

$\therefore \overline{JK}=\overline{JL}+\overline{LK}=\dfrac{3}{4}b+\dfrac{1}{4}a=\dfrac{a+3b}{4}$

이때 단면은 정사각형이므로 구하는 단면의 넓이는

$\dfrac{a+3b}{4}\times\dfrac{a+3b}{4}=\dfrac{(a+3b)^2}{16}$

3. 닮음의 활용 (2)

최고수준 입문하기 **P** 65- **P** 68

01 5 cm²	**02** 8 cm²	**03** 36 cm²	**04** 2 cm
05 18 cm	**06** 8 cm	**07** 4 cm	**08** 12 cm
09 6 cm	**10** 4 cm	**11** 3 cm²	**12** $\frac{1}{2}$ cm²
13 10 cm²	**14** 5 cm²	**15** 15 cm²	**16** 16 cm²
17 54 cm²	**18** 72 cm²	**19** 52 cm²	**20** 76π cm³
21 54 cm³	**22** 225π cm²	**23** $\frac{13}{2}$ m	**24** 18 m

01 **Action** $\overline{AD}$가 △ABC의 중선이므로 △ABD=△ACD임을 이용한다.

$$\triangle ABD = \triangle ACD = \frac{1}{2}\triangle ABC$$
$$= \frac{1}{2} \times 28 = 14 \text{ (cm}^2)$$
$$\therefore \triangle EBD = \triangle ECD = \triangle ACD - \triangle AEC$$
$$= 14 - 9 = 5 \text{ (cm}^2)$$

02 **Action** $\triangle AMC = \frac{1}{2}\triangle ABC$, $\triangle NMC = \frac{1}{2}\triangle AMC$임을 이용한다.

$$\triangle NMC = \frac{1}{2}\triangle AMC = \frac{1}{2} \times \frac{1}{2}\triangle ABC$$
$$= \frac{1}{2} \times \frac{1}{2} \times 32 = 8 \text{ (cm}^2)$$

03 **Action** $\triangle ABC = 2\triangle ACD$, $\triangle ACD = 3\triangle FDC$임을 이용한다.

$$\triangle ABC = 2\triangle ACD = 2 \times 3\triangle FDC$$
$$= 2 \times 3 \times 6 = 36 \text{ (cm}^2)$$

04 **Action** 먼저 직각삼각형의 외심의 성질을 이용하여 $\overline{CM}$의 길이를 구한다.

점 M은 직각삼각형 ABC의 외심이므로
$$\overline{AM} = \overline{BM} = \overline{CM} = \frac{1}{2}\overline{AB}$$
$$= \frac{1}{2} \times 12 = 6 \text{ (cm)}$$

점 G는 △ABC의 무게중심이므로
$$\overline{GM} = \frac{1}{3}\overline{CM} = \frac{1}{3} \times 6 = 2 \text{ (cm)}$$

05 **Action** 두 점 G, G′은 각각 △ABC, △GBC의 무게중심임을 이용한다.

점 G′은 △GBC의 무게중심이므로
$$\overline{GD} = \frac{3}{2}\overline{GG'} = \frac{3}{2} \times 4 = 6 \text{ (cm)}$$

점 G는 △ABC의 무게중심이므로
$$\overline{AD} = 3\overline{GD} = 3 \times 6 = 18 \text{ (cm)}$$

06 **Action** △EFC에서 $\overline{GD} /\!/ \overline{EF}$이므로 $\overline{CG}:\overline{CE}=\overline{GD}:\overline{EF}$임을 이용한다.

△EFC에서 $\overline{GD} /\!/ \overline{EF}$이므로 $\overline{CG}:\overline{CE}=\overline{GD}:\overline{EF}$
$2:3 = \overline{GD}:6$, $3\overline{GD}=12$ ∴ $\overline{GD}=4$ (cm)
점 G가 △ABC의 무게중심이므로
$$\overline{AG} = 2\overline{GD} = 2 \times 4 = 8 \text{ (cm)}$$

07 **Action** △ADC에서 $\overline{GF} /\!/ \overline{DC}$이므로 $\overline{AG}:\overline{AD}=\overline{GF}:\overline{DC}$임을 이용한다.

$\overline{DC} = \overline{BD} = 6$ cm
△ADC에서 $\overline{GF} /\!/ \overline{DC}$이므로 $\overline{AG}:\overline{AD}=\overline{GF}:\overline{DC}$
$2:3 = \overline{GF}:6$, $3\overline{GF}=12$
∴ $\overline{GF}=4$ (cm)

08 **Action** $\overline{BG}$의 연장선이 $\overline{AC}$와 만나는 점을 F로 놓은 후 문제를 해결한다.

오른쪽 그림과 같이 $\overline{BG}$의 연장선이 $\overline{AC}$와 만나는 점을 F라 하면 점 G는 △ABC의 무게중심이므로
$\overline{BG}:\overline{BF}=2:3$

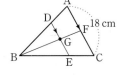

이때 $\overline{DE} /\!/ \overline{AC}$이므로 $\overline{DE}:\overline{AC}=\overline{BE}:\overline{BC}=\overline{BG}:\overline{BF}$
$\overline{DE}:18 = 2:3$, $3\overline{DE}=36$
∴ $\overline{DE}=12$ (cm)

09 **Action** $\triangle AGG' \circ \triangle APQ$(SAS 닮음)임을 이용한다.

$$\overline{PQ} = \overline{PD} + \overline{DQ} = \frac{1}{2}\overline{BD} + \frac{1}{2}\overline{DC} = \frac{1}{2}(\overline{BD}+\overline{DC})$$
$$= \frac{1}{2}\overline{BC} = \frac{1}{2} \times 18 = 9 \text{ (cm)} \quad\quad \cdots\cdots\ 20\%$$

△AGG′과 △APQ에서
$\overline{AG}:\overline{AP} = \overline{AG'}:\overline{AQ} = 2:3$,
∠GAG′은 공통
∴ △AGG′ ∽ △APQ(SAS 닮음) $\quad\quad \cdots\cdots\ 40\%$
즉 $\overline{GG'}:\overline{PQ} = \overline{AG}:\overline{AP}$이므로 $\overline{GG'}:9=2:3$
$3\overline{GG'}=18$ ∴ $\overline{GG'}=6$ (cm) $\quad\quad \cdots\cdots\ 40\%$

10 **Action** △EGF ∽ △CGD(AA 닮음)임을 이용한다.

점 G는 △ABC의 무게중심이므로
$$\overline{GD} = \frac{1}{3}\overline{AD} = \frac{1}{3} \times 24 = 8 \text{ (cm)}$$

△EGF와 △CGD에서
∠EGF = ∠CGD(맞꼭지각),
∠GEF = ∠GCD(엇각)
∴ △EGF ∽ △CGD(AA 닮음)
즉 $\overline{FG}:\overline{DG} = \overline{EG}:\overline{CG}$이므로 $\overline{FG}:8=1:2$
$2\overline{FG}=8$ ∴ $\overline{FG}=4$ (cm)

11 Action $\triangle \text{GDC} = \frac{1}{6} \triangle \text{ABC}$임을 이용한다.

점 G는 $\triangle \text{ABC}$의 무게중심이므로

$\triangle \text{GDC} = \frac{1}{6} \triangle \text{ABC} = \frac{1}{6} \times 36 = 6 \ (\text{cm}^2)$

$\therefore \triangle \text{GDE} = \frac{1}{2} \triangle \text{GDC} = \frac{1}{2} \times 6 = 3 \ (\text{cm}^2)$

12 Action $\triangle \text{GDC} = \frac{1}{6} \triangle \text{ABC}$임을 이용한다.

$\triangle \text{ABC} = \frac{1}{2} \times 4 \times 3 = 6 \ (\text{cm}^2)$

점 G는 $\triangle \text{ABC}$의 무게중심이므로

$\triangle \text{GDC} = \frac{1}{6} \triangle \text{ABC} = \frac{1}{6} \times 6 = 1 \ (\text{cm}^2)$

$\triangle \text{GDC} : \triangle \text{GED} = \overline{\text{CG}} : \overline{\text{GE}} = 2 : 1$이므로

$\triangle \text{GED} = \frac{1}{2} \triangle \text{GDC} = \frac{1}{2} \times 1 = \frac{1}{2} \ (\text{cm}^2)$

13 Action $\triangle \text{GBC} = \frac{1}{3} \triangle \text{ABC}$, $\triangle \text{GBG}' = \frac{1}{3} \triangle \text{GBC}$임을 이용한다.

점 G는 $\triangle \text{ABC}$의 무게중심이므로

$\triangle \text{GBC} = \frac{1}{3} \triangle \text{ABC} = \frac{1}{3} \times 90 = 30 \ (\text{cm}^2)$

점 G'은 $\triangle \text{GBC}$의 무게중심이므로

$\triangle \text{GBG}' = \frac{1}{3} \triangle \text{GBC} = \frac{1}{3} \times 30 = 10 \ (\text{cm}^2)$

14 Action 높이가 같은 두 삼각형의 넓이의 비는 밑변의 길이의 비와 같음을 이용한다.

$\triangle \text{ABC} = \frac{1}{2} \times 10 \times 9 = 45 \ (\text{cm}^2)$ ⋯⋯ 10%

$\overline{\text{AD}} = \frac{1}{2} \overline{\text{AB}}$, $\overline{\text{AM}} = \frac{1}{3} \overline{\text{AB}}$이므로

$\overline{\text{MD}} = \overline{\text{AD}} - \overline{\text{AM}} = \frac{1}{2} \overline{\text{AB}} - \frac{1}{3} \overline{\text{AB}} = \frac{1}{6} \overline{\text{AB}}$ ⋯⋯ 30%

즉 $\overline{\text{AB}} : \overline{\text{MD}} = \overline{\text{AB}} : \frac{1}{6} \overline{\text{AB}} = 6 : 1$이므로

$\triangle \text{ABC} : \triangle \text{MDC} = \overline{\text{AB}} : \overline{\text{MD}} = 6 : 1$

$\therefore \triangle \text{MDC} = \frac{1}{6} \triangle \text{ABC} = \frac{1}{6} \times 45 = \frac{15}{2} \ (\text{cm}^2)$ ⋯⋯ 30%

점 G는 $\triangle \text{ABC}$의 무게중심이므로

$\triangle \text{MGC} : \triangle \text{MDC} = \overline{\text{CG}} : \overline{\text{CD}} = 2 : 3$

$\therefore \triangle \text{MGC} = \frac{2}{3} \triangle \text{MDC} = \frac{2}{3} \times \frac{15}{2} = 5 \ (\text{cm}^2)$ ⋯⋯ 30%

15 Action $\triangle \text{ABD} = 3 \triangle \text{ABP}$임을 이용한다.

점 P는 $\triangle \text{ABD}$의 무게중심이므로

$\triangle \text{ABD} = 3 \triangle \text{ABP} = 3 \times 5 = 15 \ (\text{cm}^2)$

$\therefore \triangle \text{BCD} = \triangle \text{ABD} = 15 \ \text{cm}^2$

16 Action 점 P는 $\triangle \text{DBC}$의 무게중심임을 이용한다.

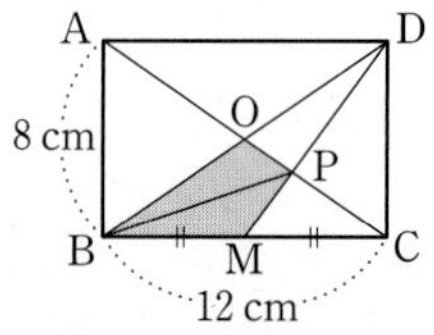

오른쪽 그림과 같이 $\overline{\text{BP}}$를 그으면 점 P는 $\triangle \text{DBC}$의 무게중심이므로

$\square \text{OBMP} = \triangle \text{POB} + \triangle \text{PBM}$

$= \frac{1}{6} \triangle \text{DBC} + \frac{1}{6} \triangle \text{DBC}$

$= \frac{1}{3} \triangle \text{DBC}$

$= \frac{1}{3} \times \left(\frac{1}{2} \times 12 \times 8 \right)$

$= 16 \ (\text{cm}^2)$

17 Action 먼저 $\triangle \text{AOD}$와 $\triangle \text{COB}$의 넓이의 비를 구한다.

$\triangle \text{AOD}$와 $\triangle \text{COB}$에서

$\angle \text{AOD} = \angle \text{COB}$(맞꼭지각),

$\angle \text{OAD} = \angle \text{OCB}$(엇각)

$\therefore \triangle \text{AOD} \backsim \triangle \text{COB}$(AA 닮음)

이때 닮음비는 $\overline{\text{AD}} : \overline{\text{CB}} = 3 : 6 = 1 : 2$이므로

$\triangle \text{AOD} : \triangle \text{COB} = 1^2 : 2^2 = 1 : 4$ ⋯⋯ 40%

즉 $6 : \triangle \text{COB} = 1 : 4$이므로

$\triangle \text{COB} = 24 \ (\text{cm}^2)$

$\overline{\text{DO}} : \overline{\text{BO}} = \overline{\text{AO}} : \overline{\text{CO}} = \overline{\text{AD}} : \overline{\text{CB}} = 1 : 2$이므로

$\triangle \text{ABO} = \triangle \text{DOC} = 2 \triangle \text{AOD}$

$= 2 \times 6 = 12 \ (\text{cm}^2)$ ⋯⋯ 40%

$\therefore \square \text{ABCD} = \triangle \text{AOD} + \triangle \text{ABO} + \triangle \text{COB} + \triangle \text{DOC}$

$= 6 + 12 + 24 + 12 = 54 \ (\text{cm}^2)$ ⋯⋯ 20%

18 Action 먼저 $\triangle \text{ADF}$, $\triangle \text{AEG}$, $\triangle \text{ABC}$의 넓이의 비를 구한다.

$\triangle \text{ADF}$와 $\triangle \text{AEG}$와 $\triangle \text{ABC}$에서

$\overline{\text{AD}} : \overline{\text{AE}} : \overline{\text{AB}} = \overline{\text{AF}} : \overline{\text{AG}} : \overline{\text{AC}} = 1 : 2 : 3$,

$\angle \text{A}$는 공통

$\therefore \triangle \text{ADF} \backsim \triangle \text{AEG} \backsim \triangle \text{ABC}$(AA 닮음)

즉 닮음비가 $1 : 2 : 3$이므로

$\triangle \text{ADF} : \triangle \text{AEG} : \triangle \text{ABC} = 1^2 : 2^2 : 3^2 = 1 : 4 : 9$

즉 $\square \text{DEGF} : \square \text{EBCG} = (4-1) : (9-4) = 3 : 5$이므로

$\square \text{DEGF} : 120 = 3 : 5$, $5 \square \text{DEGF} = 360$

$\therefore \square \text{DEGF} = 72 \ (\text{cm}^2)$

19 Action 두 삼각기둥 A, B의 닮음비를 이용하여 겉넓이의 비를 구한다.

두 삼각기둥 A, B의 닮음비는 $6 : 9 = 2 : 3$이므로 겉넓이의 비는 $2^2 : 3^2 = 4 : 9$

삼각기둥 A의 겉넓이를 $S \ \text{cm}^2$라 하면 $S : 117 = 4 : 9$

$9S = 468$ $\therefore S = 52$

따라서 삼각기둥 A의 겉넓이는 $52 \ \text{cm}^2$이다.

20 Action 두 원뿔대 Q, R의 부피의 비를 구한다.

세 입체도형 P, (P+Q), (P+Q+R)의 닮음비는 $1:2:3$
이므로 부피의 비는

$1^3:2^3:3^3=1:8:27$ ······ 30%

따라서 두 원뿔대 Q, R의 부피의 비는

$(8-1):(27-8)=7:19$ ······ 40%

원뿔대 R의 부피를 V cm³라 하면 $28\pi:V=7:19$

$7V=532\pi$ $\therefore V=76\pi$

따라서 원뿔대 R의 부피는 76π cm³이다. ······ 30%

21 Action 두 사면체 A, B의 겉넓이의 비를 이용하여 닮음비를 구한다.

두 사면체 A, B의 겉넓이의 비가 $9:16=3^2:4^2$이므로 닮음비는 $3:4$이다.

즉 두 사면체 A, B의 부피의 비는 $3^3:4^3=27:64$

사면체 A의 부피를 V cm³라 하면 $V:128=27:64$

$64V=3456$ $\therefore V=54$

따라서 사면체 A의 부피는 54 cm³이다.

22 Action 원판과 원판의 그림자의 넓이의 비를 구한다.

원판과 원판의 그림자의 닮음비가

$10:(10+15)=10:25=2:5$

이므로 넓이의 비는 $2^2:5^2=4:25$

원판의 넓이가 $\pi\times6^2=36\pi$ (cm²)이므로 원판의 그림자의 넓이를 S cm²라 하면 $36\pi:S=4:25$

$4S=900\pi$ $\therefore S=225\pi$

따라서 원판의 그림자의 넓이는 225π cm²이다.

23 Action 닮음을 이용하여 닮음비를 구한 후 탑의 높이를 구한다.

△ABC와 △AB′C′에서

∠A는 공통, ∠ABC=∠AB′C′=90°

∴ △ABC∽△AB′C′(AA 닮음)

즉 $\overline{AB}:\overline{AB'}=\overline{BC}:\overline{B'C'}$이므로

$2:(2+8)=1.3:\overline{B'C'}$

$2\overline{B'C'}=13$ $\therefore \overline{B'C'}=\dfrac{13}{2}$ (m)

따라서 탑의 높이는 $\dfrac{13}{2}$ m이다.

24 Action 닮음을 이용하여 닮음비를 구한 후 강의 너비를 구한다.

△ACD와 △FED에서

∠CDA=∠EDF(맞꼭지각),

∠ACD=∠FED=90°

∴ △ACD∽△FED(AA 닮음)

즉 $\overline{AC}:\overline{FE}=\overline{CD}:\overline{ED}$이므로 $\overline{AC}:8=27:9$

$9\overline{AC}=216$ $\therefore \overline{AC}=24$ (m)

∴ $\overline{AB}=\overline{AC}-\overline{BC}=24-6=18$ (m)

따라서 두 지점 A, B 사이의 거리는 18 m이다.

최고수준 **완성하기**

◉69~◉71

01 6 cm	**02** 5 cm	**03** 3 cm	**04** 4 cm
05 2 cm	**06** $\dfrac{2}{3}$ cm	**07** 6 cm	**08** $\dfrac{40}{3}$
09 8 cm²	**10** $\dfrac{28}{3}$	**11** 81 cm³	**12** 324 cm²

01 Action 점 E는 △ABC의 무게중심임을 이용한다.

점 E는 △ABC의 중선 $\overline{CD}$를 점 C로부터 $2:1$로 나누는 점이므로 △ABC의 무게중심이다.

오른쪽 그림과 같이 $\overline{AE}$의 연장선이 $\overline{BC}$와 만나는 점을 F라 하면 점 F는 직각삼각형 ABC의 외심이므로

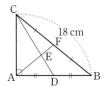

$\overline{AF}=\overline{CF}=\overline{BF}=\dfrac{1}{2}\overline{BC}$

$=\dfrac{1}{2}\times18=9$ (cm)

$\therefore \overline{AE}=\dfrac{2}{3}\overline{AF}=\dfrac{2}{3}\times9=6$ (cm)

02 Action △MGG′∽△MAD(SAS 닮음)임을 이용한다.

△MGG′과 △MAD에서

$\overline{GM}:\overline{AM}=\overline{G'M}:\overline{DM}=1:3$,

∠GMG′은 공통

∴ △MGG′∽△MAD(SAS 닮음)

즉 $\overline{GG'}:\overline{AD}=\overline{GM}:\overline{AM}$이므로 $\overline{GG'}:15=1:3$

$3\overline{GG'}=15$ $\therefore \overline{GG'}=5$ (cm)

03 Action △ABC=2△ADC이고 $\overline{AG}=\dfrac{2}{3}\overline{AD}$임을 이용한다.

$\overline{AD}$가 △ABC의 중선이므로 △ABC=2△ADC

이때 △ABC=4△ANC이므로

2△ADC=4△ANC

∴ △ADC=2△ANC ······ 30%

즉 점 N은 $\overline{AD}$의 중점이므로

$\overline{AN}=\dfrac{1}{2}\overline{AD}=\dfrac{1}{2}\times18=9$ (cm) ······ 20%

점 G가 △ABC의 무게중심이므로

$\overline{AG}=\dfrac{2}{3}\overline{AD}=\dfrac{2}{3}\times18=12$ (cm) ······ 30%

∴ $\overline{GN}=\overline{AG}-\overline{AN}=12-9=3$ (cm) ······ 20%

04 Action 점 G에서 $\overline{AC}$를 지나 점 G′에 이르는 최단 거리는 점 G에서 $\overline{AC}$까지의 거리의 2배이다.

오른쪽 그림의 전개도에서

△ABC≡△ADC이므로 점 G에서 $\overline{AC}$를 지나 점 G′에 이르는 최단 거리는 점 G에서 $\overline{AC}$까지의 거리의 2배이다.

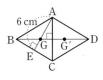

점 B에서 $\overline{AC}$에 내린 수선의 길이는 $\overline{AE}$의 길이와 같으므로
무게중심 G에서 $\overline{AC}$까지의 거리는 $6 \times \dfrac{1}{3} = 2$ (cm)

∴ (구하는 최단 거리)$=2 \times 2 = 4$ (cm)

05 **Action** 두 점 X, Y가 각각 $\overline{CG}$, $\overline{AG}$의 연장선 위에 있고 각각
△GAB, △GBC의 무게중심임을 이용한다.

오른쪽 그림과 같이 $\overline{AG}$의 연장
선이 $\overline{BC}$와 만나는 점을 D라 하
면 $\overline{AG} : \overline{GD} = 2 : 1$이고 점 Y는
$\overline{AD}$ 위에 있다.

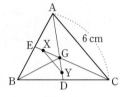

또 점 Y가 △GBC의 무게중심
이므로 $\overline{GY} : \overline{YD} = 2 : 1$

∴ $\overline{GY} = \dfrac{2}{3}\overline{GD} = \dfrac{2}{3} \times \dfrac{1}{2}\overline{AG} = \dfrac{1}{3}\overline{AG}$

∴ $\overline{AG} : \overline{GY} = 3 : 1$

같은 방법으로 $\overline{CG}$의 연장선이 $\overline{AB}$와 만나는 점을 E라 하면
점 X는 $\overline{CE}$ 위에 있고 $\overline{CG} : \overline{GX} = 3 : 1$
따라서 △GCA∽△GXY(SAS 닮음)이고 닮음비는 $3 : 1$
이므로 $\overline{CA} : \overline{XY} = 3 : 1$

$6 : \overline{XY} = 3 : 1,\ 3\overline{XY} = 6$ ∴ $\overline{XY} = 2$ (cm)

06 **Action** 점 I가 △ABC의 내심임을 이용한다.

오른쪽 그림과 같이 $\overline{BI}$의 연장선
이 $\overline{AC}$와 만나는 점을 F라 하자.
$\overline{AE}$가 ∠A의 이등분선이므로
$\overline{BE} : \overline{CE} = \overline{AB} : \overline{AC}$
$\quad\quad\quad\quad = 12 : 8 = 3 : 2$

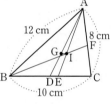

∴ $\overline{BE} = \dfrac{3}{3+2}\overline{BC} = \dfrac{3}{5} \times 10 = 6$ (cm)

또 △ABE에서 $\overline{BF}$가 ∠B의 이등분선이므로
$\overline{AI} : \overline{EI} = \overline{BA} : \overline{BE} = 12 : 6 = 2 : 1$
한편 점 G는 △ABC의 무게중심이므로
$\overline{AG} : \overline{GD} = 2 : 1$
△ADE에서 $\overline{AI} : \overline{IE} = \overline{AG} : \overline{GD} = 2 : 1$이므로 $\overline{GI} /\!/ \overline{DE}$
이때 $\overline{BD} = \dfrac{1}{2}\overline{BC} = \dfrac{1}{2} \times 10 = 5$ (cm)이므로
$\overline{DE} = \overline{BE} - \overline{BD} = 6 - 5 = 1$ (cm)
△ADE에서 $\overline{GI} /\!/ \overline{DE}$이므로 $\overline{GI} : \overline{DE} = \overline{AG} : \overline{AD}$
$\overline{GI} : 1 = 2 : 3$ ∴ $\overline{GI} = \dfrac{2}{3}$ (cm)

07 **Action** 두 점 P, Q는 각각 △ABD, △BCD의 무게중심임을 이용
한다.

△ADC와 △ABC에서
$\overline{AD} = \overline{AB}, \overline{CD} = \overline{CB}, \overline{AC}$는 공통
이므로 △ADC≡△ABC(SSS 합동)
∴ ∠BAC=∠DAC, ∠ACB=∠ACD

오른쪽 그림과 같이 $\overline{BD}$가 $\overline{AC}$와
만나는 점을 R라 하면 △ABD는
이등변삼각형이므로
$\overline{BD}\perp\overline{AR}, \overline{BR} = \overline{DR}$
즉 두 점 P, Q는 각각 △ABD,
△BCD의 무게중심이므로
$\overline{AP} : \overline{PR} = \overline{CQ} : \overline{QR} = 2 : 1$

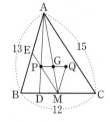

∴ $\overline{AP} = 2\overline{PR}, \overline{CQ} = 2\overline{QR}$
이때 $\overline{AP} + \overline{PR} + \overline{QR} + \overline{CQ} = \overline{AC}$이므로
$2\overline{PR} + \overline{PR} + \overline{QR} + 2\overline{QR} = 18$
$3(\overline{PR} + \overline{QR}) = 18,\ 3\overline{PQ} = 18$
∴ $\overline{PQ} = 6$ (cm)

08 **Action** 세 점 G, P, Q는 각각 △ABC, △ABM, △ACM의 무
게중심임을 이용한다.

오른쪽 그림과 같이 $\overline{AP}$의 연장선이
$\overline{BM}$과 만나는 점을 D라 하면
$\overline{MD} = \dfrac{1}{2}\overline{BM} = \dfrac{1}{2} \times \dfrac{1}{2}\overline{BC}$
$\quad\quad = \dfrac{1}{2} \times \dfrac{1}{2} \times 12 = 3$ 20%

두 점 P, G가 각각 △ABM,
△ABC의 무게중심이므로 △ADM에서
$\overline{AP} : \overline{PD} = \overline{AG} : \overline{GM} = 2 : 1$ ∴ $\overline{GP} /\!/ \overline{MD}$
즉 $\overline{GP} : \overline{MD} = \overline{AG} : \overline{AM} = 2 : 3$이므로
$\overline{GP} : 3 = 2 : 3$ $\overline{GP} = 2$
같은 방법으로 $\overline{GQ} = 2$ 30%
$\overline{MP}$의 연장선이 $\overline{AB}$와 만나는 점을 E라 하면 △ABC에서
$\overline{BE} = \overline{EA}, \overline{BM} = \overline{MC}$이므로
$\overline{ME} = \dfrac{1}{2}\overline{AC} = \dfrac{1}{2} \times 15 = \dfrac{15}{2}$
∴ $\overline{MP} = \dfrac{2}{3}\overline{ME} = \dfrac{2}{3} \times \dfrac{15}{2} = 5$
같은 방법으로 $\overline{MQ} = \dfrac{2}{3} \times \dfrac{13}{2} = \dfrac{13}{3}$ 30%
∴ (△PMQ의 둘레의 길이)$= \overline{MP} + \overline{MQ} + \overline{GP} + \overline{GQ}$
$\quad\quad = 5 + \dfrac{13}{3} + 2 + 2$
$\quad\quad = \dfrac{40}{3}$ 20%

09 **Action** △ABC와 △AEF의 닮음비를 이용하여 넓이의 비를 구
한다.

△BDG＝△BDF＝△CFD＝△BDE＝6 cm^{2}이므로
△ABC＝6△BDG＝$6 \times 6 = 36$ (cm^2)
△ACD에서 $\overline{AC} : \overline{AF} = \overline{AD} : \overline{AG} = 3 : 2$이므로
△ABC : △AEF＝$3^2 : 2^2 = 9 : 4$
즉 △ABC : □BCFE＝$9 : (9-4) = 9 : 5$이므로
$36 : $□BCFE＝$9 : 5$ ∴ □BCFE＝20 (cm^2)

$$\therefore \triangle DFE = \square BCFE - \triangle BDE - \triangle CFD$$
$$= 20 - 6 - 6 = 8 \, (\text{cm}^2)$$

10 Action 닮음인 두 삼각형의 넓이의 비를 이용하여 닮음비를 구한다.

$\triangle EBC$와 $\triangle DCB$에서

$\angle BEC = \angle CDB = 90°$, $\overline{BC}$는 공통,

$\angle EBC = \angle DCB$

이므로 $\triangle EBC \equiv \triangle DCB$(RHA 합동)

즉 $\overline{EB} = \overline{DC}$이므로 $\overline{ED} /\!/ \overline{BC}$

$\triangle FDE$와 $\triangle FBC$에서

$\angle EFD = \angle CFB$(맞꼭지각), $\angle FDE = \angle FBC$(엇각)

$\therefore \triangle FDE \varpropto \triangle FBC$(AA 닮음)

이때 $\triangle FDE : \triangle FBC = 4 : 25 = 2^2 : 5^2$이므로

$\overline{FE} : \overline{FC} = 2 : 5$

즉 $\triangle FDE : \triangle CDF = 2 : 5$이므로 $4 : \triangle CDF = 2 : 5$

$2\triangle CDF = 20$ $\therefore \triangle CDF = 10$

$\triangle ABC$에서 $\overline{AD} : \overline{AC} = \overline{ED} : \overline{BC} = \overline{FE} : \overline{FC} = 2 : 5$이므로

$\overline{AD} : \overline{DC} = 2 : 3$

즉 $\triangle AED : \triangle ECD = 2 : 3$이므로

$\triangle AED : (4 + 10) = 2 : 3$

$3\triangle AED = 28$ $\therefore \triangle AED = \dfrac{28}{3}$

11 Action 닮음인 두 삼각형의 닮음비를 이용하여 넓이의 비를 구한다.

$\triangle AGH \varpropto \triangle ABC$(SAS 닮음)이고 닮음비는

$\overline{AH} : \overline{AC} = \overline{AH} : 3\overline{AH} = 1 : 3$이므로

$\triangle AGH : \triangle ABC = 1^2 : 3^2 = 1 : 9$

$\therefore \triangle AGH = \dfrac{1}{9}\triangle ABC$

삼각뿔 D$-$AGH의 부피가 $3 \, \text{cm}^3$이므로

$\dfrac{1}{3} \times \triangle AGH \times \overline{AD} = 3$

즉 $\dfrac{1}{3} \times \dfrac{1}{9}\triangle ABC \times \overline{AD} = 3$이므로

$\dfrac{1}{27}\triangle ABC \times \overline{AD} = 3$ $\therefore \triangle ABC \times \overline{AD} = 81$

$\therefore$ (처음 삼각기둥의 부피) $= \triangle ABC \times \overline{AD} = 81 \, (\text{cm}^3)$

12 Action $\triangle A_1 \varpropto \triangle A_2 \varpropto \triangle A_3 \varpropto \triangle ABC$임을 이용한다.

세 삼각형 A_1, A_2, A_3에서 한 변의 길이를 차례로 $a_1 \, \text{cm}$, $a_2 \, \text{cm}$, $a_3 \, \text{cm}$라 하자.

$\triangle A_1 \varpropto \triangle A_2 \varpropto \triangle A_3 \varpropto \triangle ABC$(AA 닮음)이고 세 삼각형 A_1, A_2, A_3의 넓이의 비는

$16 : 36 : 64 = 4 : 9 : 16 = 2^2 : 3^2 : 4^2$이므로

$a_1 : a_2 : a_3 = 2 : 3 : 4$

이때 $\overline{BC} = a_1 + a_2 + a_3 \, (\text{cm})$이므로 $\triangle A_1$과 $\triangle ABC$의 닮음비는 $2 : (2+3+4) = 2 : 9$

따라서 $(\triangle A_1$의 넓이$) : \triangle ABC = 2^2 : 9^2 = 4 : 81$이므로

$16 : \triangle ABC = 4 : 81$ $\therefore \triangle ABC = 324 \, (\text{cm}^2)$

최고 수준 뛰어넘기 　P 72 - P 73

| **01** 6 cm | **02** 8 cm² | **03** 4배 | **04** $\dfrac{28}{15}$ |
| **05** 20 cm³ | **06** $\dfrac{104}{5}$ cm² | | |

01 Action $\overline{DF}$를 그은 후 $\overline{DF} = x$ cm로 놓고 $\overline{AP}$의 길이를 x를 사용하여 나타낸다.

$\overline{BD}$가 $\triangle ABC$의 중선이므로 $\overline{AD} = \overline{DC}$

$\overline{DF}$를 긋고 $\overline{DF} = x$ cm라 하면 $\triangle AEC$에서 $\overline{AD} = \overline{DC}$,

$\overline{EF} = \overline{FC}$이므로 $\overline{AE} /\!/ \overline{DF}$, $\overline{AE} = 2\overline{DF} = 2x \, (\text{cm})$

또 $\triangle BFD$에서 $\overline{BE} = \overline{EF}$, $\overline{PE} /\!/ \overline{DF}$이므로

$\overline{BP} = \overline{PD}$, $\overline{PE} = \dfrac{1}{2}\overline{DF} = \dfrac{1}{2}x \, (\text{cm})$

$\therefore \overline{AP} = \overline{AE} - \overline{PE} = 2x - \dfrac{1}{2}x = \dfrac{3}{2}x \, (\text{cm})$

한편 $\triangle APQ \varpropto \triangle FDQ$(AA 닮음)이므로

$\overline{PQ} : \overline{DQ} = \overline{AP} : \overline{FD} = \dfrac{3}{2}x : x = 3 : 2$

이때 $\overline{BP} = \overline{PD}$이므로 $\overline{BP} : \overline{PQ} : \overline{QD} = 5 : 3 : 2$

$\therefore \overline{PQ} = \dfrac{3}{5+3+2} \times \overline{BD} = \dfrac{3}{10} \times 20 = 6 \, (\text{cm})$

02 Action $\triangle ABG$와 $\triangle BCG$의 넓이의 비를 이용하여 $\overline{AH} : \overline{HC}$를 구한다.

$\overline{BE} : \overline{EC} = 2 : 1$이므로

$\triangle ABE = \dfrac{2}{3}\triangle ABC = \dfrac{2}{3} \times 63 = 42 \, (\text{cm}^2)$

$\overline{AG} : \overline{GE} = 2 : 1$이므로

$\triangle ABG = \dfrac{2}{3}\triangle ABE = \dfrac{2}{3} \times 42 = 28 \, (\text{cm}^2)$

$\triangle BEG = \dfrac{1}{3}\triangle ABE = \dfrac{1}{3} \times 42 = 14 \, (\text{cm}^2)$

$\overline{GC}$를 그으면

$\triangle BCG = \dfrac{3}{2}\triangle BEG = \dfrac{3}{2} \times 14 = 21 \, (\text{cm}^2)$

즉 $\overline{AH} : \overline{HC} = \triangle ABG : \triangle BCG = 28 : 21 = 4 : 3$이므로

$\triangle AGH : \triangle CGH = 4 : 3$

이때 점 G는 $\triangle ADC$의 무게중심이므로

$\triangle AGC = \dfrac{1}{3}\triangle ADC$

$\therefore \triangle AGH = \dfrac{4}{4+3}\triangle AGC = \dfrac{4}{7} \times \dfrac{1}{3}\triangle ADC$

$= \dfrac{4}{7} \times \dfrac{1}{3} \times \dfrac{2}{3}\triangle ABC$

$= \dfrac{4}{7} \times \dfrac{1}{3} \times \dfrac{2}{3} \times 63 = 8 \, (\text{cm}^2)$

03 Action 점 Q는 $\triangle ACD$의 무게중심임을 이용한다.

오른쪽 그림과 같이 $\overline{AB}$의 중점을 M이라 하고 $\overline{MC}$가 $\overline{BE}$와 만나는 점을 R라 하면 점 Q는 $\triangle ACD$의 무게중심이므로

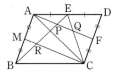

$\overline{CQ}:\overline{QE}=2:1$

한편 $\overline{AM}\,/\!/\,\overline{CF}$, $\overline{AM}=\overline{CF}$이므로 □AMCF는 평행사변형이다.

$\therefore \overline{PQ}\,/\!/\,\overline{RC}$

△ERC에서 $\overline{RP}:\overline{PE}=\overline{CQ}:\overline{QE}=2:1$ ······ ㉠

△ABP에서 $\overline{BM}=\overline{MA}$, $\overline{MR}\,/\!/\,\overline{AP}$이므로 $\overline{BR}=\overline{RP}$

$\therefore \overline{BR}:\overline{RP}=1:1$ ······ ㉡

㉠, ㉡에서 $\overline{BR}:\overline{RP}:\overline{PE}=2:2:1$

$\therefore \overline{BP}:\overline{PE}=4:1$

따라서 $\overline{BP}$의 길이는 $\overline{PE}$의 길이의 4배이다.

04 Action △GFD$=a$, △GHC$=x$로 놓고 문제를 해결한다.

오른쪽 그림과 같이 $\overline{CG}$를 긋고 △GFD$=a$라 하면 △CFG$=a$

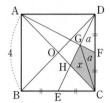

$\overline{BD}$를 긋고 $\overline{BD}$가 $\overline{AC}$와 만나는 점을 O라 하면 점 H는 △DBC의 무게중심이므로 $\overline{CH}:\overline{HO}=2:1$

$\overline{AO}=\overline{CO}$이므로 $\overline{AH}:\overline{HC}=2:1$

△GHC$=x$라 하면 △AHG$=2x$, △DHC$=2a+x$

$\overline{AH}:\overline{HC}=2:1$이므로

△AHD$=2$△DHC$=2(2a+x)=4a+2x$

$\therefore$ △AGD$=$△AHD$-$△AHG$=(4a+2x)-2x=4a$

이때 △AFD$=\dfrac{1}{4}$□ABCD이므로 $4a+a=\dfrac{1}{4}\times4\times4$

$5a=4$ $\therefore a=\dfrac{4}{5}$ ······ ㉠

또 △ACF$=\dfrac{1}{4}$□ABCD이므로 $2x+x+a=\dfrac{1}{4}\times4\times4$

$\therefore 3x+a=4$ ······ ㉡

㉠을 ㉡에 대입하면 $3x+\dfrac{4}{5}=4$ $\therefore x=\dfrac{16}{15}$

$\therefore$ □CFGH$=x+a=\dfrac{16}{15}+\dfrac{4}{5}=\dfrac{28}{15}$

05 Action 두 정사면체의 닮음비를 이용하여 부피의 비를 구한다.

오른쪽 그림과 같이 정사면체 ABCD의 두 모서리 BC, CD의 중점을 각각 M, N이라 하면 두 점 F, H는 각각 △ABC와 △ACD의 무게중심이므로

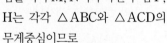

$\overline{FH}:\overline{MN}=\overline{AF}:\overline{AM}$

$=\overline{AH}:\overline{AN}$

$=2:3$

$\overline{MN}=\dfrac{1}{2}\overline{BD}$이므로 $\overline{FH}=\dfrac{2}{3}\overline{MN}=\dfrac{2}{3}\times\dfrac{1}{2}\overline{BD}=\dfrac{1}{3}\overline{BD}$

즉 큰 정사면체와 작은 정사면체의 닮음비는

$\overline{BD}:\overline{FH}=\overline{BD}:\dfrac{1}{3}\overline{BD}=3:1$

따라서 큰 정사면체와 작은 정사면체의 부피의 비는

$3^3:1^3=27:1$

$\therefore$ (정사면체 EFGH의 부피)$=540\times\dfrac{1}{27}=20\,(\text{cm}^3)$

06 Action $\overline{BC}$의 연장선과 $\overline{AQ}$의 연장선의 교점을 E라 하면 △ARD∽△ERP(AA 닮음)임을 이용한다.

오른쪽 그림과 같이 $\overline{BC}$의 연장선과 $\overline{AQ}$의 연장선의 교점을 E라 하면

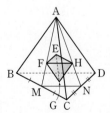

$\overline{CE}:\overline{DA}=\overline{CQ}:\overline{DQ}$

$=2:3$

$\overline{PC}:\overline{AD}=\overline{PC}:\overline{BC}$

$=2:(1+2)$

$=2:3$

$\therefore \overline{PC}=\overline{CE}$, $\overline{AD}:\overline{EP}=3:4$

이때 △ARD∽△ERP(AA 닮음)이고 닮음비가 $\overline{AD}:\overline{EP}=3:4$이므로

△ARD : △ERP$=3^2:4^2=9:16$

$\therefore$ △ERP$=\dfrac{16}{9}$△ARD$=\dfrac{16}{9}\times18=32\,(\text{cm}^2)$

$\overline{AQ}:\overline{QE}=3:2=21:14$, $\overline{AR}:\overline{RE}=3:4=15:20$이므로

$\overline{AR}:\overline{RQ}:\overline{QE}=15:(21-15):14=15:6:14$

$\overline{RC}$를 그으면

△CQE$=\dfrac{14}{6+14}\times$△RCE$=\dfrac{14}{20}\times\dfrac{1}{2}$△ERP

$=\dfrac{14}{20}\times\dfrac{1}{2}\times32=\dfrac{56}{5}\,(\text{cm}^2)$

$\therefore$ □PCQR$=$△ERP$-$△CQE

$=32-\dfrac{56}{5}=\dfrac{104}{5}\,(\text{cm}^2)$

교과서 속 창의 사고력 ⓟ74-ⓟ76

01 12 m	**02** 40 cm	**03** 15 m	**04** 144 cm²
05 (1) 풀이 참조 (2) $\dfrac{5}{4}$배		**06** 60 cm²	

01 Action 점 G에서 $\overline{AB}$에 내린 수선의 발을 H라 하고 닮음인 두 삼각형을 찾는다.

오른쪽 그림과 같이 점 G에서 $\overline{AB}$에 내린 수선의 발을 H라 하자.

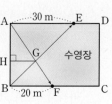

△AGE와 △FGB에서

∠AGE=∠FGB(맞꼭지각),

∠EAG=∠BFG(엇각)

$\therefore$ △AGE∽△FGB(AA 닮음)

$\overline{AG}:\overline{FG}=\overline{AE}:\overline{FB}=30:20=3:2$이므로

$\overline{AG}:\overline{AF}=3:(3+2)=3:5$

이때 $\triangle ABF$에서 $\overline{HG}/\!/\overline{BF}$이므로

$\overline{AG}:\overline{AF}=\overline{HG}:\overline{BF}$, $3:5=\overline{HG}:20$

$5\overline{HG}=60$ ∴ $\overline{HG}=12$ (m)

따라서 점 G는 $\overline{AB}$로부터 12 m 떨어져 있다.

02 _{Action} 두 원뿔의 밑넓이의 비를 이용하여 닮음비를 구한다.

지면에 생긴 고리 모양의 그림자의 넓이가 원기둥의 밑넓이의 3배이므로 작은 원뿔의 밑넓이와 큰 원뿔의 밑넓이의 비는 $1:4$임을 알 수 있다.

이때 작은 원뿔과 큰 원뿔은 서로 닮음이므로 닮음비는 $1:2$이다.

즉 작은 원뿔의 높이 $\overline{AO}$를 h cm라 하면 큰 원뿔의 높이는 $(h+40)$ cm이므로 $h:(h+40)=1:2$

$h+40=2h$ ∴ $h=40$

따라서 작은 원뿔의 높이 $\overline{AO}$는 40 cm이다.

03 _{Action} 건물 외벽이 없을 때 추가로 늘어난 전봇대의 그림자의 길이를 x cm로 놓는다.

오른쪽 그림과 같이 건물 외벽이 없을 때 추가로 더 늘어난 전봇대의 그림자의 길이를 x m라 하면

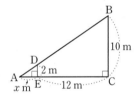

$\triangle ABC$와 $\triangle ADE$에서

$\angle ACB=\angle AED=90°$,

$\angle A$는 공통

∴ $\triangle ABC \backsim \triangle ADE$ (AA 닮음)

즉 $\overline{AC}:\overline{AE}=\overline{BC}:\overline{DE}$이므로

$(x+12):x=10:2$

$2(x+12)=10x$, $2x+24=10x$

$8x=24$ ∴ $x=3$

따라서 전봇대의 그림자의 전체 길이는 $3+12=15$ (m)

04 _{Action} 네 점 E, H, J, F를 $\overline{DG}$에 대하여 대칭이동시킨 점을 차례대로 E′, H′, J′, F′으로 놓는다.

네 점 E, H, J, F를 $\overline{DG}$에 대하여 대칭이동시킨 점을 차례대로 E′, H′, J′, F′이라 하면

$\triangle AH'J' \backsim \triangle ABC$ (AA 닮음)

이고 닮음비는

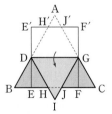

$\overline{H'J'}:\overline{BC}=\overline{HJ}:\overline{BC}=1:6$이므로 $\triangle AH'J':\triangle ABC=1^2:6^2=1:36$

∴ $\triangle AH'J'=\dfrac{1}{36}\triangle ABC$ ...... ㉠

$\triangle DBE$와 $\triangle DH'E'$에서

$\angle EDB=\angle E'DH'$(맞꼭지각), $\angle DEB=\angle DE'H'=90°$,

$\overline{ED}=\overline{E'D}$

∴ $\triangle DBE \equiv \triangle DH'E'$ (ASA 합동)

즉 $\triangle DBE=\triangle DH'E'$

같은 방법으로 $\triangle GCF \equiv \triangle GJ'F'$ (ASA 합동)이므로

$\triangle GCF=\triangle GJ'F'$

∴ $\square H'BCJ'=\square E'EFF'$ ...... ㉡

㉠, ㉡에서

$\triangle ABC=\triangle AH'J'+\square H'BCJ'$

$=\dfrac{1}{36}\triangle ABC+\square E'EFF'$

$=\dfrac{1}{36}\triangle ABC+2\square DEFG$

$\dfrac{35}{36}\triangle ABC=2\square DEFG$

∴ $\triangle ABC=\dfrac{72}{35}\square DEFG=\dfrac{72}{35}\times 70=144$ (cm²)

05 _{Action} 점 G는 $\triangle ABC$의 무게중심임을 이용한다.

(1) 점 G는 $\triangle ABC$의 무게중심이므로

$\overline{AG}:\overline{GM}=2:1$

즉 $\overline{DE}:\overline{BC}=\overline{AG}:\overline{AM}=2:(2+1)=2:3$이므로

$\overline{DE}=\dfrac{2}{3}\overline{BC}$

(2) $\overline{DE}=2a$, $\triangle ADE$의 높이를 $2h$라 하면 (1)에 의하여 $\overline{BC}=3a$이고 $\triangle ABC$의 높이는 $3h$이므로

$\triangle ADE=\dfrac{1}{2}\times 2a\times 2h=2ah$ ...... ㉠

$\triangle ABC=\dfrac{1}{2}\times 3a\times 3h=\dfrac{9}{2}ah$

$\square DBCE=\triangle ABC-\triangle ADE$

$=\dfrac{9}{2}ah-2ah=\dfrac{5}{2}ah$ ...... ㉡

㉠, ㉡에서 $\square DBCE=\dfrac{5}{4}\triangle ADE$이므로 $\square DBCE$의 넓이는 $\triangle ADE$의 넓이의 $\dfrac{5}{4}$배이다.

06 _{Action} 점 P는 $\triangle AMC$의 무게중심임을 이용한다.

두 점 N, O는 각각 $\overline{AM}$, $\overline{MC}$의 중점이므로 점 P는 $\triangle AMC$의 무게중심이다.

즉 $\overline{AP}:\overline{PO}=2:1$이므로

$\triangle AOC=\dfrac{3}{2}\triangle APC=\dfrac{3}{2}\times 10=15$ (cm²)

이때 $\overline{MO}=\overline{OC}$이므로

$\triangle AMC=2\triangle AOC=2\times 15=30$ (cm²)

또 $\overline{BM}=\overline{MC}$이므로

$\triangle ABC=2\triangle AMC=2\times 30=60$ (cm²)

Ⅳ. 피타고라스 정리

1. 피타고라스 정리

최고수준 입문하기 ⓟ 79- ⓟ 81

01 25	**02** 69	**03** 112 cm²	**04** 5 cm
05 192 cm²	**06** $\frac{81}{4}$	**07** 25 cm	**08** ②
09 32 cm²	**10** 13 cm²	**11** 274 cm²	**12** ②, ④
13 8, 9	**14** $\frac{48}{5}$	**15** 180	**16** 60
17 16π	**18** 15 cm		

01 **Action** 먼저 △ADC에서 $\overline{AC}$의 길이를 구한다.

△ADC에서 $\overline{AC}^2 = 17^2 - 8^2 = 225$

∴ $\overline{AC} = 15$ ($\because \overline{AC} > 0$)

따라서 △ABC에서

$\overline{AB}^2 = (12+8)^2 + 15^2 = 625$

∴ $\overline{AB} = 25$ ($\because \overline{AB} > 0$)

02 **Action** $\overline{DF}$를 그어 두 개의 직각삼각형으로 나눈 후 피타고라스 정리를 이용한다.

오른쪽 그림과 같이 $\overline{DF}$를 그으면 △DFE에서

$\overline{DF}^2 = 5^2 + 12^2 = 169$

∴ $\overline{DF} = 13$ ($\because \overline{DF} > 0$)

△DCF에서

$\overline{CD}^2 = 13^2 - 10^2 = 69$

∴ □ABCD $= \overline{CD}^2 = 69$

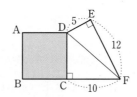

03 **Action** 등변사다리꼴의 높이를 구한다.

오른쪽 그림과 같이 두 꼭짓점 A, D에서 $\overline{BC}$에 내린 수선의 발을 각각 H, H′이라 하면

$\overline{BH} = \overline{CH'} = \frac{1}{2} \times (20-8)$

$= 6$ (cm)

△ABH에서 $\overline{AH}^2 = 10^2 - 6^2 = 64$

∴ $\overline{AH} = 8$ (cm) ($\because \overline{AH} > 0$)

따라서 등변사다리꼴 ABCD의 넓이는

$\frac{1}{2} \times (8+20) \times 8 = 112$ (cm²)

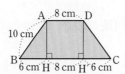

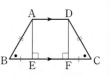

04 **Action** 닮음인 두 삼각형을 이용한다.

$\overline{AP} = \overline{AD} = 15$ cm이므로 △ABP에서

$\overline{BP}^2 = 15^2 - 9^2 = 144$ ∴ $\overline{BP} = 12$ (cm) ($\because \overline{BP} > 0$)

∴ $\overline{CP} = \overline{BC} - \overline{BP} = 15 - 12 = 3$ (cm)

△ABP와 △PCQ에서

∠ABP = ∠PCQ = 90°,

∠BAP = 90° - ∠APB = ∠CPQ

이므로 △ABP ∽ △PCQ (AA 닮음)

즉 $\overline{AB} : \overline{PC} = \overline{AP} : \overline{PQ}$이므로

$9 : 3 = 15 : \overline{PQ}$ ∴ $\overline{PQ} = 5$ (cm)

05 **Action** 이등변삼각형의 꼭짓점에서 밑변에 수선의 발을 내려 이등변삼각형의 높이를 구한다.

오른쪽 그림과 같이 꼭짓점 A에서 $\overline{BC}$에 내린 수선의 발을 H라 하면

$\overline{BH} = \overline{CH} = \frac{1}{2}\overline{BC}$

$= \frac{1}{2} \times 32 = 16$ (cm)

△ABH에서 $\overline{AH}^2 = 20^2 - 16^2 = 144$

∴ $\overline{AH} = 12$ (cm) ($\because \overline{AH} > 0$)

∴ △ABC $= \frac{1}{2} \times 32 \times 12 = 192$ (cm²)

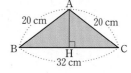

06 **Action** $\overline{BC}$의 길이를 구한 후 각의 이등분선의 성질을 이용한다.

△ABC에서 $\overline{BC}^2 = 15^2 - 9^2 = 144$

∴ $\overline{BC} = 12$ ($\because \overline{BC} > 0$) ······ 40%

$\overline{AB} : \overline{AC} = \overline{BD} : \overline{CD}$이므로 $\overline{CD} = x$라 하면

$15 : 9 = (12-x) : x$ ∴ $x = \frac{9}{2}$ ······ 40%

∴ △ADC $= \frac{1}{2} \times \frac{9}{2} \times 9 = \frac{81}{4}$ ······ 20%

07 Action 두 정사각형의 한 변의 길이를 각각 구한다.

정사각형 ABCD의 넓이가 225 cm^2이므로

$\overline{\text{AB}}^2=225$ $\therefore \overline{\text{AB}}=15 \text{ (cm)} (\because \overline{\text{AB}}>0)$

정사각형 ECGF의 넓이가 25 cm^2이므로

$\overline{\text{EC}}^2=25$ $\therefore \overline{\text{EC}}=5 \text{ (cm)} (\because \overline{\text{EC}}>0)$

따라서 직각삼각형 ABG에서

$\overline{\text{AG}}^2=15^2+(15+5)^2=625$

$\therefore \overline{\text{AG}}=25 \text{ (cm)} (\because \overline{\text{AG}}>0)$

08 Action 넓이가 같은 삼각형을 이용한다.

① $\triangle \text{ABF} \equiv \triangle \text{EBC}$(SAS 합동)이므로 $\overline{\text{AF}}=\overline{\text{EC}}$

② $\overline{\text{BI}}=\overline{\text{DC}}$이고 $\triangle \text{ECD}$에서 $\overline{\text{EC}} \neq \overline{\text{DC}}$이므로 $\overline{\text{BI}} \neq \overline{\text{EC}}$

③ $\triangle \text{ACH}=\triangle \text{HBC}$, $\triangle \text{HBC} \equiv \triangle \text{AGC}$(SAS 합동)

이므로 $\triangle \text{AGC}=\triangle \text{ACH}$

④ $\triangle \text{AGC}=\triangle \text{JGC}$이므로

$\square \text{ACHI}=2\triangle \text{ACH}=2\triangle \text{AGC}$

$=2\triangle \text{JGC}=\square \text{JKGC}$

⑤ $\triangle \text{EBC}=\triangle \text{ABF}=\triangle \text{JBF}=\dfrac{1}{2}\square \text{BFKJ}$

따라서 옳지 않은 것은 ②이다.

09 Action $\triangle \text{ABF}$와 합동인 삼각형을 찾는다.

$\triangle \text{ABC}$에서 $\overline{\text{AB}}^2=10^2-6^2=64$

$\therefore \overline{\text{AB}}=8 \text{ (cm)} (\because \overline{\text{AB}}>0)$ ······ 20%

오른쪽 그림과 같이 $\overline{\text{AE}}, \overline{\text{CE}}$를

그으면

$\triangle \text{ABF}$와 $\triangle \text{EBC}$에서

$\overline{\text{AB}}=\overline{\text{EB}}, \overline{\text{BF}}=\overline{\text{BC}},$

$\angle \text{ABF}=\angle \text{ABC}+90°$

$\quad\quad\quad\;=\angle \text{EBC}$

$\therefore \triangle \text{ABF} \equiv \triangle \text{EBC}$(SAS 합동)   ······ 40%

이때 $\overline{\text{EB}} /\!/ \overline{\text{DC}}$이므로

$\triangle \text{EBC}=\triangle \text{EBA}=\dfrac{1}{2}\square \text{ADEB}$ ······ 30%

$\therefore \triangle \text{ABF}=\triangle \text{EBC}=\dfrac{1}{2}\square \text{ADEB}$

$=\dfrac{1}{2}\times 8^2=32 \text{ (cm}^2)$ ······ 10%

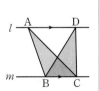

🔊 Lecture

평행선과 넓이

평행한 두 직선 l, m에 대하여

$\triangle \text{ABC}$와 $\triangle \text{DBC}$는 $\overline{\text{BC}}$가 밑변이고

높이가 같으므로 넓이가 같다.

➡ $\triangle \text{ABC}=\triangle \text{DBC}$

10 Action $\triangle \text{APS} \equiv \triangle \text{BQP} \equiv \triangle \text{CRQ} \equiv \triangle \text{DSR}$임을 이용한다.

$\triangle \text{APS} \equiv \triangle \text{BQP} \equiv \triangle \text{CRQ} \equiv \triangle \text{DSR}$(SAS 합동)이므

로 $\square \text{PQRS}$는 정사각형이다.

이때 $\overline{\text{DS}}=\overline{\text{AP}}=2 \text{ cm}$이므로

$\overline{\text{AS}}=\overline{\text{AD}}-\overline{\text{DS}}=5-2=3 \text{ (cm)}$

$\triangle \text{APS}$에서 $\overline{\text{PS}}^2=2^2+3^2=13$

$\therefore \square \text{PQRS}=\overline{\text{PS}}^2=13 \text{ (cm}^2)$

11 Action 피타고라스 정리를 이용하여 $\overline{\text{AD}}^2$의 값을 구한다.

4개의 직각삼각형이 모두 합동이므로 $\square \text{EFGH}$는 정사각

형이다.

$\square \text{EFGH}=\overline{\text{EF}}^2=64 \text{ cm}^2$이므로

$\overline{\text{EF}}=8 \text{ (cm)} (\because \overline{\text{EF}}>0)$

$\therefore \overline{\text{AE}}=\overline{\text{AF}}-\overline{\text{EF}}=15-8=7 \text{ (cm)}$

$\triangle \text{AED}$에서 $\overline{\text{DE}}=\overline{\text{AF}}=15 \text{ cm}$이므로

$\overline{\text{AD}}^2=7^2+15^2=274$

$\therefore \square \text{ABCD}=\overline{\text{AD}}^2=274 \text{ (cm}^2)$

12 Action 가장 긴 변의 길이의 제곱이 나머지 두 변의 길이의 제곱의 합과 같은지 알아본다.

① $\left(\dfrac{1}{2}\right)^2+\left(\dfrac{1}{3}\right)^2 \neq \left(\dfrac{2}{3}\right)^2$이므로 직각삼각형이 아니다.

② $\left(\dfrac{3}{2}\right)^2+2^2=\left(\dfrac{5}{2}\right)^2$이므로 직각삼각형이다.

③ $3^2+5^2 \neq 6^2$이므로 직각삼각형이 아니다.

④ $5^2+12^2=13^2$이므로 직각삼각형이다.

⑤ $10^2+12^2 \neq 15^2$이므로 직각삼각형이 아니다.

따라서 직각삼각형의 세 변의 길이가 될 수 있는 것은 ②, ④

이다.

13 Action 예각삼각형이 되려면 가장 긴 변의 길이의 제곱이 나머지 두 변의 길이의 제곱의 합보다 작아야 한다.

가장 긴 변의 길이가 x이므로 예각삼각형이 되기 위해서는

$x^2<6^2+7^2$이 성립해야 한다. $\therefore x^2<85$

$\therefore x=1, 2, 3, 4, 5, 6, 7, 8, 9$

이때 $x>7$이므로 $x=8, 9$

14 Action 주어진 직선의 x절편과 y절편을 먼저 구한다.

$4x-3y+48=0$에 $x=0$을 대입하면

$-3y+48=0$ $\therefore y=16$

$4x-3y+48=0$에 $y=0$을 대입하면

$4x+48=0$ $\therefore x=-12$

즉 $\triangle \text{AOB}$에서 $\overline{\text{OA}}=12, \overline{\text{OB}}=16$이므로

$\overline{\text{AB}}^2=12^2+16^2=400$

$\therefore \overline{\text{AB}}=20 (\because \overline{\text{AB}}>0)$

이때 $\overline{\text{OA}}\times\overline{\text{OB}}=\overline{\text{AB}}\times\overline{\text{OH}}$이므로

$12\times 16=20\times\overline{\text{OH}}$

$\therefore \overline{\text{OH}}=\dfrac{48}{5}$

15 Action $\overline{DE}^2+\overline{BC}^2=\overline{BE}^2+\overline{CD}^2$임을 이용한다.

오른쪽 그림과 같이 $\overline{DE}$를 그으면 두 점 D, E가 각각 $\overline{AB}$, $\overline{AC}$의 중점이므로

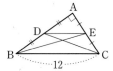

$$\overline{DE}=\frac{1}{2}\overline{BC}=\frac{1}{2}\times12=6$$

$$\therefore \overline{BE}^2+\overline{CD}^2=\overline{DE}^2+\overline{BC}^2=6^2+12^2=180$$

16 Action $\overline{AB}^2+\overline{CD}^2=\overline{AD}^2+\overline{BC}^2$임을 이용한다.

△DOC에서 $\overline{CD}^2=6^2+8^2=100$

$\therefore \overline{CD}=10\ (\because \overline{CD}>0)$

$\overline{AC}\perp\overline{BD}$이므로 $\overline{AB}^2+\overline{CD}^2=\overline{AD}^2+\overline{BC}^2$

$9^2+10^2=\overline{AD}^2+11^2$ $\therefore \overline{AD}^2=60$

17 Action $P+Q=R$임을 이용한다.

$$R=\pi\times4^2\times\frac{1}{2}=8\pi$$

이때 $P+Q=R$이므로

$$P+Q+R=R+R=2R=2\times8\pi=16\pi$$

18 Action 색칠한 부분의 넓이는 △ABC의 넓이와 같음을 이용한다.

색칠한 부분의 넓이는 △ABC의 넓이와 같으므로

$$\frac{1}{2}\times12\times\overline{AC}=54,\ 6\overline{AC}=54 \quad \therefore \overline{AC}=9\ (\text{cm})$$

따라서 △ABC에서 $\overline{BC}^2=12^2+9^2=225$

$\therefore \overline{BC}=15\ (\text{cm})\ (\because \overline{BC}>0)$

최고수준 **완성하기** ⓟ82~ⓟ84

01 $\frac{21}{5}$	**02** 338 cm²	**03** 26	**04** 75
05 36 cm²	**06** 75 cm²	**07** ㉡, ㉢, ㉥	**08** 80
09 81 : 49 : 32		**10** 45	**11** 216π cm³
12 13 cm			

01 Action △ABP≡△CDQ(RHA 합동)임을 이용한다.

△ABD에서 $\overline{BD}^2=9^2+12^2=225$

$\therefore \overline{BD}=15\ (\because \overline{BD}>0)$

△ABD에서 $\overline{AB}^2=\overline{BP}\times\overline{BD}$이므로

$9^2=\overline{BP}\times15 \quad \therefore \overline{BP}=\frac{27}{5}$

△ABP와 △CDQ에서

∠APB=∠CQD=90°,

$\overline{AB}=\overline{CD}$,

∠ABP=∠CDQ(엇각)

이므로 △ABP≡△CDQ(RHA 합동)

$\therefore \overline{DQ}=\overline{BP}=\frac{27}{5}$

$\therefore \overline{PQ}=\overline{BD}-(\overline{BP}+\overline{DQ})=15-\left(\frac{27}{5}+\frac{27}{5}\right)=\frac{21}{5}$

02 Action 밑변과 높이가 같은 삼각형의 넓이는 같음을 이용한다.

△ABC에서 $\overline{BC}^2=24^2+10^2=676$

$\therefore \overline{BC}=26\ (\text{cm})\ (\because \overline{BC}>0)$

$\overline{BD}/\!/\overline{AG}$이므로 △ABD=△FBD

$\overline{AG}/\!/\overline{CE}$이므로 △AEC=△FEC

따라서 색칠한 부분의 넓이는

△ABD+△AEC=△FBD+△FEC

$\qquad=\frac{1}{2}\square BDEC$

$\qquad=\frac{1}{2}\times26^2$

$\qquad=338\ (\text{cm}^2)$

03 Action □ABDE와 □CFGH는 정사각형임을 이용한다.

4개의 직각삼각형이 모두 합동이므로 □ABDE와 □CFGH는 정사각형이다.

△ABC에서 $\overline{AB}^2=4^2+3^2=25$

$\therefore \overline{AB}=5\ (\because \overline{AB}>0)$

$\therefore \square ABDE=\overline{AB}^2=5^2=25$

또 $\overline{BF}=\overline{AC}=3$이므로

$\overline{CF}=\overline{BC}-\overline{BF}=4-3=1$

$\therefore \square CFGH=\overline{CF}^2=1^2=1$

$\therefore \square ABDE+\square CFGH=25+1=26$

04 Action $\overline{AB}$를 한 변으로 하는 정사각형의 넓이와 $\overline{AC}$를 한 변으로 하는 정사각형의 넓이의 합은 $\overline{BC}$를 한 변으로 하는 정사각형의 넓이와 같음을 이용한다.

오른쪽 그림과 같이 각 정사각형의 넓이를 $S_1, S_2, S_3, \cdots, S_7$이라 하면

$S_1+S_2=S_3,\ S_6+S_7=S_5,$

$S_3+S_5=S_4$이므로

$S_1+S_2+S_3+S_4+S_5+S_6+S_7$

$=S_3+S_4+S_4+S_5$

$=S_4+S_4+S_4$

$=3S_4$

$=3\times5^2$

$=75$

05 Action $\overline{AD}=x$ cm, $\overline{AE}=y$ cm로 놓고 △ADB와 △ACE의 넓이를 각각 x와 y를 사용하여 나타낸다.

$\overline{AD}=x$ cm, $\overline{AE}=y$ cm라 하면

$\triangle ADB=\dfrac{1}{2}x^2\,(cm^2)$, $\triangle ACE=\dfrac{1}{2}y^2\,(cm^2)$

△ADB에서 $\overline{AB}^2=x^2+x^2=2x^2$

△ACE에서 $\overline{AC}^2=y^2+y^2=2y^2$

이때 △ABC에서 $\overline{AB}^2+\overline{AC}^2=\overline{BC}^2$이므로

$2x^2+2y^2=12^2$ ∴ $x^2+y^2=72$

∴ $\triangle ADB+\triangle ACE=\dfrac{1}{2}x^2+\dfrac{1}{2}y^2=\dfrac{1}{2}(x^2+y^2)$

$=\dfrac{1}{2}\times72=36\,(cm^2)$

06 Action △FBD는 이등변삼각형임을 이용한다.

∠FBD=∠DBC(접은 각), ∠FDB=∠DBC(엇각)이므로 ∠FBD=∠FDB

즉 △FBD는 $\overline{FB}=\overline{FD}$인 이등변삼각형이다. ····· 20%

또 △BCD에서 $\overline{BD}^2=12^2+16^2=400$

∴ $\overline{BD}=20\,(cm)\,(∵\overline{BD}>0)$ ····· 20%

오른쪽 그림과 같이 점 F에서 $\overline{BD}$에 내린 수선의 발을 H라 하면

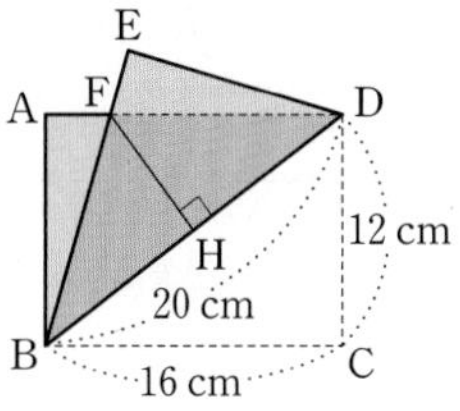

$\overline{BH}=\overline{DH}=\dfrac{1}{2}\overline{BD}$

$=\dfrac{1}{2}\times20=10\,(cm)$

△EBD와 △HBF에서

∠BED=∠BHF=90°,

∠EBD=∠HBF

이므로 △EBD∽△HBF(AA 닮음)

즉 $\overline{ED}:\overline{HF}=\overline{BE}:\overline{BH}$이므로 $12:\overline{HF}=16:10$

$16\overline{HF}=120$ ∴ $\overline{HF}=\dfrac{15}{2}\,(cm)$ ····· 40%

따라서 겹쳐진 부분의 넓이는

$\triangle FBD=\dfrac{1}{2}\times20\times\dfrac{15}{2}=75\,(cm^2)$ ····· 20%

07 Action 둔각삼각형이 되려면 가장 긴 변의 길이의 제곱이 나머지 두 변의 길이의 제곱의 합보다 커야 한다.

㉠ 나머지 한 변의 길이가 6 cm이면 6+7=13이므로 삼각형이 만들어지지 않는다.

㉡ 나머지 한 변의 길이가 8 cm이면 $13^2>7^2+8^2$이므로 둔각삼각형이다.

㉢ 나머지 한 변의 길이가 10 cm이면 $13^2>7^2+10^2$이므로 둔각삼각형이다.

㉣ 나머지 한 변의 길이가 12 cm이면 $13^2<7^2+12^2$이므로 예각삼각형이다.

㉤ 나머지 한 변의 길이가 14 cm이면 $14^2<7^2+13^2$이므로 예각삼각형이다.

㉥ 나머지 한 변의 길이가 15 cm이면 $15^2>7^2+13^2$이므로 둔각삼각형이다.

따라서 나머지 한 변의 길이가 될 수 있는 것은 ㉡, ㉢, ㉥이다.

08 Action $\overline{MN}$을 그으면 □AMNC에서 $\overline{AN}\perp\overline{CM}$이므로 $\overline{AM}^2+\overline{CN}^2=\overline{AC}^2+\overline{MN}^2$임을 이용한다.

오른쪽 그림과 같이 $\overline{MN}$을 그으면

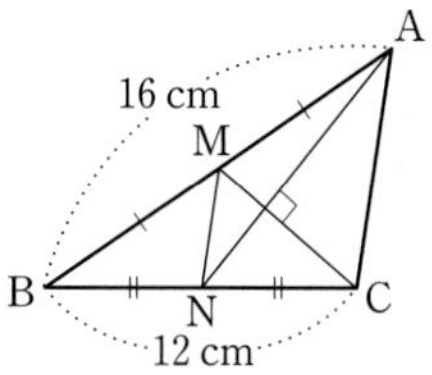

$\overline{MN}=\dfrac{1}{2}\overline{AC}$

$\overline{AM}=\dfrac{1}{2}\overline{AB}=\dfrac{1}{2}\times16=8\,(cm)$

$\overline{CN}=\dfrac{1}{2}\overline{BC}=\dfrac{1}{2}\times12=6\,(cm)$

이때 □AMNC에서 $\overline{AN}\perp\overline{CM}$이므로

$\overline{AM}^2+\overline{CN}^2=\overline{AC}^2+\overline{MN}^2$

$8^2+6^2=\overline{AC}^2+\left(\dfrac{1}{2}\overline{AC}\right)^2$

$\dfrac{5}{4}\overline{AC}^2=100$ ∴ $\overline{AC}^2=80$

09 Action $S_1=S_2+S_3$임을 이용한다.

$S_1=\pi\times\left(\dfrac{9}{2}\right)^2\times\dfrac{1}{2}=\dfrac{81}{8}\pi$, $S_2=\pi\times\left(\dfrac{7}{2}\right)^2\times\dfrac{1}{2}=\dfrac{49}{8}\pi$

이때 $S_1=S_2+S_3$이므로

$S_3=S_1-S_2=\dfrac{81}{8}\pi-\dfrac{49}{8}\pi=\dfrac{32}{8}\pi=4\pi$

∴ $S_1:S_2:S_3=\dfrac{81}{8}\pi:\dfrac{49}{8}\pi:4\pi=81:49:32$

10 Action $S_1+S_2=\triangle ABC$, $S_3+S_4=\triangle ACD$임을 이용한다.

오른쪽 그림과 같이 $\overline{AC}$를 그은 후 각 부분의 넓이를 S_1, S_2, S_3, S_4라 하면

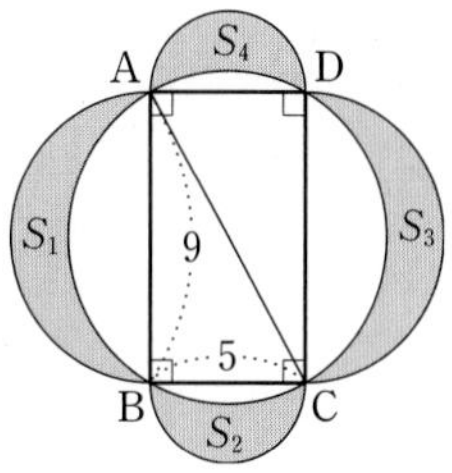

$S_1+S_2=\triangle ABC$

$S_3+S_4=\triangle ACD$

따라서 색칠한 부분의 넓이는

$S_1+S_2+S_3+S_4=\triangle ABC+\triangle ACD$

$=\square ABCD$

$=5\times9=45$

11 Action (원뿔의 부피)$=\dfrac{1}{3}\times$(밑넓이)$\times$(높이)

△OPB에서 $\overline{OP}^2=10^2-6^2=64$

∴ $\overline{OP}=8\,(cm)\,(∵\overline{OP}>0)$ ····· 40%

이때 $\overline{OA}=\overline{OB}=10$ cm이므로

$\overline{AP}=\overline{OA}+\overline{OP}=10+8=18\,(cm)$ ····· 40%

따라서 원뿔의 부피는

$\dfrac{1}{3}\times(\pi\times6^2)\times18=216\pi\,(cm^3)$ ····· 20%

12 Action 전개도를 이용하여 최단 거리를 구한다.

오른쪽 그림의 전개도에서 구하는 최단 거리는 $\overline{AF}$의 길이와 같다.

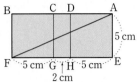

△AFE에서
$\overline{AF}^2=5^2+(5+2+5)^2=169$
∴ $\overline{AF}=13$ (cm) $(∵ \overline{AF}>0)$

03 Action 원기둥의 옆면의 전개도를 그려서 생각한다.

밑면의 둘레의 길이는 $2\pi \times \dfrac{4}{\pi}=8$

다음 그림의 전개도에서 구하는 최단 거리는 $\overline{AB'''}$의 길이와 같다.

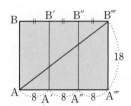

△AA'''B'''에서
$\overline{AB'''}^2=(8+8+8)^2+18^2=900$
∴ $\overline{AB'''}=30$ $(∵ \overline{AB'''}>0)$

최고수준 **뛰어넘기** ⓟ 85

01 $8:4:1$ **02** $\dfrac{81}{10}$ **03** 30

01 Action 먼저 $\overline{AC}=5a$, $\overline{BC}=12a$로 놓고 피타고라스 정리를 이용하여 $\overline{AB}$의 길이를 구한다.

$\overline{AC}:\overline{BC}=5:12$이므로 $\overline{AC}=5a$, $\overline{BC}=12a\,(a>0)$라 하면 $\overline{AD}=\overline{AC}=5a$, $\overline{BE}=\overline{BC}=12a$
△ABC에서 $\overline{AB}^2=(5a)^2+(12a)^2=169a^2$
∴ $\overline{AB}=13a$ $(∵ \overline{AB}>0)$
이때 $\overline{DE}=\overline{BE}+\overline{AD}-\overline{AB}$이므로
$\overline{DE}=12a+5a-13a=4a$
따라서
$\overline{BD}=\overline{BE}-\overline{DE}=12a-4a=8a$,
$\overline{EA}=\overline{AD}-\overline{DE}=5a-4a=a$
이므로 $\overline{BD}:\overline{DE}:\overline{EA}=8a:4a:a=8:4:1$

02 Action 두 점 P, Q에서 $\overline{AC}$, $\overline{BC}$에 각각 수선을 그은 후 생기는 직각삼각형에서 피타고라스 정리를 이용한다.

오른쪽 그림과 같이 두 점 P, Q에서 $\overline{AC}$, $\overline{BC}$에 내린 수선의 발을 각각 D, E, F, G라 하면
$\overline{AD}=\overline{DE}=\overline{EC}=\overline{BG}=\overline{GF}=\overline{FC}$
이때 $\overline{AD}=a$라 하면
△QGC에서
$\overline{QG}=\overline{EC}=a$, $\overline{GC}=2a$이고
$\overline{QG}^2+\overline{GC}^2=\overline{CQ}^2$이므로 $a^2+(2a)^2=3^2$
$5a^2=9$ ∴ $a^2=\dfrac{9}{5}$
∴ △ABC$=\dfrac{1}{2}\times 3a \times 3a=\dfrac{9}{2}a^2=\dfrac{9}{2}\times\dfrac{9}{5}=\dfrac{81}{10}$

교과서 속 **창의 사고력** ⓟ 86

01 $2700\,cm^2$ **02** $23\,km$

01 Action 가로의 길이를 $4x$ cm, 세로의 길이를 $3x$ cm로 놓고 피타고라스 정리를 이용한다.

응원 깃발의 가로와 세로의 길이의 비가 $4:3$이므로 응원 깃발의 가로와 세로의 길이를 각각 $4x$ cm, $3x$ cm$(x>0)$라 하면 $(4x)^2+(3x)^2=75^2$
$16x^2+9x^2=5625$, $25x^2=5625$
$x^2=225$ ∴ $x=15$ $(∵ x>0)$
따라서 응원 깃발의 가로의 길이는 $4\times 15=60$ (cm),
세로의 길이는 $3\times 15=45$ (cm)이므로
(응원 깃발의 넓이)$=60\times 45=2700$ (cm^2)

02 Action 먼저 강의 폭을 뺀 두 마을 사이의 최단 거리를 구한다.

강의 폭을 뺀 두 마을 A, B 사이의 최단 거리는 다음 그림과 같이 생각할 수 있다.

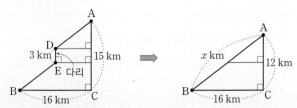

강의 폭을 뺀 두 마을 A, B 사이의 최단 거리를 x km라 하면 △ABC에서 $x^2=16^2+12^2=400$
∴ $x=20$ $(∵ x>0)$
따라서 A → D → E → B로 이동할 때, 최단 거리는
$x+3=20+3=23$ (km)

V. 확률

1. 경우의 수

입문하기   **ⓟ** 89 - **ⓟ** 92

01 8	**02** (1) 5 (2) 8	**03** 3	**04** 5
05 9	**06** 7	**07** 15	**08** 72
09 6	**10** 15	**11** 10	**12** 108
13 6	**14** 240	**15** 288	**16** 36
17 20	**18** 20	**19** 120	**20** 10
21 6	**22** 18	**23** 35	**24** 18

01 **Action** 경우의 수를 구할 때에는 모든 경우를 중복되지 않게, 빠짐없이 구해야 한다.

1에서 20까지의 자연수 중 소수는

2, 3, 5, 7, 11, 13, 17, 19

따라서 구하는 경우의 수는 8이다.

02 **Action** 주사위의 두 눈의 수의 합이 6이 되는 경우와 차가 2가 되는 경우를 순서쌍으로 나타내 본다.

(1) 두 눈의 수의 합이 6이 되는 경우는 $(1, 5)$, $(2, 4)$, $(3, 3)$, $(4, 2)$, $(5, 1)$이므로 구하는 경우의 수는 5이다.

(2) 두 눈의 수의 차가 2가 되는 경우는 $(1, 3)$, $(2, 4)$, $(3, 1)$, $(3, 5)$, $(4, 2)$, $(4, 6)$, $(5, 3)$, $(6, 4)$이므로 구하는 경우의 수는 8이다.

03 **Action** x, y에 들어갈 수 있는 값이 1, 2, 3, 4, 5, 6뿐임에 주의한다.

$2x + y = 13$을 만족하는 값을 순서쌍 (x, y)로 나타내면 $(4, 5)$, $(5, 3)$, $(6, 1)$이므로 구하는 경우의 수는 3이다.

04 **Action** 금액이 큰 동전을 기준으로 표를 만든다.

공책의 값을 지불하는 방법을 표로 나타내면 다음과 같다.

100원짜리 동전(개)	5	5	4	4	3
50원짜리 동전(개)	2	1	4	3	5
10원짜리 동전(개)	0	5	0	5	5

따라서 구하는 방법의 수는 5이다.

05 **Action** 두 눈의 수의 합이 4가 되는 경우의 수와 7이 되는 경우의 수를 각각 구한 후 더한다.

두 눈의 수의 합이 4가 되는 경우는 $(1, 3)$, $(2, 2)$, $(3, 1)$의 3가지

두 눈의 수의 합이 7이 되는 경우는 $(1, 6)$, $(2, 5)$, $(3, 4)$, $(4, 3)$, $(5, 2)$, $(6, 1)$의 6가지

따라서 구하는 경우의 수는 $3 + 6 = 9$

06 **Action** 3의 배수인 경우의 수와 5의 배수인 경우의 수를 각각 구하고, 중복되는 경우가 있는지를 확인한다.

3의 배수가 적힌 카드가 나오는 경우는 3, 6, 9, 12, 15의 5가지

5의 배수가 적힌 카드가 나오는 경우는 5, 10, 15의 3가지

이때 3의 배수이면서 5의 배수, 즉 15의 배수가 적힌 카드가 나오는 경우는 15의 1가지

따라서 구하는 경우의 수는 $5 + 3 - 1 = 7$

07 **Action** 두 눈의 수의 합이 소수가 되는 경우는 2, 3, 5, 7, 11이므로 각각의 경우의 수를 구한다.

두 눈의 수의 합이 소수가 되는 경우는 2, 3, 5, 7, 11이다.

(i) 두 눈의 수의 합이 2인 경우 : $(1, 1)$의 1가지

(ii) 두 눈의 수의 합이 3인 경우 : $(1, 2)$, $(2, 1)$의 2가지

(iii) 두 눈의 수의 합이 5인 경우 : $(1, 4)$, $(2, 3)$, $(3, 2)$, $(4, 1)$의 4가지

(iv) 두 눈의 수의 합이 7인 경우 : $(1, 6)$, $(2, 5)$, $(3, 4)$, $(4, 3)$, $(5, 2)$, $(6, 1)$의 6가지

(v) 두 눈의 수의 합이 11인 경우 : $(5, 6)$, $(6, 5)$의 2가지

(i)~(v)에서 구하는 경우의 수는 $1 + 2 + 4 + 6 + 2 = 15$

08 **Action** 사건 A가 일어나는 경우의 수가 m이고, 그 각각에 대하여 사건 B가 일어나는 경우의 수가 n이면 사건 A와 사건 B가 동시에 일어나는 경우의 수는 $m \times n$이다.

$2 \times 6 \times 6 = 72$

09 **Action** 사건 A가 일어나는 경우의 수가 m이고, 그 각각에 대하여 사건 B가 일어나는 경우의 수가 n이면 사건 A와 사건 B가 동시에 일어나는 경우의 수는 $m \times n$이다.

동전이 서로 다른 면이 나오는 경우는 (앞, 뒤), (뒤, 앞)의 2가지

주사위에서 4의 약수의 눈이 나오는 경우는 1, 2, 4의 3가지

따라서 구하는 경우의 수는 $2 \times 3 = 6$

10 **Action** 각 전구가 나타낼 수 있는 경우는 불이 켜진 경우와 꺼진 경우의 2가지이다.

각 전구가 나타낼 수 있는 경우는 불이 켜진 경우와 꺼진 경우의 2가지가 있으므로 4개의 전구가 나타낼 수 있는 모든 경우의 수는

$2 \times 2 \times 2 \times 2 = 16$

이때 전구가 모두 꺼진 경우는 신호로 생각하지 않으므로 만들 수 있는 신호의 개수는 $16 - 1 = 15$

11 **Action** 집에서 학교로 가는 방법은 집 → 학교 또는 집 → 문구점 → 학교의 두 가지가 있다.

집에서 문구점을 지나지 않고 학교로 가는 방법은 2가지

⋯⋯ 30%

집에서 문구점을 지나 학교로 가는 방법은

$4 \times 2 = 8$(가지) ⋯⋯ 40%

따라서 구하는 방법의 수는 $2 + 8 = 10$ ⋯⋯ 30%

12 **Action** A, B, C, D에 칠할 수 있는 색의 수를 차례대로 구한다.

A에 칠할 수 있는 색은 4가지
B에 칠할 수 있는 색은 A에 칠한 색을 제외한 3가지
C에 칠할 수 있는 색은 B에 칠한 색을 제외한 3가지
D에 칠할 수 있는 색은 C에 칠한 색을 제외한 3가지
따라서 구하는 방법의 수는 $4 \times 3 \times 3 \times 3 = 108$

13 **Action** 재호와 수빈이를 1명으로 생각한다.

구하는 경우의 수는 재호와 수빈이를 1명으로 생각하여 3명을 일렬로 세우는 경우의 수와 같으므로 $3 \times 2 \times 1 = 6$

14 **Action** 위치가 정해진 학생을 제외한 나머지 학생을 일렬로 세우는 경우의 수를 구한다.

민정이와 선우를 제외한 5명의 학생을 일렬로 세우는 경우의 수는 $5 \times 4 \times 3 \times 2 \times 1 = 120$
이때 민정이와 선우가 양 끝에 서는 경우의 수는 2이므로 구하는 경우의 수는 $120 \times 2 = 240$

♪》Lecture

특정한 사람의 위치가 고정된 경우의 수
n명을 일렬로 세울 때, 특정한 사람의 위치가 고정된 경우의 수는 특정한 사람을 고정된 위치에 세운 후 나머지를 일렬로 세우는 경우의 수와 같다.

15 **Action** 남학생과 여학생을 각각 한 묶음으로 묶어서 생각한다.

남학생 3명과 여학생 4명을 각각 한 묶음으로 생각하면
두 묶음을 일렬로 세우는 경우의 수는 $2 \times 1 = 2$
남학생끼리 자리를 바꾸는 경우의 수는 $3 \times 2 \times 1 = 6$
여학생끼리 자리를 바꾸는 경우의 수는 $4 \times 3 \times 2 \times 1 = 24$
따라서 구하는 경우의 수는 $2 \times 6 \times 24 = 288$

16 **Action** 홀수는 일의 자리의 숫자가 홀수이다.

홀수는 일의 자리의 숫자가 1 또는 3 또는 5이다.
(i) ▢▢1인 경우 : $4 \times 3 = 12$(개) ⋯⋯ 30%
(ii) ▢▢3인 경우 : $4 \times 3 = 12$(개) ⋯⋯ 30%
(iii) ▢▢5인 경우 : $4 \times 3 = 12$(개) ⋯⋯ 30%
(i)~(iii)에서 구하는 홀수의 개수는
$12 + 12 + 12 = 36$ ⋯⋯ 10%

17 **Action** 310보다 큰 세 자리의 정수는 십의 자리를 기준으로 나누어서 생각한다.

310보다 큰 세 자리의 정수는 다음과 같다.
(i) 31▢인 경우 : 312, 314의 2개
(ii) 32▢인 경우 : 320, 321, 324의 3개
(iii) 34▢인 경우 : 340, 341, 342의 3개
(iv) 4▢▢인 경우 : $4 \times 3 = 12$(개)
(i)~(iv)에서 310보다 큰 정수의 개수는
$2 + 3 + 3 + 12 = 20$

18 **Action** 정수의 맨 앞자리에는 0이 올 수 없음에 주의한다.

3의 배수는 각 자리의 숫자의 합이 3의 배수이다.
0, 1, 2, 3, 4 중에서 세 수의 합이 3의 배수인 경우는
$(0, 1, 2), (0, 2, 4), (1, 2, 3), (2, 3, 4)$이다.
(i) $(0, 1, 2), (0, 2, 4)$로 만들 수 있는 세 자리의 정수의 개수는 $(2 \times 2 \times 1) \times 2 = 8$
(ii) $(1, 2, 3), (2, 3, 4)$로 만들 수 있는 세 자리의 정수의 개수는 $(3 \times 2 \times 1) \times 2 = 12$
(i), (ii)에서 구하는 3의 배수의 개수는 $8 + 12 = 20$

♪》Lecture

배수 판정법
① 2의 배수 : 일의 자리의 숫자가 0, 2, 4, 6, 8 중의 하나이다.
② 3의 배수 : 각 자리의 숫자의 합이 3의 배수이다.
③ 4의 배수 : 마지막 두 자리의 수가 4의 배수이거나 00이다.
④ 5의 배수 : 일의 자리의 숫자가 0 또는 5이다.

19 **Action** n명 중 자격이 다른 대표 3명을 뽑는 경우의 수는
$n \times (n-1) \times (n-2)$이다.

$6 \times 5 \times 4 = 120$

20 **Action** n명 중 자격이 같은 대표 3명을 뽑는 경우의 수는
$\dfrac{n \times (n-1) \times (n-2)}{3 \times 2 \times 1}$이다.

$\dfrac{5 \times 4 \times 3}{3 \times 2 \times 1} = 10$

21 **Action** A를 먼저 뽑은 후 나머지 학생들 중 2명의 대표를 뽑는다.

구하는 경우의 수는 A를 제외한 4명 중에서 자격이 같은 2명의 대표를 뽑는 경우의 수와 같으므로 $\dfrac{4 \times 3}{2 \times 1} = 6$

22 **Action** 여학생이 적어도 한 명 뽑히는 경우의 수는
(모든 경우의 수) − (2명 모두 남학생이 뽑히는 경우의 수)

7명 중에서 자격이 같은 2명의 대표를 뽑는 경우의 수는
$\dfrac{7 \times 6}{2 \times 1} = 21$

남학생 3명 중에서 자격이 같은 2명의 대표를 뽑는 경우의 수는 $\dfrac{3 \times 2}{2 \times 1} = 3$

따라서 구하는 경우의 수는 $21 - 3 = 18$

23 [Action] 선분은 순서에 관계없이 2개의 점을 뽑는 경우이고, 삼각형은 순서에 관계없이 3개의 점을 뽑는 경우와 같음을 이용한다.

6개의 점 중에서 2개의 점을 연결하여 만들 수 있는 선분의 개수는 6개의 점 중에서 순서를 생각하지 않고 2개의 점을 뽑는 경우의 수와 같으므로 $a = \dfrac{6 \times 5}{2 \times 1} = 15$

6개의 점 중에서 3개의 점을 연결하여 만들 수 있는 삼각형의 개수는 6개의 점 중에서 순서를 생각하지 않고 3개의 점을 뽑는 경우의 수와 같으므로 $b = \dfrac{6 \times 5 \times 4}{3 \times 2 \times 1} = 20$

∴ $a + b = 15 + 20 = 35$

24 [Action] 주어진 도로망 위에 갈 수 있는 방법의 수를 하나씩 적어 나간다.

오른쪽 그림에서

(ⅰ) A 지점에서 P 지점까지 최단 거리로 가는 방법의 수는 6

(ⅱ) P 지점에서 B 지점까지 최단 거리로 가는 방법의 수는 3

(ⅰ), (ⅱ)에서 구하는 방법의 수는

$6 \times 3 = 18$

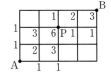

최고수준 완성하기 ⓟ93– ⓟ96

01 10	**02** 9	**03** 21가지	**04** 8
05 28	**06** 420	**07** 14400	**08** 36
09 9	**10** 252	**11** 60	**12** 36번째
13 84	**14** 21	**15** 32	**16** 168

01 [Action] 가능한 모든 경우를 나뭇가지 모양의 그림으로 나타내 본다.

1차전에서 A 팀이 이겼고, 2차전에서 5차전까지 이기는 팀을 나뭇가지 모양의 그림으로 나타내면 다음과 같다.

1차전 2차전 3차전 4차전 5차전

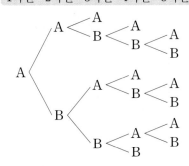

따라서 구하는 경우의 수는 10이다.

02 [Action] A, B, C, D의 가방을 각각 a, b, c, d라 하고 자기 가방을 든 학생이 한 명도 없는 경우를 나뭇가지 모양의 그림으로 나타내 본다.

A, B, C, D의 가방을 각각 a, b, c, d라 하고 자기 가방을 든 학생이 한 명도 없는 경우를 나뭇가지 모양의 그림으로 나타내면 다음과 같다.

$$
\begin{array}{cccc}
\text{A} & \text{B} & \text{C} & \text{D}
\end{array}
$$

$$
b \begin{cases} a - d - c \\ c - d - a \\ d - a - c \end{cases}
$$
$$
c \begin{cases} a - d - b \\ d \begin{cases} a - b \\ b - a \end{cases} \end{cases}
$$
$$
d \begin{cases} a - b - c \\ c \begin{cases} a - b \\ b - a \end{cases} \end{cases}
$$

따라서 구하는 경우의 수는 9이다.

03 [Action] 각각의 경우를 나열해 보고 금액이 중복되는 경우가 있는지 확인한다.

사용할 수 있는 동전과 지폐의 개수를 순서쌍 (100원, 500원, 1000원)으로 나타내면 다음과 같다.

$(1, 1, 1), (1, 1, 2), (1, 2, 1), (1, 2, 2)$
$(2, 1, 1), (2, 1, 2), (2, 2, 1), (2, 2, 2)$
$(3, 1, 1), (3, 1, 2), (3, 2, 1), (3, 2, 2)$
$(4, 1, 1), (4, 1, 2), (4, 2, 1), (4, 2, 2)$
$(5, 1, 1), (5, 1, 2), (5, 2, 1), (5, 2, 2)$
$(6, 1, 1), (6, 1, 2), (6, 2, 1), (6, 2, 2)$

이때

$(1, 1, 2), (6, 2, 1) \Rightarrow 2600$원,
$(1, 2, 1), (6, 1, 1) \Rightarrow 2100$원,
$(1, 2, 2), (6, 1, 2) \Rightarrow 3100$원

이므로 지불할 수 있는 금액은 모두

$24 - 3 = 21$(가지)

04 [Action] 다섯 번째 계단까지 오르는 경우를 순서쌍으로 나타내 본다.

다섯 번째 계단까지 오르는 경우는 다음과 같다.

(ⅰ) 한 계단씩 5번에 올라가는 경우

$(1, 1, 1, 1, 1)$의 1가지

(ⅱ) 한 계단씩 3번, 두 계단씩 1번에 올라가는 경우

$(1, 1, 1, 2), (1, 1, 2, 1), (1, 2, 1, 1), (2, 1, 1, 1)$의 4가지

(ⅲ) 한 계단씩 1번, 두 계단씩 2번에 올라가는 경우

$(1, 2, 2), (2, 1, 2), (2, 2, 1)$의 3가지

(ⅰ)~(ⅲ)에서 구하는 경우의 수는

$1 + 4 + 3 = 8$

05 [Action] 가능한 모든 경로를 나뭇가지 모양의 그림으로 나타내 본다.

주어진 정팔면체의 꼭짓점 A에서 출발하여 꼭짓점 B로 움직인 후 꼭짓점 F에 도착하는 경우를 나뭇가지 모양의 그림으로 나타내면 다음과 같다.

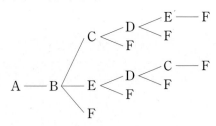

즉 꼭짓점 A에서 출발하여 꼭짓점 B로 움직인 후 꼭짓점 F로 도착하는 방법의 수는 7이다.
꼭짓점 A에서 꼭짓점 C로, 꼭짓점 A에서 꼭짓점 D로, 꼭짓점 A에서 꼭짓점 E로 움직이는 방법의 수도 모두 각각 7이므로 구하는 방법의 수는
$7 \times 4 = 28$

06 [Action] A, B, C 세 부분에 칠할 수 있는 색의 수를 차례대로 구한 후 D에 B와 다른 색을 칠하는 경우와 같은 색을 칠하는 경우로 나누어 생각한다.

A에 칠할 수 있는 색은 5가지
B에 칠할 수 있는 색은 A에 칠한 색을 제외한 4가지
C에 칠할 수 있는 색은 A, B에 칠한 색을 제외한 3가지
이때 D와 E에 칠할 수 있는 색은 다음과 같다.
(i) D에 B와 다른 색을 칠하는 경우
　D에 칠할 수 있는 색은 A, B, C에 칠한 색을 제외한 2가지, E에 칠할 수 있는 색은 A, B, D에 칠한 색을 제외한 2가지
　∴ $2 \times 2 = 4$
(ii) D에 B와 같은 색을 칠하는 경우
　D에 칠할 수 있는 색은 B에 칠한 색과 같으므로 1가지, E에 칠할 수 있는 색은 A, B(또는 D)에 칠한 색을 제외한 3가지
　∴ $1 \times 3 = 3$
(i), (ii)에서 D, E에 칠할 수 있는 색은
$4 + 3 = 7$(가지)
따라서 구하는 방법의 수는
$5 \times 4 \times 3 \times 7 = 420$

07 [Action] 어떤 두 남학생도 이웃하여 서지 않으려면 먼저 여학생을 세우고 여학생 사이에 남학생을 세우면 된다.

어떤 두 남학생도 이웃하여 서지 않으려면 먼저 여학생을 세우고 여학생 사이에 남학생을 세우면 된다.
여학생 5명을 일렬로 세우는 경우의 수는
$5 \times 4 \times 3 \times 2 \times 1 = 120$

이때 남학생은 $\square$여$\square$여$\square$여$\square$여$\square$여$\square$에서 6개의 $\square$ 중 3개를 택하여 한 명씩 세우면 되므로 그 경우의 수는
$6 \times 5 \times 4 = 120$
따라서 구하는 경우의 수는
$120 \times 120 = 14400$

08 [Action] 부모 사이에 자녀 두 명이 서는 경우와 세 명이 서는 경우로 나누어 생각한다.

부모 사이에 적어도 자녀 두 명이 서게 되는 경우는 부모 사이에 자녀 두 명이 서는 경우와 세 명이 서는 경우가 있다.
(i) 부모 사이에 자녀 두 명이 서는 경우
　자녀 세 명 중 두 명을 부모 사이에 일렬로 세우는 경우의 수는 $3 \times 2 = 6$
　나머지 한 명의 자녀가 자리를 정하는 경우의 수는 2
　부모가 자리를 바꾸는 경우의 수는 2
　따라서 부모 사이에 자녀 두 명이 서는 경우의 수는
　$6 \times 2 \times 2 = 24$ …… 50%
(ii) 부모 사이에 자녀 세 명이 서는 경우
　자녀 세 명을 부모 사이에 일렬로 세우는 경우의 수는
　$3 \times 2 \times 1 = 6$
　부모가 자리를 바꾸는 경우의 수는 2
　따라서 부모 사이에 자녀 세 명이 서는 경우의 수는
　$6 \times 2 = 12$ …… 40%
(i), (ii)에서 구하는 경우의 수는
$24 + 12 = 36$ …… 10%

09 [Action] 2장의 카드에 적힌 수의 합은 3 이상 19 이하의 자연수이다.

2장의 카드에 적힌 수의 합은 3 이상 19 이하의 자연수이므로 나올 수 있는 8의 배수는 8, 16이고, 10의 배수는 10이다.
(i) 두 수의 합이 8인 경우 : $(1, 7), (2, 6), (3, 5)$의 3가지
(ii) 두 수의 합이 16인 경우 : $(6, 10), (7, 9)$의 2가지
(iii) 두 수의 합이 10인 경우 : $(1, 9), (2, 8), (3, 7)(4, 6)$의 4가지
(i)~(iii)에서 구하는 경우의 수는
$3 + 2 + 4 = 9$

10 [Action] 1이 적어도 하나 들어 있는 세 자리의 자연수의 개수는 모든 경우의 수에서 1이 하나도 들어 있지 않은 세 자리의 자연수의 개수를 빼서 구한다.

세 자리의 자연수의 개수는 $999 - 99 = 900$
숫자 1이 하나도 들어 있지 않은 세 자리의 자연수의 개수는 백의 자리에는 0, 1이 올 수 없고, 십의 자리와 일의 자리에는 1이 올 수 없으므로 $8 \times 9 \times 9 = 648$
따라서 세 자리의 자연수 중에서 숫자 1이 적어도 하나 들어 있는 자연수의 개수는 $900 - 648 = 252$

11 `Action` 남학생을 회장으로 뽑는 경우와 여학생을 회장으로 뽑는 경우로 나누어 생각한다.

(i) 남학생을 회장으로 뽑는 경우
남학생 3명 중에서 회장 1명을 뽑는 경우의 수는 3
회장으로 뽑힌 1명을 제외한 남학생 2명과 여학생 4명 중에서 남, 녀 부회장을 각각 1명씩 뽑는 경우의 수는
$2 \times 4 = 8$
$\therefore 3 \times 8 = 24$

(ii) 여학생을 회장으로 뽑는 경우
여학생 4명 중에서 회장 1명을 뽑는 경우의 수는 4
남학생 3명과 회장으로 뽑힌 1명을 제외한 여학생 3명 중에서 남, 녀 부회장을 각각 1명씩 뽑는 경우의 수는
$3 \times 3 = 9$
$\therefore 4 \times 9 = 36$

(i), (ii)에서 구하는 경우의 수는
$24 + 36 = 60$

12 `Action` 사전식으로 배열하는 것은 ABC, ABD, ABE, ABF, … 와 같이 알파벳 순으로 배열하는 것이다.

A□□□□인 경우 : $4 \times 3 \times 2 \times 1 = 24$(개)
BA□□□인 경우 : $3 \times 2 \times 1 = 6$(개)
BCA□□인 경우 : $2 \times 1 = 2$(개)
BCD□□인 경우 : $2 \times 1 = 2$(개)
BCEAD인 경우 : 1개
즉 ABCDE에서 BCEDA까지 단어를 배열할 때 BCEDA 앞에 있는 단어의 개수는
$24 + 6 + 2 + 2 + 1 = 35$
따라서 BCEDA는 36번째에 온다.

13 `Action` 2개의 알파벳으로 만들 수 있는 암호의 개수를 따져 본다.

4개의 알파벳 중 2개를 선택하는 경우의 수는
$\dfrac{4 \times 3}{2 \times 1} = 6$
A와 B를 이용하여 만들 수 있는 암호는 다음과 같다.
(i) A를 3개, B를 1개 이용하여 만들 수 있는 암호
AAAB, AABA, ABAA, BAAA의 4개
(ii) A를 2개, B를 2개 이용하여 만들 수 있는 암호
AABB, ABAB, ABBA, BBAA, BABA, BAAB 의 6개
(iii) A를 1개, B를 3개 이용하여 만들 수 있는 암호
ABBB, BABB, BBAB, BBBA의 4개
(i)~(iii)에서 구하는 암호의 개수는
$4 + 6 + 4 = 14$
따라서 만들 수 있는 암호의 개수는
$6 \times 14 = 84$

14 `Action` 주어진 도로망 위에 갈 수 있는 방법의 수를 하나씩 적어 나간다.

P 지점에서 출발하여 각 지점까지 가는 방법의 수를 구하면 오른쪽 그림과 같다.
따라서 구하는 방법의 수는 21이다.

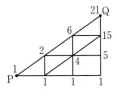

15 `Action` 주어진 도로망 위에 갈 수 있는 방법의 수를 하나씩 적어 나간다.

A 지점에서 B 지점까지 최단 거리로 가는 방법은 A → C → F → B, A → D → B, A → E → B의 3가지 경우로 나눌 수 있다.

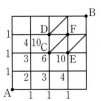

(i) A → C → F → B의 경우
A 지점에서 C 지점을 거쳐 F 지점까지 최단 거리로 가는 방법의 수는 6
F 지점에서 B 지점까지 최단 거리로 가는 방법의 수는 2
따라서 구하는 방법의 수는 $6 \times 2 = 12$
(ii) A → D → B의 경우
A 지점에서 D 지점을 거쳐 F 지점을 지나지 않고 B 지점까지 최단 거리로 가는 방법의 수는 10
(iii) A → E → B의 경우
A 지점에서 E 지점을 거쳐 F 지점을 지나지 않고 B 지점까지 최단 거리로 가는 방법의 수는 10
(i)~(iii)에서 구하는 방법의 수는 $12 + 10 + 10 = 32$

16 `Action` 직사각형을 만들려면 가로선 2개와 세로선 2개를 선택해야 한다.

4개의 가로선 중에서 2개를 뽑는 경우의 수는
$\dfrac{4 \times 3}{2 \times 1} = 6$ ⋯⋯ 40%
8개의 세로선 중에서 2개를 뽑는 경우의 수는
$\dfrac{8 \times 7}{2 \times 1} = 28$ ⋯⋯ 40%
뽑은 4개의 선으로 하나의 직사각형을 만들 수 있으므로 구하는 직사각형의 개수는 $6 \times 28 = 168$ ⋯⋯ 20%

최고수준 뛰어넘기 **P** 97- **P** 98

| 01 7 | 02 12 | 03 11 | 04 12명 |
| 05 6 | 06 195 | | |

01 <kbd>Action</kbd> $(x-3)(y-2)<0$이 되는 경우는 $x-3>0$, $y-2<0$ 또는 $x-3<0$, $y-2>0$임을 이용한다.

$(x-3)(y-2)<0$이 되는 경우는
$x-3>0$, $y-2<0$ 또는 $x-3<0$, $y-2>0$
(i) $x-3>0$, $y-2<0$인 경우
  $x>3$, $y<2$이므로 $x=4, 5, 6$이고 $y=1$
  ∴ $3 \times 1 = 3$
(ii) $x-3<0$, $y-2>0$인 경우
  $x<3$, $y>2$이므로 $x=1, 2$이고 $y=3, 4$
  ∴ $2 \times 2 = 4$
(i), (ii)에서 구하는 경우의 수는 $3+4=7$

02 <kbd>Action</kbd> 다른 원과 선분으로 가장 많이 연결 되어 있는 원부터 스티커를 붙인다.

오른쪽 그림과 같이 원에 1부터 6
까지 번호를 붙이면 2번 원은 다
른 4개의 원과 선분으로 연결되
어 있으므로 2번 원에 붙이는 스
티커의 색부터 먼저 정한다.

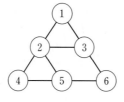

2번 원에 스티커를 붙이는 경우의 수는 3
이때 2번 원에 붙이는 스티커와 같은 색의 다른 스티커는 항
상 6번 원에 붙여야 한다.
남은 두 색의 스티커 중 한 가지를 선택하여 1번에 붙이는 경
우의 수는 2
1번 원에 붙이는 스티커와 같은 색의 다른 스티커는 4번 또
는 5번 원에 붙여야 한다.
그러므로 두 원 중 한 가지 원을 선택하는 경우의 수는 2
나머지 두 원은 남은 스티커를 붙이면 된다.
따라서 구하는 경우의 수는 $3 \times 2 \times 2 = 12$

03 <kbd>Action</kbd> $f(x)+f(y)+f(z)=6$이 되는 경우는
$f(x)=1, f(y)=1, f(z)=4$이거나 $f(x)=1, f(y)=2, f(z)=3$
이거나 $f(x)=2, f(y)=2, f(z)=2$이다.

$f(x)+f(y)+f(z)=6$이 되는 경우는 $f(x)=1, f(y)=1$,
$f(z)=4$이거나 $f(x)=1, f(y)=2, f(z)=3$이거나
$f(x)=2, f(y)=2, f(z)=2$이다.
(i) $f(x)=1, f(y)=1, f(z)=4$인 경우
  xyz의 값은 $11 \times 11 \times 14$, $11 \times 11 \times 22$, $11 \times 11 \times 41$의 3
  가지
(ii) $f(x)=1, f(y)=2, f(z)=3$인 경우
  xyz의 값은 $11 \times 12 \times 13$, $11 \times 12 \times 31$, $11 \times 21 \times 13$,
  $11 \times 21 \times 31$의 4가지
(iii) $f(x)=2, f(y)=2, f(z)=2$인 경우
  xyz의 값은 $12 \times 12 \times 12$, $12 \times 12 \times 21$, $12 \times 21 \times 21$,
  $21 \times 21 \times 21$의 4가지
(i)~(iii)에서 구하는 경우의 수는 $3+4+4=11$

04 <kbd>Action</kbd> 남녀 학생을 각각 한 명씩 선발하고, 남은 20명 중에서 1명을
뽑는 경우의 수를 생각한다.

남학생 수를 x명, 여학생 수를 y명이라 하면
$x+y=22$ ...... ㉠
이때 남학생과 여학생을 각각 1명씩 선발하는 경우의 수는
xy이고, 남학생과 여학생을 각각 1명씩 선발하고 남은 20명
의 학생 중 1명을 선발하는 경우의 수는 20이다.
이때 나중에 뽑힌 학생이 남학생이면 남학생 2명, 여학생 1
명이 선발되고, 나중에 뽑힌 학생이 여학생이면 남학생 1명,
여학생이 2명이 선발된다.
그런데 뽑힌 남학생끼리 또는 여학생끼리는 순서가 없으므
로 경우의 수는 $xy \times 20 \times \dfrac{1}{2} = 10xy$
즉 $10xy=1200$이므로 $xy=120$ ...... ㉡
㉠, ㉡을 모두 만족하는 순서쌍 (x, y)는 $(10, 12)$, $(12, 10)$
그런데 남학생이 여학생보다 많으므로 이 반의 남학생 수는
12명이다.

05 <kbd>Action</kbd> 진희와 동주가 둘 다 3문제씩 맞히기 위해서는 4번 문제는 둘
다 맞혀야 한다.

진희와 동주가 둘 다 3문제씩 맞히기 위해서는 4번 문제의
정답은 반드시 2이어야 한다.
따라서 진희는 4번 문제를 제외한 나머지 4개의 문제 중 2문
제를 맞히고, 동주는 4번 문제와 진희가 맞힌 2문제를 제외
한 나머지 2문제 중 2문제를 맞혀야 한다.
진희가 4문제 중 2문제를 맞히는 경우의 수는
$\dfrac{4 \times 3}{2 \times 1} = 6$
동주가 2문제 중 2문제를 맞히는 경우의 수는
$\dfrac{2 \times 1}{2 \times 1} = 1$
따라서 구하는 경우의 수는 $6 \times 1 = 6$

06 <kbd>Action</kbd> 먼저 한 꼭짓점을 기준으로 하여 사다리꼴의 개수를 구한다.

오른쪽 그림과 같이 정십삼각형
의 꼭짓점을 차례대로 A_1, A_2,
$\cdots$, A_{13}이라 하고, 정십삼각형의
모든 꼭짓점을 지나는 원을 O라
하자.

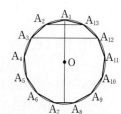

점 A_1을 지나는 원 O의 지름에
대칭인 사다리꼴의 개수는 6개의 점 A_2, A_3, $\cdots$, A_7 중에서
2개의 점을 뽑는 경우의 수와 같으므로
$\dfrac{6 \times 5}{2 \times 1} = 15$
이때 나머지 점 A_2, A_3, $\cdots$, A_{13}을 지나는 원 O의 지름에 대
칭인 사다리꼴에 대하여 같은 방법으로 생각하면 구하는 사
다리꼴의 개수는 $15 \times 13 = 195$

2. 확률

01 $\dfrac{1}{3}$	02 $\dfrac{3}{5}$	03 $\dfrac{1}{5}$	04 $\dfrac{5}{8}$
05 $\dfrac{1}{2}$	06 $\dfrac{5}{36}$	07 $\dfrac{11}{20}$	08 $\dfrac{23}{28}$
09 ④	10 2	11 $\dfrac{1}{4}$	12 $\dfrac{1}{5}$
13 $\dfrac{2}{15}$	14 $\dfrac{13}{15}$	15 $\dfrac{61}{125}$	16 $\dfrac{7}{12}$
17 $\dfrac{5}{18}$	18 $\dfrac{16}{25}$	19 $\dfrac{4}{25}$	20 $\dfrac{25}{28}$
21 $\dfrac{4}{7}$	22 $\dfrac{5}{9}$	23 $\dfrac{4}{9}$	24 $\dfrac{11}{18}$

01 **Action** 가위바위보를 할 때, 각 사람이 낼 수 있는 것은 가위, 바위, 보의 3가지이다.

모든 경우의 수는 $3 \times 3 = 9$

두 사람이 비기는 경우는

(가위, 가위), (바위, 바위), (보, 보)의 3가지

따라서 구하는 확률은 $\dfrac{3}{9} = \dfrac{1}{3}$

02 **Action** 삼각형이 만들어지려면 가장 긴 변의 길이는 나머지 두 변의 길이의 합보다 작아야 한다.

5개의 선분 중에서 3개를 택하는 경우의 수는

$\dfrac{5 \times 4 \times 3}{3 \times 2 \times 1} = 10$

삼각형이 만들어지는 경우는

(3 cm, 4 cm, 5 cm), (3 cm, 4 cm, 6 cm),

(3 cm, 5 cm, 6 cm), (4 cm, 5 cm, 6 cm),

(4 cm, 6 cm, 9 cm), (5 cm, 6 cm, 9 cm)의 6가지

따라서 구하는 확률은 $\dfrac{6}{10} = \dfrac{3}{5}$

03 **Action** C의 자리는 고정되어 있다고 생각하고 나머지 4명을 일렬로 세우는 경우를 생각한다.

모든 경우의 수는 $5 \times 4 \times 3 \times 2 \times 1 = 120$

C가 한가운데에 서는 경우의 수는 C를 제외한 4명을 일렬로 세우는 경우의 수와 같으므로

$4 \times 3 \times 2 \times 1 = 24$

따라서 구하는 확률은 $\dfrac{24}{120} = \dfrac{1}{5}$

04 **Action** 짝수가 되려면 일의 자리의 숫자가 0 또는 짝수이어야 한다.

모든 경우의 수는 $4 \times 4 = 16$

짝수가 되는 경우는 일의 자리의 숫자가 0 또는 2 또는 4인 경우이다.

(i) □0인 경우 : 10, 20, 30, 40의 4가지

(ii) □2인 경우 : 12, 32, 42의 3가지

(iii) □4인 경우 : 14, 24, 34의 3가지

(i)~(iii)에서 짝수인 경우의 수는

$4 + 3 + 3 = 10$

따라서 구하는 확률은 $\dfrac{10}{16} = \dfrac{5}{8}$

05 **Action** B는 대표로 뽑혔다고 생각하고 나머지 5명 중에서 대표 2명을 뽑는 경우를 생각한다.

모든 경우의 수는 $\dfrac{6 \times 5 \times 4}{3 \times 2 \times 1} = 20$ ······ 30%

B가 뽑히는 경우의 수는 B를 제외한 5명 중에서 자격이 같은 2명의 대표를 뽑는 경우의 수와 같으므로

$\dfrac{5 \times 4}{2 \times 1} = 10$ ······ 40%

따라서 구하는 확률은 $\dfrac{10}{20} = \dfrac{1}{2}$ ······ 30%

06 **Action** 두 직선이 평행하려면 기울기는 같고 y절편은 달라야 한다.

모든 경우의 수는 $6 \times 6 = 36$

두 직선이 평행하려면 기울기가 같고 y절편이 달라야 하므로 $a = 2, b \neq 4$

이때 $a = 2, b \neq 4$를 만족하는 순서쌍 (a, b)는 $(2, 1), (2, 2)$, $(2, 3), (2, 5), (2, 6)$의 5가지이므로 구하는 확률은 $\dfrac{5}{36}$

07 **Action** 주어진 사건이 일어나는 경우의 수를 구할 때, 홀수이면서 소수가 적힌 카드가 나오는 경우를 빼어야 하는 것에 주의한다.

홀수가 적힌 카드가 나오는 경우는 1, 3, 5, 7, 9, 11, 13, 15, 17, 19의 10가지

소수가 적힌 카드가 나오는 경우는 2, 3, 5, 7, 11, 13, 17, 19의 8가지

이때 홀수이면서 소수가 적힌 카드가 나오는 경우는 3, 5, 7, 11, 13, 17, 19의 7가지이므로 홀수 또는 소수가 적힌 카드가 나오는 경우의 수는

$10 + 8 - 7 = 11$

따라서 구하는 확률은 $\dfrac{11}{20}$

08 **Action** 적어도 1명은 남자가 뽑힐 확률은

1-(3명 모두 여자가 뽑힐 확률)임을 이용한다.

후보 8명 중에서 3명의 대표를 뽑는 경우의 수는

$\dfrac{8 \times 7 \times 6}{3 \times 2 \times 1} = 56$

여자 후보 5명 중에서 3명의 대표를 뽑는 경우의 수는

$\dfrac{5 \times 4 \times 3}{3 \times 2 \times 1} = 10$

즉 3명 모두 여자가 뽑힐 확률은 $\dfrac{10}{56}=\dfrac{5}{28}$

∴ (적어도 1명은 남자가 뽑힐 확률)

$\quad=1-$ (3명 모두 여자가 뽑힐 확률)

$\quad=1-\dfrac{5}{28}=\dfrac{23}{28}$

09 Action 어떤 사건이 일어날 확률을 p라 하면 $0\leq p\leq 1$이다.

④ 사건 A가 일어날 확률을 p라 하면 $0\leq p\leq 1$이다.

따라서 옳지 않은 것은 ④이다.

10 Action 반드시 일어나는 사건의 확률은 1이다.

서로 다른 두 개의 주사위를 동시에 던질 때, 나오는 두 눈의 수의 합은 항상 2 이상 12 이하이다.

따라서 두 눈의 수의 합이 2 이상일 확률은 1이고 12 이하일 확률도 1이므로

$a=1,\ b=1$

∴ $a+b=1+1=2$

◀⟩ Lecture

확률의 성질

① 어떤 사건이 일어날 확률을 p라 하면 $0\leq p\leq 1$이다.

② 절대로 일어날 수 없는 사건의 확률은 0이다.

③ 반드시 일어나는 사건의 확률은 1이다.

11 Action '또는'이라는 표현이 있으므로 확률의 덧셈을 이용한다.

1등 제비를 뽑을 확률은 $\dfrac{4}{100}$

2등 제비를 뽑을 확률은 $\dfrac{21}{100}$

따라서 구하는 확률은 $\dfrac{4}{100}+\dfrac{21}{100}=\dfrac{1}{4}$

12 Action 2개 모두 팥이 들어 있는 송편을 택해야 하므로 확률의 곱셈을 이용한다.

A 접시에서 팥이 들어 있는 송편을 택할 확률은

$\dfrac{12}{30}=\dfrac{2}{5}$

B 접시에서 팥이 들어 있는 송편을 택할 확률은

$\dfrac{15}{30}=\dfrac{1}{2}$

따라서 구하는 확률은 $\dfrac{2}{5}\times\dfrac{1}{2}=\dfrac{1}{5}$

13 Action (구하는 확률)=(A가 명중시킬 확률)×(B가 명중시킬 확률)×(C가 명중시키지 못할 확률)임을 이해한다.

A와 B는 명중시키고 C는 명중시키지 못할 확률은

$\dfrac{2}{5}\times\dfrac{1}{2}\times\left(1-\dfrac{1}{3}\right)=\dfrac{2}{5}\times\dfrac{1}{2}\times\dfrac{2}{3}=\dfrac{2}{15}$

14 Action 두 사람이 만나지 못할 확률은 적어도 한 사람이 약속을 지키지 못할 확률과 같다.

세종이가 약속을 지킬 확률은 $1-\dfrac{1}{5}=\dfrac{4}{5}$

두 사람이 모두 약속을 지킬 확률은 $\dfrac{4}{5}\times\dfrac{1}{6}=\dfrac{2}{15}$

∴ (두 사람이 만나지 못할 확률)

$\quad=$ (적어도 한 사람이 약속을 지키지 못할 확률)

$\quad=1-$ (두 사람이 모두 약속을 지킬 확률)

$\quad=1-\dfrac{2}{15}=\dfrac{13}{15}$

15 Action 적어도 1문제는 답을 맞힐 확률은

$1-$ (3문제 모두 틀릴 확률)임을 이용한다.

3문제 모두 틀릴 확률은 $\dfrac{4}{5}\times\dfrac{4}{5}\times\dfrac{4}{5}=\dfrac{64}{125}$

∴ (적어도 1문제는 답을 맞힐 확률)

$\quad=1-$ (3문제 모두 틀릴 확률)

$\quad=1-\dfrac{64}{125}=\dfrac{61}{125}$

16 Action 두 자연수의 합이 홀수이려면 (짝수)+(홀수) 또는 (홀수)+(짝수)이어야 한다.

두 자연수의 합이 홀수이려면 (짝수)+(홀수) 또는 (홀수)+(짝수)이어야 한다. …… 20%

(i) A가 짝수이고 B가 홀수일 확률은

$\left(1-\dfrac{1}{4}\right)\times\dfrac{2}{3}=\dfrac{3}{4}\times\dfrac{2}{3}=\dfrac{1}{2}$ …… 30%

(ii) A가 홀수이고 B가 짝수일 확률은

$\dfrac{1}{4}\times\left(1-\dfrac{2}{3}\right)=\dfrac{1}{4}\times\dfrac{1}{3}=\dfrac{1}{12}$ …… 30%

(i), (ii)에서 구하는 확률은

$\dfrac{1}{2}+\dfrac{1}{12}=\dfrac{7}{12}$ …… 20%

◀⟩ Lecture

두 자연수의 합

① (짝수)+(짝수)=(짝수)　　② (짝수)+(홀수)=(홀수)

③ (홀수)+(짝수)=(홀수)　　④ (홀수)+(홀수)=(짝수)

17 Action 점 P가 꼭짓점 D에 놓이려면 두 눈의 수의 합이 3 또는 7 또는 11이어야 한다.

모든 경우의 수는 $6\times 6=36$

점 P가 꼭짓점 D에 놓이려면 두 눈의 수의 합이 3 또는 7 또는 11이어야 한다.

(i) 두 눈의 수의 합이 3인 경우는 $(1, 2),\ (2, 1)$의 2가지이므로 그 확률은 $\dfrac{2}{36}$

(ii) 두 눈의 수의 합이 7인 경우는 $(1, 6),\ (2, 5),\ (3, 4),$ $(4, 3),\ (5, 2),\ (6, 1)$의 6가지이므로 그 확률은 $\dfrac{6}{36}$

(iii) 두 눈의 수의 합이 11인 경우는 $(5, 6)$, $(6, 5)$의 2가지이

므로 그 확률은 $\dfrac{2}{36}$

(i)~(iii)에서 구하는 확률은

$\dfrac{2}{36} + \dfrac{6}{36} + \dfrac{2}{36} = \dfrac{5}{18}$

18 Action 비가 온 날을 ○, 비가 오지 않은 날을 ×로 표시하여 월요일에 비가 오고 수요일에 비가 오는 경우를 표로 나타내 본다.

비가 오면 그 다음 날에 비가 올 확률이 $\dfrac{70}{100} = \dfrac{7}{10}$이므로

비가 오지 않을 확률은 $1 - \dfrac{7}{10} = \dfrac{3}{10}$

비가 오지 않으면 그 다음 날에 비가 올 확률은

$\dfrac{50}{100} = \dfrac{1}{2}$

비가 온 날을 ○, 비가 오지 않은 날을 ×로 나타낼 때, 월요일에 비가 오고 같은 주 수요일에 비가 오는 경우는 다음과 같다.

	월	화	수	확률
(i)	○	○	○	$\dfrac{7}{10} \times \dfrac{7}{10} = \dfrac{49}{100}$
(ii)	○	×	○	$\dfrac{3}{10} \times \dfrac{1}{2} = \dfrac{3}{20}$

(i), (ii)에서 구하는 확률은

$\dfrac{49}{100} + \dfrac{3}{20} = \dfrac{16}{25}$

19 Action 두 사건이 모두 일어나야 하므로 확률의 곱셈을 이용한다.

수영이가 당첨 제비를 뽑을 확률은 $\dfrac{4}{20} = \dfrac{1}{5}$

서연이가 당첨 제비를 뽑지 않을 확률은 $\dfrac{16}{20} = \dfrac{4}{5}$

따라서 구하는 확률은

$\dfrac{1}{5} \times \dfrac{4}{5} = \dfrac{4}{25}$

20 Action 적어도 한 개는 노란 구슬을 꺼낼 확률은 $1 - (2$개 모두 파란 구슬을 꺼낼 확률)임을 이용한다.

첫 번째에 파란 구슬을 꺼낼 확률은 $\dfrac{3}{8}$

두 번째에 파란 구슬을 꺼낼 확률은 $\dfrac{2}{7}$

따라서 2개 모두 파란 구슬을 꺼낼 확률은

$\dfrac{3}{8} \times \dfrac{2}{7} = \dfrac{3}{28}$

$\therefore$ (적어도 한 개는 노란 구슬을 꺼낼 확률)

$= 1 - (2$개 모두 파란 구슬을 꺼낼 확률)

$= 1 - \dfrac{3}{28}$

$= \dfrac{25}{28}$

21 Action 지윤이가 꺼낸 구슬을 다시 넣지 않으므로 서영이는 6개의 구슬 중에서 1개를 꺼내야 한다.

(i) 지윤이는 빨간 구슬을 꺼내고 서영이는 파란 구슬을 꺼낼 확률은

$\dfrac{4}{7} \times \dfrac{3}{6} = \dfrac{2}{7}$

(ii) 지윤이는 파란 구슬을 꺼내고 서영이는 빨간 구슬을 꺼낼 확률은

$\dfrac{3}{7} \times \dfrac{4}{6} = \dfrac{2}{7}$

(i), (ii)에서 구하는 확률은

$\dfrac{2}{7} + \dfrac{2}{7} = \dfrac{4}{7}$

22 Action 도형에서의 확률은 넓이를 이용하여 구한다.

노란색 부분을 맞힐 확률은 $\dfrac{3}{9}$

파란색 부분을 맞힐 확률은 $\dfrac{2}{9}$

따라서 구하는 확률은

$\dfrac{3}{9} + \dfrac{2}{9} = \dfrac{5}{9}$

23 Action 맞힌 두 수의 합이 0이 되려면 -1과 1 또는 1과 -1을 차례대로 맞혀야 한다.

맞힌 두 수의 합이 0이 되려면 -1과 1 또는 1과 -1을 차례대로 맞혀야 한다.

(i) -1과 1을 차례대로 맞힐 확률은

$\dfrac{2}{6} \times \dfrac{4}{6} = \dfrac{2}{9}$

(ii) 1과 -1을 차례대로 맞힐 확률은

$\dfrac{4}{6} \times \dfrac{2}{6} = \dfrac{2}{9}$

(i), (ii)에서 구하는 확률은

$\dfrac{2}{9} + \dfrac{2}{9} = \dfrac{4}{9}$

24 Action A 바둑통에서 흰 바둑돌을 꺼내는 경우와 검은 바둑돌을 꺼내는 경우로 나누어 생각한다.

(i) A 바둑통에서 흰 바둑돌을 꺼내고 B 바둑통에서 흰 바둑돌을 꺼낼 확률은

$\dfrac{6}{9} \times \dfrac{4}{6} = \dfrac{4}{9}$

(ii) A 바둑통에서 검은 바둑돌을 꺼내고 B 바둑통에서 흰 바둑돌을 꺼낼 확률은

$\dfrac{3}{9} \times \dfrac{3}{6} = \dfrac{1}{6}$

(i), (ii)에서 구하는 확률은

$\dfrac{4}{9} + \dfrac{1}{6} = \dfrac{11}{18}$

완성하기 📖 104- 📖 107

01 $\frac{5}{72}$	02 8	03 $\frac{5}{17}$	04 $\frac{1}{9}$
05 $\frac{11}{21}$	06 $\frac{1}{3}$	07 $\frac{2}{9}$	08 $\frac{29}{48}$
09 $\frac{5}{12}$	10 $\frac{11}{25}$	11 $\frac{4}{15}$	12 $\frac{3}{8}$
13 $\frac{20}{27}$	14 $\frac{8}{21}$	15 $\frac{1}{2}$	16 $\frac{26}{81}$

01 `Action` A에서 나온 눈의 수와 B에서 나온 눈의 수의 합이 C에서 나온 눈의 수와 같게 되는 경우를 순서쌍으로 나열해 본다.

모든 경우의 수는 $6 \times 6 \times 6 = 216$

A에서 나온 눈의 수와 B에서 나온 눈의 수의 합이 C에서 나온 눈의 수와 같게 되는 경우는

$(1, 1, 2), (1, 2, 3), (1, 3, 4), (1, 4, 5), (1, 5, 6),$
$(2, 1, 3), (2, 2, 4), (2, 3, 5), (2, 4, 6), (3, 1, 4),$
$(3, 2, 5), (3, 3, 6), (4, 1, 5), (4, 2, 6), (5, 1, 6)$

이므로 15가지이다.

따라서 구하는 확률은

$\frac{15}{216} = \frac{5}{72}$

02 `Action` 먼저 전체 공의 개수를 구한다.

전체 공의 개수는 $5 + x + y$

빨간 공이 나올 확률이 $\frac{1}{3}$이므로 $\frac{5}{5+x+y} = \frac{1}{3}$

$5 + x + y = 15$ ∴ $x + y = 10$

파란 공이 나올 확률이 $\frac{3}{5}$이므로 $\frac{x}{5+x+y} = \frac{3}{5}$

이때 $x + y = 10$이므로 $\frac{x}{15} = \frac{3}{5}$

∴ $x = 9$

$x = 9$를 $x + y = 10$에 대입하면 $y = 1$

∴ $x - y = 9 - 1 = 8$

03 `Action` 삼각형을 만들려면 3개의 점이 필요함을 이용한다.

삼각형을 만들려면 3개의 점이 필요하므로 6개의 점 중에서 3개의 점을 선택하는 경우의 수는

$\frac{6 \times 5 \times 4}{3 \times 2 \times 1} = 20$

이때 한 직선 위의 세 점으로는 삼각형을 만들 수 없으므로 삼각형을 만들 수 있는 경우의 수는

$20 - 3 = 17$

정삼각형이 만들어지는 경우는 다음 그림과 같이 5가지이다.

따라서 정삼각형이 될 확률은 $\frac{5}{17}$

04 `Action` 직선 $ax + by = 6$의 x절편은 $\frac{6}{a}$, y절편은 $\frac{6}{b}$이다.

모든 경우의 수는 $6 \times 6 = 36$

직선 $ax + by = 6$의 x절편은 $\frac{6}{a}$, y절편은 $\frac{6}{b}$이므로 직선과 x축, y축으로 둘러싸인 삼각형의 넓이는

$\frac{1}{2} \times \frac{6}{a} \times \frac{6}{b} = \frac{18}{ab}$

이때 삼각형의 넓이가 3이므로 $\frac{18}{ab} = 3$

∴ $ab = 6$

두 수의 곱이 6인 경우는 $(1, 6), (2, 3), (3, 2), (6, 1)$의 4가지

따라서 구하는 확률은 $\frac{4}{36} = \frac{1}{9}$

05 `Action` 0이 두 개이므로 십의 자리에 0이 오는 경우와 0이 오지 않는 경우로 나누어 개수를 세어 본다.

십의 자리에 0이 오는 경우 만들 수 있는 세 자리의 정수의 개수는 $3 \times 1 \times 3 = 9$

십의 자리에 0 이외의 숫자가 오는 경우 만들 수 있는 세 자리의 정수의 개수는

$3 \times 2 \times 2 = 12$

따라서 모든 경우의 수는 $9 + 12 = 21$

이때 4의 배수가 되는 경우는 100, 104, 140, 160, 164, 400, 416, 460, 600, 604, 640의 11가지이므로 구하는 확률은

$\frac{11}{21}$

06 `Action` 두 변의 길이의 합이 나머지 한 변의 길이보다 짧거나, 두 변의 길이의 차가 나머지 한 변의 길이보다 길면 삼각형이 만들어지지 않는다.

모든 경우의 수는 $6 \times 6 = 36$

두 눈의 수를 각각 a, b라 하면 삼각형이 만들어지지 않는 경우는 $a + b \leq 4$이거나 $|a - b| \geq 4$인 경우이다.

(i) $a + b \leq 4$인 경우: (a, b)가 $(1, 1), (1, 2), (1, 3),$
   $(2, 1), (2, 2), (3, 1)$의 6가지

(ii) $|a - b| \geq 4$인 경우: (a, b)가 $(1, 5), (1, 6), (2, 6),$
   $(5, 1), (6, 1), (6, 2)$의 6가지

(i), (ii)에서 구하는 경우의 수는 $6 + 6 = 12$

따라서 구하는 확률은 $\frac{12}{36} = \frac{1}{3}$

07 `Action` $\frac{20}{x+2}$이 정수가 되려면 $x + 2$가 20의 약수가 되어야 한다.

모든 경우의 수는 $6 \times 6 = 36$

$\frac{20}{x+2}$이 정수가 되려면 $x + 2$가 20의 약수가 되어야 한다.

x는 2개의 주사위의 눈의 수의 합이므로

$2 \leq x \leq 12$

이때 20의 약수는 1, 2, 4, 5, 10, 20이므로

$x=2, 3, 8$

(ⅰ) 두 눈의 수의 합이 2인 경우 : (1, 1)의 1가지

(ⅱ) 두 눈의 수의 합이 3인 경우 : (1, 2), (2, 1)의 2가지

(ⅲ) 두 눈의 수의 합이 8인 경우: (2, 6), (3, 5), (4, 4),

　　(5, 3), (6, 2)의 5가지

(ⅰ)~(ⅲ)에서 구하는 경우의 수는

$1+2+5=8$

따라서 구하는 확률은 $\dfrac{8}{36}=\dfrac{2}{9}$

08 Action 동전에서 앞면이 나오는 개수는 1, 2, 3 중의 하나이고 각각의 숫자를 약수로 가지는 경우를 생각해 본다.

(ⅰ) 동전 3개에서 앞면이 1개 나오는 경우는 (앞, 뒤, 뒤),

　　(뒤, 앞, 뒤), (뒤, 뒤, 앞)의 3가지이므로 그 확률은 $\dfrac{3}{8}$

　　주사위에서 약수가 1인 눈의 수가 나오는 경우는 1, 2, 3,

　　4, 5, 6의 6가지이므로 그 확률은 $\dfrac{6}{6}=1$

　　$\therefore \dfrac{3}{8}\times 1=\dfrac{3}{8}$

(ⅱ) 동전 3개에서 앞면이 2개 나오는 경우는 (앞, 앞, 뒤),

　　(앞, 뒤, 앞), (뒤, 앞, 앞)의 3가지이므로 그 확률은 $\dfrac{3}{8}$

　　주사위에서 약수가 2인 눈의 수가 나오는 경우는 2, 4, 6

　　의 3가지이므로 그 확률은 $\dfrac{3}{6}=\dfrac{1}{2}$

　　$\therefore \dfrac{3}{8}\times \dfrac{1}{2}=\dfrac{3}{16}$

(ⅲ) 동전 3개에서 앞면이 3개 나오는 경우는 (앞, 앞, 앞)의

　　1가지이므로 그 확률은 $\dfrac{1}{8}$

　　주사위에서 약수가 3인 눈의 수가 나오는 경우는 3, 6의

　　2가지이므로 그 확률은 $\dfrac{2}{6}=\dfrac{1}{3}$

　　$\therefore \dfrac{1}{8}\times \dfrac{1}{3}=\dfrac{1}{24}$

(ⅰ)~(ⅲ)에서 구하는 확률은

$\dfrac{3}{8}+\dfrac{3}{16}+\dfrac{1}{24}=\dfrac{29}{48}$

09 Action 두 명만 문제를 맞히는 경우는 진희, 동주만 맞히거나 동주, 석민이만 맞히거나 진희, 석민이만 맞추는 경우가 있다.

진희가 문제를 틀릴 확률은 $1-\dfrac{3}{5}=\dfrac{2}{5}$

동주가 문제를 틀릴 확률은 $1-\dfrac{2}{3}=\dfrac{1}{3}$

석민이가 문제를 틀릴 확률은 $1-\dfrac{1}{4}=\dfrac{3}{4}$ ······ 30%

문제를 맞히는 것을 ○, 문제를 틀리는 것을 ×라 하고, 2명만 문제를 맞히는 경우를 순서쌍 (진희, 동주, 석민)으로 나타내면 (○, ○, ×), (○, ×, ○), (×, ○, ○)의 3가지 경우가 있다. ······ 30%

따라서 2명만 문제를 맞힐 확률은

$\left(\dfrac{3}{5}\times \dfrac{2}{3}\times \dfrac{3}{4}\right)+\left(\dfrac{3}{5}\times \dfrac{1}{3}\times \dfrac{1}{4}\right)+\left(\dfrac{2}{5}\times \dfrac{2}{3}\times \dfrac{1}{4}\right)$

$=\dfrac{3}{10}+\dfrac{1}{20}+\dfrac{1}{15}=\dfrac{5}{12}$ ······ 40%

10 Action 축구팀이 시합에서 이기는 경우는 비가 오지 않고 이기는 경우와 비가 오고 이기는 경우가 있다.

시합하는 날 비가 올 확률이 $\dfrac{60}{100}=\dfrac{3}{5}$이므로 시합하는 날 비가 오지 않을 확률은 $1-\dfrac{3}{5}=\dfrac{2}{5}$

(ⅰ) 시합하는 날 비가 오지 않고 이길 확률은

　　$\dfrac{2}{5}\times \dfrac{3}{5}=\dfrac{6}{25}$

(ⅱ) 시합하는 날 비가 오고 이길 확률은

　　$\dfrac{3}{5}\times \dfrac{1}{3}=\dfrac{1}{5}$

(ⅰ), (ⅱ)에서 구하는 확률은 $\dfrac{6}{25}+\dfrac{1}{5}=\dfrac{11}{25}$

11 Action 민정이가 답을 맞힐 확률을 p라 하면 답을 맞히지 못할 확률은 $1-p$이다.

민정이가 답을 맞힐 확률을 p라 하면 답을 맞히지 못할 확률은 $1-p$이다.

이때 두 사람 모두 답을 맞히지 못할 확률이 $\dfrac{2}{15}$이므로

$\left(1-\dfrac{4}{5}\right)\times (1-p)=\dfrac{2}{15}$

$\dfrac{1}{5}(1-p)=\dfrac{2}{15}$　　$\therefore p=\dfrac{1}{3}$

따라서 두 사람 모두 답을 맞힐 확률은

$\dfrac{4}{5}\times \dfrac{1}{3}=\dfrac{4}{15}$

12 Action 공이 C로 나오는 경우를 그림으로 나타내 본다.

공이 C로 나오는 경우는 다음과 같이 6가지이다.

이때 각각의 갈림길에서 하나의 길로 이동할 확률은 $\dfrac{1}{2}$이므로 각각의 경우의 확률은 $\dfrac{1}{2}\times \dfrac{1}{2}\times \dfrac{1}{2}\times \dfrac{1}{2}=\dfrac{1}{16}$

따라서 구하는 확률은 $\dfrac{1}{16}\times 6=\dfrac{3}{8}$

13 Action 자유투를 성공할 확률이 $\dfrac{2}{3}$이므로 자유투를 성공하지 못할 확률은 $1-\dfrac{2}{3}=\dfrac{1}{3}$이다.

자유투를 성공하는 것을 ○, 성공하지 못하는 것을 ×라 할 때, 자유투를 2번 이상 성공하는 경우는 다음과 같다.

(i) (○, ○, ○)인 경우 : $\dfrac{2}{3}\times\dfrac{2}{3}\times\dfrac{2}{3}=\dfrac{8}{27}$

(ii) (○, ○, ×)인 경우 :

$$\dfrac{2}{3}\times\dfrac{2}{3}\times\left(1-\dfrac{2}{3}\right)=\dfrac{2}{3}\times\dfrac{2}{3}\times\dfrac{1}{3}=\dfrac{4}{27}$$

(iii) (○, ×, ○)인 경우 :

$$\dfrac{2}{3}\times\left(1-\dfrac{2}{3}\right)\times\dfrac{2}{3}=\dfrac{2}{3}\times\dfrac{1}{3}\times\dfrac{2}{3}=\dfrac{4}{27}$$

(iv) (×, ○, ○)인 경우 :

$$\left(1-\dfrac{2}{3}\right)\times\dfrac{2}{3}\times\dfrac{2}{3}=\dfrac{1}{3}\times\dfrac{2}{3}\times\dfrac{2}{3}=\dfrac{4}{27}$$

(i)~(iv)에서 구하는 확률은

$$\dfrac{8}{27}+\dfrac{4}{27}+\dfrac{4}{27}+\dfrac{4}{27}=\dfrac{20}{27}$$

14 Action 성주가 이기려면 성주가 처음으로 빨간 공을 꺼내야 한다.

(i) 성주가 첫 번째 공을 꺼낼 때, 빨간 공을 꺼낼 확률은

$$\dfrac{6}{10}\times\dfrac{4}{9}=\dfrac{4}{15}$$ ⋯⋯ 30%

(ii) 성주가 두 번째 공을 꺼낼 때, 빨간 공을 꺼낼 확률은

$$\dfrac{6}{10}\times\dfrac{5}{9}\times\dfrac{4}{8}\times\dfrac{4}{7}=\dfrac{2}{21}$$ ⋯⋯ 30%

(iii) 성주가 세 번째 공을 꺼낼 때, 빨간 공을 꺼낼 확률은

$$\dfrac{6}{10}\times\dfrac{5}{9}\times\dfrac{4}{8}\times\dfrac{3}{7}\times\dfrac{2}{6}\times\dfrac{4}{5}=\dfrac{2}{105}$$ ⋯⋯ 30%

(i)~(iii)에서 구하는 확률은

$$\dfrac{4}{15}+\dfrac{2}{21}+\dfrac{2}{105}=\dfrac{8}{21}$$ ⋯⋯ 10%

15 Action 점 P의 위치가 될 수 있는 부분을 그림으로 나타내 본다.

정사각형 ABCD의 넓이가 $4\ \mathrm{cm}^2$이므로

$\overline{\mathrm{BC}}=2\ (\mathrm{cm})$

오른쪽 그림과 같이 점 P에서 $\overline{\mathrm{BC}}$에 내린 수선의 발을 H라 하면

$$\triangle\mathrm{PBC}=\dfrac{1}{2}\times2\times\overline{\mathrm{PH}}$$
$$=\overline{\mathrm{PH}}$$

이때 $\triangle\mathrm{PBC}$의 넓이가 $1\ \mathrm{cm}^2$ 이하 가 되려면 $\overline{\mathrm{PH}}$의 길이는 $1\ \mathrm{cm}$ 이하이어야 한다.

따라서 점 P의 위치가 될 수 있는 부분은 위의 그림에서 색칠 한 부분과 같으므로 구하는 확률은

$$\dfrac{(\square\mathrm{EBCF의\ 넓이})}{(\square\mathrm{ABCD의\ 넓이})}=\dfrac{2}{4}=\dfrac{1}{2}$$

16 Action 세 원의 반지름의 길이를 가장 작은 것부터 차례대로 r, $2r$, $3r$로 놓고 각 부분의 넓이를 r를 사용하여 나타낸다.

세 원의 반지름의 길이를 가장 작은 것부터 차례대로 r, $2r$, $3r$라 하면 과녁 전체의 넓이는

$$\pi\times(3r)^2=9\pi r^2$$

1점, 2점, 3점이 적혀 있는 부분의 넓이는 차례대로

$$\pi\times(3r)^2-\pi\times(2r)^2=9\pi r^2-4\pi r^2=5\pi r^2,$$
$$\pi\times(2r)^2-\pi\times r^2=4\pi r^2-\pi r^2=3\pi r^2,$$
$$\pi\times r^2=\pi r^2$$

즉 1점, 2점, 3점을 얻을 확률은 차례대로

$$\dfrac{5\pi r^2}{9\pi r^2}=\dfrac{5}{9},\ \dfrac{3\pi r^2}{9\pi r^2}=\dfrac{1}{3},\ \dfrac{\pi r^2}{9\pi r^2}=\dfrac{1}{9}$$

이때 화살을 두 번 쏘아서 3점 이하의 점수를 얻는 경우는 (1점, 1점), (1점, 2점), (2점, 1점)이므로 그 확률은

$$\dfrac{5}{9}\times\dfrac{5}{9}+\dfrac{5}{9}\times\dfrac{1}{3}+\dfrac{1}{3}\times\dfrac{5}{9}=\dfrac{25}{81}+\dfrac{5}{27}+\dfrac{5}{27}=\dfrac{55}{81}$$

따라서 구하는 확률은

$$1-\dfrac{55}{81}=\dfrac{26}{81}$$

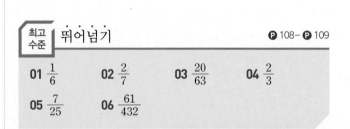

최고 수준 **뛰어넘기** P 108- P 109

| 01 $\dfrac{1}{6}$ | 02 $\dfrac{2}{7}$ | 03 $\dfrac{20}{63}$ | 04 $\dfrac{2}{3}$ |
| 05 $\dfrac{7}{25}$ | 06 $\dfrac{61}{432}$ | | |

01 Action 2는 3보다 왼쪽에, 4는 3보다 오른쪽에 배열하는 경우는 2, 3, 4의 사이와 앞, 뒤에 1과 5를 넣는 경우와 같다.

모든 경우의 수는 $5\times4\times3\times2\times1=120$

2는 3보다 왼쪽에, 4는 3보다 오른쪽에 배열하는 경우는 2, 3, 4의 사이와 앞, 뒤에 1과 5를 넣는 경우와 같다.

(i) 1과 5를 이웃하도록 넣는 경우

　□2□3□4□에서 □ 하나에 1, 5를 모두 넣는 경우의 수는 4

　이때 1, 5의 순서를 바꾸는 경우의 수는 2이므로 구하는 경우의 수는 $4\times2=8$

(ii) 1과 5를 이웃하지 않도록 넣는 경우

　□2□3□4□에서 □ 하나에는 1을, 다른 하나에는 5를 넣는 경우의 수는 4개의 □ 중 2개를 택하여 1, 5를 각각 넣는 경우의 수와 같으므로 $4 \times 3 = 12$

(i), (ii)에서 구하는 경우의 수는 $8 + 12 = 20$

따라서 구하는 확률은 $\dfrac{20}{120} = \dfrac{1}{6}$

02 **Action** 공을 동시에 꺼내므로 경우의 수의 곱셈을 이용한다.

9개의 공 중에서 6개를 꺼내는 경우의 수는

$\dfrac{9 \times 8 \times 7 \times 6 \times 5 \times 4}{6 \times 5 \times 4 \times 3 \times 2 \times 1} = 84$

빨간 공 4개 중에서 3개를 꺼내는 경우의 수는

$\dfrac{4 \times 3 \times 2}{3 \times 2 \times 1} = 4$

파란 공 3개 중에서 2개를 꺼내는 경우의 수는

$\dfrac{3 \times 2}{2 \times 1} = 3$

노란 공 2개 중에서 1개를 꺼내는 경우의 수는 2

따라서 빨간 공 3개, 파란 공 2개, 노란 공 1개를 꺼내는 경우의 수는 $4 \times 3 \times 2 = 24$이므로 그 확률은 $\dfrac{24}{84} = \dfrac{2}{7}$

> **Lecture**
>
> **자격이 같은 대표를 뽑는 경우의 수**
>
> n명 중에서 자격이 같은 k명의 대표를 뽑는 경우의 수는
>
> $\dfrac{n \times (n-1) \times (n-2) \times \cdots \times (n-k+1)}{k \times (k-1) \times (k-2) \times \cdots \times 2 \times 1}$

03 **Action** 3이 두 번째로 작은 수가 되려면 1, 2 중에서 1개를 택하고 4, 5, 6, 7, 8, 9 중에서 3개를 택하면 된다.

1에서 9까지의 자연수 중에서 서로 다른 5개의 수를 택하는 경우의 수는

$\dfrac{9 \times 8 \times 7 \times 6 \times 5}{5 \times 4 \times 3 \times 2 \times 1} = 126$

3이 두 번째로 작은 수가 되려면 1, 2 중에서 1개를 택하고 4, 5, 6, 7, 8, 9 중에서 3개를 택해야 하므로 그 경우의 수는

$2 \times \dfrac{6 \times 5 \times 4}{3 \times 2 \times 1} = 40$

따라서 구하는 확률은 $\dfrac{40}{126} = \dfrac{20}{63}$

04 **Action** 적어도 한 사람이 맞힐 확률은

1−(두 사람 모두 맞히지 못할 확률)임을 이용한다.

A가 10점 과녁을 맞힐 확률이 $\dfrac{1}{4}$이므로 맞히지 못할 확률은

$1 - \dfrac{1}{4} = \dfrac{3}{4}$

이때 B가 10점 과녁을 맞히지 못할 확률을 x라 하면 A와 B 중 적어도 한 사람이 10점 과녁을 맞힐 확률이 $\dfrac{1}{2}$이므로

$1 - \dfrac{3}{4} \times x = \dfrac{1}{2}$　∴ $x = \dfrac{2}{3}$

또 C가 10점 과녁을 맞히지 못할 확률을 y라 하면 A와 C 중 적어도 한 사람이 10점 과녁을 맞힐 확률이 $\dfrac{5}{8}$이므로

$1 - \dfrac{3}{4} \times y = \dfrac{5}{8}$　∴ $y = \dfrac{1}{2}$

∴ (B와 C 중 적어도 한 사람이 10점 과녁을 맞힐 확률)

＝1−(B와 C 모두 10점 과녁을 맞히지 못할 확률)

$= 1 - \dfrac{2}{3} \times \dfrac{1}{2} = \dfrac{2}{3}$

05 **Action** $(a-b)(b-c)(c-a) = 0$이 되려면 $a = b$ 또는 $b = c$ 또는 $c = a$이어야 한다.

모든 경우의 수는 $10 \times 10 \times 10 = 1000$

$(a-b)(b-c)(c-a) = 0$이 되려면 $a = b$ 또는 $b = c$ 또는 $c = a$이어야 한다.

$a = b$ 또는 $b = c$ 또는 $c = a$일 확률을 p라 하면 $a \neq b$, $b \neq c$, $c \neq a$, 즉 세 수가 모두 다를 확률은 $1 - p$이다.

이때 세 수가 모두 다른 경우의 수는 $10 \times 9 \times 8 = 720$이므로

$1 - p = \dfrac{720}{1000} = \dfrac{18}{25}$　∴ $p = 1 - \dfrac{18}{25} = \dfrac{7}{25}$

따라서 구하는 확률은 $\dfrac{7}{25}$이다.

06 **Action** 바늘이 각각의 수가 적힌 면을 가르킬 확률은 중심각의 크기에 정비례한다.

바늘이 가리키는 면에 적힌 수가 0일 확률은

$\dfrac{60}{360} = \dfrac{1}{6}$

바늘이 가리키는 면에 적힌 수가 1일 확률은

$\dfrac{120}{360} = \dfrac{1}{3}$

바늘이 가리키는 면에 적힌 수가 2일 확률은

$\dfrac{90}{360} = \dfrac{1}{4}$

바늘이 가리키는 면에 적힌 수가 3일 확률은

$\dfrac{90}{360} = \dfrac{1}{4}$

원판을 세 번 돌릴 때, 바늘이 가리키는 면에 적힌 수를 각각 a, b, c라 하면 $a + b + c = 3$이 되는 경우는 다음과 같다.

(i) 바늘이 가리키는 면에 적힌 수가 0, 0, 3인 경우는 $(0, 0, 3)$, $(0, 3, 0)$, $(3, 0, 0)$의 3가지이고 각 경우의 확률은 모두 같으므로 그 확률은

$\left(\dfrac{1}{6} \times \dfrac{1}{6} \times \dfrac{1}{4} \right) \times 3 = \dfrac{1}{48}$

(ii) 바늘이 가리키는 면에 적힌 수가 0, 1, 2인 경우는

(0, 1, 2), (0, 2, 1), (1, 0, 2), (1, 2, 0), (2, 0, 1), (2, 1, 0)의 6가지이고 각 경우의 확률은 모두 같으므로 그 확률은

$$\left(\frac{1}{6} \times \frac{1}{3} \times \frac{1}{4}\right) \times 6 = \frac{1}{12}$$

(iii) 바늘이 가리키는 면에 적힌 수가 1, 1, 1인 경우는

(1, 1, 1)의 1가지이므로 그 확률은

$$\frac{1}{3} \times \frac{1}{3} \times \frac{1}{3} = \frac{1}{27}$$

(i)~(iii)에서 구하는 확률은

$$\frac{1}{48} + \frac{1}{12} + \frac{1}{27} = \frac{61}{432}$$

교과서 속 창의 사고력

📄 110- 📄 112

01 44	**02** 14	**03** $\frac{11}{12}$	**04** $\frac{1}{3}$
05 $\frac{30}{91}$	**06** $\frac{1}{4}$		

01 **Action** 내년에 1반의 담임 선생님이 B인 경우를 나뭇가지 모양의 그림으로 나타내 본다.

내년에 1반의 담임 선생님이 B인 경우를 나뭇가지 모양의 그림으로 나타내면 다음과 같다.

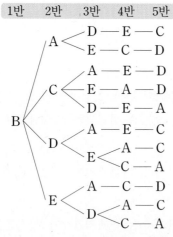

따라서 1반의 담임 선생님이 B인 경우는 11가지이고, 1반의 담임 선생님이 C, D, E인 경우도 각각 11가지이므로 구하는 경우의 수는

$11 \times 4 = 44$

02 **Action** 먼저 한 꼭짓점에 대하여 분할하는 방법을 생각한다.

(i) 오른쪽 그림과 같이 나누는 방법이 6개의 꼭짓점에 대하여 존재하므로 경우의 수는 6

(ii) 오른쪽 그림과 같이 나누는 방법이 6개의 꼭짓점에 대하여 존재한다. 이때 2가지씩 그 모양이 중복되므로 경우의 수는 3

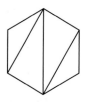

(iii) 오른쪽 그림과 같이 나누는 방법이 6개의 꼭짓점에 대하여 존재한다. 이때 2가지씩 그 모양이 중복되므로 경우의 수는 3

(iv) 오른쪽 그림과 같이 나누는 방법이 6개의 꼭짓점에 대하여 존재한다. 이때 3가지씩 그 모양이 중복되므로 경우의 수는 2

(i)~(iv)에서 구하는 경우의 수는

$6 + 3 + 3 + 2 = 14$

03 **Action** 소영이네 가족이 여행을 가는 날짜와 미선이네 가족이 여행을 가는 날짜를 나열해 본다.

소영이네 가족이 여행을 가는 날짜를 정하는 경우는 7월 26일~29일, 7월 27일~30일, 7월 28일~31일, 7월 29일~8월 1일의 4가지이고, 미선이네 가족이 여행을 가는 날짜를 정하는 경우는 7월 28일~30일, 7월 29일~31일, 7월 30일~8월 1일의 3가지이므로 두 가족이 여행을 가는 날짜를 정하는 경우의 수는 $4 \times 3 = 12$

이때 두 가족의 여행 날짜가 하루도 겹치지 않는 경우는 소영이네 가족이 7월 26일~29일, 미선이네 가족이 7월 30일~8월 1일로 정하는 1가지뿐이므로 그 확률은 $\frac{1}{12}$

∴ (여행 날짜가 하루 이상 겹치게 될 확률)

= 1 − (여행 날짜가 하루도 겹치지 않을 확률)

$= 1 - \frac{1}{12} = \frac{11}{12}$

04 **Action** 두 번째에 놓여 있는 수박이 그와 이웃하는 두 수박보다 가벼우려면 두 번째에는 가장 가벼운 수박 또는 두 번째로 가벼운 수박이 놓여야 한다.

모든 경우의 수는 $4 \times 3 \times 2 \times 1 = 24$

두 번째에 놓여 있는 수박이 그와 이웃하는 두 수박보다 가벼우려면 두 번째에는 가장 가벼운 수박 또는 두 번째로 가벼운 수박이 놓여야 한다.

(i) 무게가 가장 가벼운 수박이 두 번째에 놓이는 경우

나머지 3개의 수박을 일렬로 세우면 되므로 경우의 수는

$3 \times 2 \times 1 = 6$

(ii) 무게가 두 번째로 가벼운 수박이 두 번째에 놓이는 경우

무게가 가장 가벼운 수박을 마지막에 놓고 나머지 2개를

일렬로 세우면 되므로 경우의 수는

$$2 \times 1 = 2$$

(i), (ii)에서 구하는 경우의 수는 $6+2=8$

따라서 구하는 확률은 $\dfrac{8}{24} = \dfrac{1}{3}$

05 Action (확률)$= \dfrac{(보이지\ 않는\ 쌓기나무의\ 개수)}{(쌓기나무의\ 총\ 개수)}$ 임을 이용한다.

위에서 n번째 층에는 n^2개의 쌓기나무를 쌓게 되므로 쌓기나무의 총 개수는

$$1^2+2^2+3^2+4^2+5^2+6^2=1+4+9+16+25+36$$
$$=91$$

$n \geq 3$일 때, 위에서 n번째 층에서 보이지 않는 쌓기나무의 개수는 $(n-2)^2$이므로 보이지 않는 쌓기나무의 총 개수는

$$(3-2)^2+(4-2)^2+(5-2)^2+(6-2)^2=1+4+9+16$$
$$=30$$

따라서 구하는 확률은 $\dfrac{30}{91}$

06 Action 주사위 한 개를 던질 때, 나올 수 있는 확률은 $0, \dfrac{1}{6}, \dfrac{2}{6}, \dfrac{3}{6}, \dfrac{4}{6}, \dfrac{5}{6}, 1$의 7가지이다.

두 사건 A, B가 동시에 일어날 확률은 $p(1-p)$

주사위 1개를 던질 때, 나올 수 있는 확률 p의 값은 $0, \dfrac{1}{6}, \dfrac{2}{6}, \dfrac{3}{6}, \dfrac{4}{6}, \dfrac{5}{6}, 1$ 중의 하나이다.

(i) $p=0$일 때, $1-p=1$이므로 $p(1-p)=0$

(ii) $p=\dfrac{1}{6}$일 때, $1-p=\dfrac{5}{6}$이므로 $p(1-p)=\dfrac{5}{36}$

(iii) $p=\dfrac{2}{6}$일 때, $1-p=\dfrac{4}{6}$이므로 $p(1-p)=\dfrac{2}{9}$

(iv) $p=\dfrac{3}{6}$일 때, $1-p=\dfrac{3}{6}$이므로 $p(1-p)=\dfrac{1}{4}$

(v) $p=\dfrac{4}{6}$일 때, $1-p=\dfrac{2}{6}$이므로 $p(1-p)=\dfrac{2}{9}$

(vi) $p=\dfrac{5}{6}$일 때, $1-p=\dfrac{1}{6}$이므로 $p(1-p)=\dfrac{5}{36}$

(vii) $p=1$일 때, $1-p=0$이므로 $p(1-p)=0$

(i)~(vii)에서 구하는 확률의 최댓값은 $\dfrac{1}{4}$이다.

Memo

최강 TOT

중학 수학 라인업

최상

난이도

최고 수준

심화

유형 해결의 법칙

유형

교과서 다품 수학

셀파 해법 수학

개념

개념 해결의 법칙

시작은 하루 수학

기초
연산

빅터 연산

최하

**내신 대비
특화 교재**

고득점 필수

일등전략

전과목 기출

열공 기출문제집

기초 단기완성

7일 끝 중학

내신 공통서

수학전략

최고수준 수학

정답과 풀이

중학 수학 2·2

배움으로 행복한 내일을 꿈꾸는
천재교육 커뮤니티 안내 . . .

 교재 안내부터 구매까지 한 번에!
천재교육 홈페이지

자사가 발행하는 참고서, 교과서에 대한 소개는 물론
도서 구매도 할 수 있습니다. 회원에게 지급되는 별을 모아
다양한 상품 응모에도 도전해 보세요!

 다양한 교육 꿀팁에 깜짝 이벤트는 덤!
천재교육 인스타그램

천재교육의 새롭고 중요한 소식을 가장 먼저 접하고 싶다면?
천재교육 인스타그램 팔로우가 필수!
깜짝 이벤트도 수시로 진행되니 놓치지 마세요!

 수업이 편리해지는
천재교육 ACA 사이트

오직 선생님만을 위한, 천재교육 모든 교재에 대한 정보가 담긴
아카 사이트에서는 다양한 수업자료 및 부가 자료는 물론
시험 출제에 필요한 문제도 다운로드하실 수 있습니다.

https://aca.chunjae.co.kr

 천재교육을 사랑하는 샘들의 모임
천사샘

학원 강사, 공부방 선생님이시라면 누구나 가입할 수 있는 천사샘!
교재 개발 및 평가를 통해 교재 검토진으로 참여할 수 있는 기회는 물론
다양한 교사용 교재 증정 이벤트가 선생님을 기다립니다.

 아이와 함께 성장하는 학부모들의 모임공간
튠맘 학습연구소

튠맘 학습연구소는 초·중등 학부모를 대상으로 다양한 이벤트와 함께
교재 리뷰 및 학습 정보를 제공하는 네이버 카페입니다.
초등학생, 중학생 자녀를 둔 학부모님이라면 튠맘 학습연구소로 오세요!